HISTORIA DE LA POESIA HISPANOAMERICANA

OBRAS DEL MISMO AUTOR

Antología Comentada de la Poesía Hispanoamericana
(Tendencias — temas — Evolución)

Diccionario de Poetas Hispanoamericanos
(En preparación)

Hellén Ferro

HISTORIA DE LA POESIA HISPANOAMERICANA

LAS AMERICAS PUBLISHING CO.
1964

152 East 23rd Street
New York, N. Y. 10010

Manufactured in the United States of America
by Argentina Press

HISTORIA DE LA POESIA HISPANOAMERICANA

INTRODUCCION

Podría hacerse una historia de la poesía en la América de habla castellana mediante una acumulación de nombres y poemas en orden cronológico. La preceptiva diría cómo y cuán variados son los metros que se emplean y la exégesis descubriría el pensamiento íntimo del poeta. Sería más engorroso tratar de clasificar en escuelas a una poesía que no obedece a ninguna de las conformadas en Europa, y sí a todas en mezcla ardua de descomponer; o intentar contener en marcos literarios a poetas que fueron políticos.

Un estudio semejante dejaría demasiados claros para satisfacer al investigador de nuestros días.

Más importante que valorar artísticamente los poemas y "encasillar" en clasificaciones foráneas —éste es romántico, aquél parnasiano...— a los con frecuencia díscolos creadores, es analizar por qué se produjeron esos poemas, en qué mundo y condición nacieron los poetas y cuál intención llevaron al decir lo que dijeron. El balance ayudará a comprender, a través de la historia de la poesía, intrínsecamente ligada a la cultura, muchos aspectos espirituales de nuestra América. Para mejor comprender lo que produjeron, hay que mirar de contínuo a los poetas.

Porque los hombres americanos suelen ser más originales que su pensamiento, asimilado en gran parte de modelos foráneos. Tan foráneos que es exacto hablar, por ejemplo, de una escuela romántica en Francia o en Alemania pero hay que referirse a una "tendencia" o a un "movimiento" en la poética de este suelo. Aquí, en el continente, no hay escuelas poéticas en estado puro, ni propias ni ajenas. Y la única nota de originalidad nativa, sin molde europeo, ha de venir del hasta hace relativamente pocos años menospreciado folklore: ha de ser la poesía gauchesca y la negroide antillana. Ambas inspiradas por el colorido popular y utilizadas por hombres que por razones político-sociales se sirvieron de ellas sin clara conciencia —en sus comienzos— de que estaban creando algo nuevo.

El modernismo, en su primera parte, es un aporte cultural cuya mayor originalidad consiste en la novedad de mezclar elementos poéticos preexistentes. En su segunda parte, su aporte es político-social y no creativo.

* * *

El poeta de América es un hombre de acción y no de contemplación, como sucede por lo general en el resto del mundo. Su labor poética está sometida a factores no poéticos.

Esta afirmación es indiscutible en lo referente a los poetas de la Conquista y de la Independencia; relativamente cierta en la poesía de la Colonia, que es poesía de servidumbre intelectual (a pesar de la sátira marginal y populachera); y tiene doble faz, luego del Modernismo, en las dos corrientes actuales: poesía de militancia política —con mandato sobre la conducta del individuo— y poesía de creación pura, cuya motivación ya no es la de crear belleza como necesidad espiritual de compensar la vida material, sino que intenta —por el camino de dar a la percepción tanta importancia como a la razón— un autoconocimiento definitivo del hombre.

Quien quiera estudiar con más ambición que la del simple recopilador la poesía de América deberá tener en cuenta un fenómeno digno de ser analizado:

Al nacer la Colonia hay una unidad cultural entre la población hispana. Esa unidad es acatamiento al modelo peninsular y ha de desmembrarse en mil pedazos, con distintos valores de originalidad y profundidad, al producirse las Organizaciones Nacionales, luego de los movimientos revolucionarios y de las luchas por la independencia.

Regiones con cultura afianzada van a perder influencia al romperse la unidad física de América, regiones donde "no había cultura" van a comenzar a tenerla, con lógico retraso respecto a otros países que continuaron desarrollando la suya. Los poetas, andariegos del Continente en toda la etapa de integración nacional, políticos, luchadores la mayor parte de ellos, van a desplazarse de unos centros a otros, en busca de libertad y de cultura, señalando así la aparición de nuevos o renovados focos civilizadores. Y al mismo tiempo, sus reacciones de nómades al contacto con nuevas influencias, crea, por orgullo, por pudor de la pobreza intelectual de sus predios nativos, esos "nacionalismos" literarios y políticos que separan países y culturas en la hora actual de América Latina.

* * *

Para comprender lo que pasó aquí —y su repercusión en la poética— habrá que recordar lo que pasó en España en los siglos de la Colonia, y lo que pasó en España, Francia, Inglaterra y EE. UU. en los años siguientes.

El siglo XVI español no es, como se supone por un error psicológico motivado por su brillantez, la lógica culminación de un pueblo que llega a su madurez. España era uno de los reinos nuevos de Europa al producirse el descubrimiento (1492), todavía resonaban los cascos de las caballerías de don Gonzalo de Córdoba o de Ruy Diaz de Vivar, poco hacía que Castilla y Aragón estaban juntas —que no unidas— y si las cortes moras habían caído con la reconquista de Granada (también en 1492), su espíritu estaba tan presente que la Iglesia, para consolidar el reino cristiano, alzó bien alto y con ceño fanático el estandarte de la Cruz. El morisco se convierte, muere o emigra (expulsión de Castilla: 1502, expulsión de España: 1609); y nace el andaluz que hacia 1520 contribuye en más de dos tercios a la población española de América.

* * *

¿Qué recuerda esto? Que España pasaba por las mismas alternativas que pasarían sus representantes en América: confrontación con una raza distinta y con una cultura diferente a la que fue necesaria asimilar y destruir por la fe de Cristo y por el afianzamiento del poder del conquistador. Hay muchos puntos de igualdad entre las conquistas peninsulares y las americanas. ¿Podría establecerse un paralelismo con motivaciones culturales entre la expulsión de los judíos de España (1492) y la expulsión de los Jesuitas de las Indias? (1767).

La Conquista de América era, pues, una experiencia repetida. Y así como los fieros castellanos resistieron el influjo de la cultura sensual de las cortes islámicas, que no les interesó y por el contrario les espantó, de igual modo pasó en América. Eran hombres falibles, temerosos de Dios, con concepciones éticas y sociales que hoy nos cuesta admitir pero que eran justas y normales en su tiempo. La Iglesia no se ocupó de destruir al indígena —por el contrario, lo trató de comprender desde la primera hora con Fray Antonio Montesinos, Bartolomé de las Casas, la prohibición de las encomiendas, el reconocimiento de un alma en los indígenas, el "imperio" jesuítico— sino de destruir un sistema de gobierno basado en la primacía y deificación de un rey pagano, sustentado por sacerdotes y guerreros sacerdotales, que provocaba el escándalo católico. Pero si por un lado el fanatismo católico, exacerbado en el mismo siglo por la Reforma y la Contrarreforma, por Erasmo y Lutero, por las grandes herejías, se tradujo en una apretada censura para preservar a las Indias de tanta iniquidad como corrió por Europa, al mismo tiempo son los sacerdotes quienes van a conservar en sus archivos los testimonios de esa cultura, como ocurrió con los textos de los moriscos, y quienes van a permitir en gran parte su revaloración moderna.

* * *

El siglo XVI es, en América, un siglo de rebeldía americanista, hecha por no americanos. Rebeldía, bien entendido, que no va más allá de "presentir" algunos rasgos del futuro y de oponer el buen sentido, esto es, la desobediencia, a las medidas ordenadas para ser aplicadas en las Indias por gente que no las conocía sino por informes de gente que tampoco sabía mucho de ellas.

* * *

En este sentido, los sacerdotes católicos fueron los primeros rebeldes de América (los indios no eran rebeldes, se defendían del invasor). De ellos, y de esa rebeldía a negarse a predicar en "castellano", como era la ordenanza (y aprendieron las lenguas nativas), nacieron dos tipos de poesía que se desarrollarán con distinta suerte: la poesía indigenista y la poesía culta (en ésta se van a fundir para producir el Barroco americano la cortesanía y la escolástica, el Renacimiento y el espíritu medioeval).

La primera, popular, nace en el siglo XVI con la evangelización, se va a convertir en picaresca americana en el siglo XVII (no hay una continuación sino una equivalencia entre una y otra), en la satírica del siglo XVIII, en la gauchesca y patriótica del siglo XIX, para concluir en la protesta social del siglo XX.

La segunda, escolástica más que renacentista en el siglo XVI, rápidamente humanista y barroca en el XVII, se volverá culterana en el siglo XVIII y no será tan "torre de marfil" en el XIX ni tan "de espaldas a la realidad" en el XX, como se la ha acusado (por el contrario, responderá a una idiosincrasia y a una estética de los poetas que se sentían desterrados en América. Responderá a un mito de la cultura que obligará al intelectual americano a elegir entre valores adquiridos, foráneos, y valores propios, del terruño).

Un atisbo de reconocimiento telúrico, de rebeldía inconsciente si se quiere, es la admisión de la valentía del indio en las grandes crónicas y Gestas de la Conquista, desde "La verdadera historia de la Conquista de Nueva España", en prosa, de Bernal Díaz del Castillo (esp. 1495-1584) —de la cual ha hecho una transcripción poemática, en inglés, Archibald Mac Leish (Poems, 1924-1933)— hasta Ercilla o del Barco Centenera. Ese sentimiento de admiración por el habitante de América va a interrumpirse y a desaparecer durante la asimilación española en los años de colonialismo, pero renacerá en labios americanos, con militancia y propaganda, en los poetas de la poesía patriótica.

* * *

La poesía patriótica comenzó con la proclamación de la libertad de los pueblos y terminó exaltando el nacionalismo de esos mismos pueblos. Iba dirigida a un lector, de clase intelectual y economía burguesa, cuyos sentimientos alentaba. A los dirigentes de las revoluciones.

La poesía gauchesca o criolla se diferencia de la patriótica en que, precisamente, va enderezada a esos mismos dirigentes (reemplazantes de las viejas aristocracias hispanas), en son de protesta contra la injusticia de los que, lograda la libertad, se olvidaban de aquellos que habían sido el brazo para conseguirla: los gauchos.

* * *

Nada de esto, que es motivación y planteo de cualquier cultura, caería en la cuenta de quien, sometido a preceptivas europeas, quisiera estudiar a los hombres de América a través de sus poemas en vez de estudiar los poemas a través de las épocas y los hombres. Y no se vea en este enunciado una regla fija sino un principio recordable por que frecuentemente se le olvida.

* * *

Una observación más: por lo general, las escuelas literarias europeas, al trasladarse a América, adquieren peculiaridades propias que no se ajustan del todo a la definición original. No es exactamente lo mismo el Barroco español que el Barroco americano. A la inversa, hay notorias diferencias entre los modernistas de uno y otro continente.

* * *

Para facilitar la lectura del ensayo sobre "Historia de la Poesía Hispanoamericana" y su mayor comprensión, damos a continuación un cuadro sinóptico de las corrientes poéticas. El lector debe recordar, a pesar de la simplificación que ofrecemos, que rara vez los núcleos poéticos que mencionamos se dan en estado puro yendo las más de las veces mezclados, por lo menos en parte, los unos con los otros. Repetimos lo que ya dijimos antes: no hay escuelas delimitadas ni tampoco poetas que sean definitivamente esto o aquello. Escuelas y poetas *son* esto y también aquello.

LA POESIA HISPANOAMERICANA

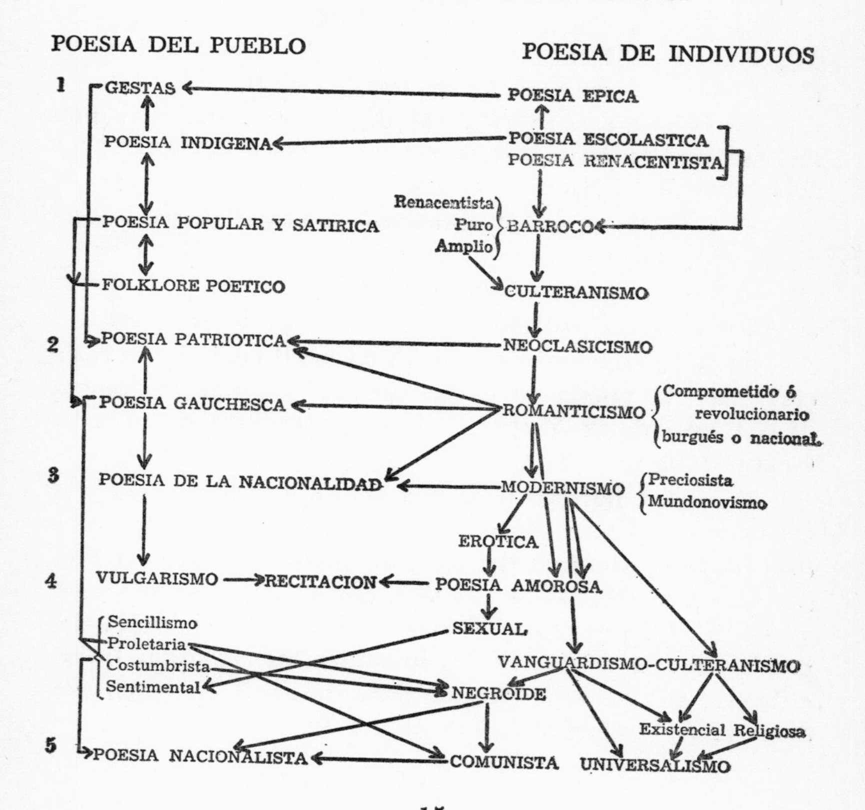

He aquí las dos grandes líneas, que se influencian mutuamente y que siguen un desarrollo paralelo: *poesía del pueblo,* creada por influencia de un medio inculto y para conmover a ese medio (escrita por poetas seudo proletarios); *poesía de individuos,* radicada en el poeta mismo, con su zona de influencia que no trasciende más allá de un medio culto y de limitado alcance. Pero este medio limitado es el que rige el destino poético de América y de él, no del pueblo mismo, salen la mayoría de los poetas que integran la primera corriente.

(1)

LA POESÍA EPICA europea (del Medioevo —Poema de Mio Cid— y del Renacimiento —Tasso, Ariosto—) influencia a la GESTA o épica de la Conquista (Ercilla).

LA POESÍA ESCOLASTICA (Medioeval, tomista, agustiniana) se mezcla en América con la POESÍA RENACENTISTA (neoplatónica, Petrarca, Dante).

El producido es el BARROCO americano, que puede clasificarse en *Barroco renacentista* (Hojeda, "La Cristiada"); *Barroco puro* (Balbuena, "El Bernardo"); Barroco amplio, o CULTERANISMO (Sor Juana Inés de la Cruz).

De la POESÍA ESCOLASTICA (Medioeval en forma y esencia) nace la poesía INDÍGENA (teatro popular misionero, "Las Cortes de la Muerte"), que proporciona temas a las GESTAS (Oña).

Frente al Barroco nace una poesía que influencia y es influenciada por la caricatura popular del teatro indígena, y que en parte proviene del folklore poético español: la POESÍA POPULAR Y SATÍRICA, que de populachera y *caricaturesca,* (siglo XVI), cambia a *picaresca* (Caviedes, siglo XVII), pasa a *satírica* (siglo XVIII, incluídos los fabulistas finiseculares), se convierte en *gauchesca* (siglo XIX) y en *costumbrista y proletaria* (en el siglo XX).

(2)

El Barroco, convertido en culteranismo, pierde fuerza a fines del XVIII. Por inercia, siguiendo el modelo peninsular, los poetas inician el NEOCLASICISMO.

El neoclasicismo no da ningún poeta o poema importante, como poesía culta, pero influencia a la POESIA PATRIÓTICA pues los poetas que hacen militancia revolucionaria escriben en ese estilo sus primeros poemas (y luego lo alternarán con las formas románticas). Su antecedente se encuentra en la GESTA.

LA POESÍA GAUCHESCA, proviene del Romanticismo por su parte culta, y de la poesía popular y satírica, del folklore poético, y de la poesía patriótica —a la cual a su vez influencia—, por su parte popular. EL ROMANTICISMO evoluciona desde una militancia comprometida y revolucionaria (Echeverría) a un aburguesamiento nostálgico por el pasado y admirativo por los rasgos nacionales, que comienzan a perfilarse.

(3)

LA POESÍA DE LA NACIONALIDAD, exaltación de los valores de la Nación (en vez de los de la Patria) tiene una raíz popular amenguada pero dada en la simplicidad de sus temas familiares y está influenciada por el Romanticismo y el MODERNISMO. Este se divide en *Preciosista* (culto de la belleza) y *Mundonovismo* (que refleja el nacimiento del Panamericanismo).

El modernismo conserva algunos caracteres del romanticismo, contra el cual reacciona, origina una forma de poesía ERÓTICA, e influencia a la POESÍA AMOROSA (principalmente femenina), que deriva en la poesía SEXUAL del cancionero popular.

(4)

La poesía de la Nacionalidad se convierte en VULGARISMO (o prosaísmo, en la post guerra de 1914-18) que origina la RECITACION, y que comprende diversas formas:

Sencillismo; poesía *proletaria;* poesía *costumbrista;* poesía *sentimental.*

Las variantes de poesía proletaria y costumbrista originan la poesía NEGROIDE, (afro-antillana), que recibe influencia del Vanguardismo.

Del modernismo arrancan dos manifestaciones poéticas opuestas al Vulgarismo (la dificultad en interpretar sus manifestaciones las circunscriben a una minoría escogida):

VANGUARDISMO Y CULTERANISMO

El vanguardismo busca, con su lenguaje hermético, llegar a un UNIVERSALISMO, mediante la nota sensorial, renunciando a la razón, o mediante la nota *Existencial* (conocimiento del hombre por el subconsciente). El culteranismo también quiere llegar a una poesía de valor universalista, por el camino de la filosofía existencial o por la reaparición de la poesía *Religiosa.* El Universalismo cierra la línea de poetas individualistas y culteranos.

La línea popular concluye con dos variantes: la poesía de propaganda COMUNISTA, que arranca de la poesía proletaria y de la poesía negroide. Y la POESIA NACIONALISTA, influida por la comunista por un lado y por las formas del vulgarismo en que derivó la poesía de la nacionalidad, por el otro.

DE LA COLONIA A LA PATRIA

Antes de la peluca y la casaca
fueron los ríos, ríos arteriales:
fueron las cordilleras, en cuya onda raída
el cóndor o la nieve parecían inmóviles:
fue la humedad y la espesura, el trueno
sin nombre todavía, las pampas planetarias.

Neruda ("Canto General")

Unidad peninsular

Muchos años antes de que Pablo Neruda escribiera su "Canto General" a las grandezas y miserias de América los primeros poetas y cronistas de la Conquista y de la Colonia lo habían hecho ya, sin un propósito mesiánico y con pareja unidad de idioma y espíritu, a pesar de las distintas latitudes en que se producían. Esta unidad, ya lo dijimos, resultaba del sometimiento a los modelos peninsulares. Con la salvedad de que si bien se mira era menor la influencia renacentista —aunque muchos conquistadores tales como Gonzalo Jiménez de Quesada (esp. 1499-1579), discurrían, versificaban y ponderaban los versos de Arte Mayor, castellanos, y las nuevas métricas italianizantes— que la medioeval y escolástica. Cantos y Crónicas estaban viciados por narradores que no comprendían más que lo exterior o lo idolátrico de las culturas de América y que se veían obligados a buscar equivalencias poéticas o símiles narrativos para hacerse inteligibles a gentes que de estas tierras sólo sabía lo que esos testimonios primeros podían contarle. Se parecían más a las Crónicas Rimadas que antecedieron al Poema de Mio Cid, que al conjuro épico de Ariosto o Tasso, o del dulce y puro neoplatonismo de Petrarca que se adueñaron de la forma exterior mucho antes que del espíritu de los poemas).

Más medio-vales que renacen-tistas

* * *

Era natural que así fuera.

La Conquista se abre y se cierra bajo un signo de tragedia en la madre patria, de terror a la herejía religiosa, de incertidumbre en el futuro del reino.

Los hombres que venían a la Conquista tenían de renacentistas el espíritu mercenario. No venían a América movidos por impulsos quijotescos sino con los ojos ávidos de rápida fortuna, como iban a combatir a Flandes, contra los franceses, contra los turcos o ingleses. No eran Quijotes aquellos Conquistadores. La Conquista les obligó a hacer cosas quijotescas, lo cual no es lo mismo.

No eran Quijotes

Por otro lado, imperaba en ellos un espíritu medioeval: creían fanáticamente en Dios y en que la lucha contra el hereje era una guerra santa, donde se justificaban todos los medios.

Los Cantos de Gesta de la Conquista fueron hechos con este espíritu mezclado: se escribieron para testimoniar la propia hazaña con miras a alguna regalía o cargo que dispensara buena vejez o protección contra el hambre hidalga; otras para maravillar, por bravuconería andaluza, y algunas, sin duda para dar cuenta real de los hechos. Los primeros fueron arcaizantes (Castellanos), los últimos renacentistas (Ercilla).

* * *

Parece hoy un poco asombroso que aquellos conquistadores-poetas no se percataran de dónde estaban y contribuyeran a destruir las culturas autóctonas. "¿Cómo no se dieron cuenta de la grandeza de América?", parece ser el pensamiento de los no avisados. ¿Qué grandeza? Eran gente que venía a las Indias con propósito de regresar; como panorama el conquistador y el poeta historiador sólo tenían un kilómetro de tierra virgen, no siempre atrayente; o si encontraban una civilización, aparte de parecerles herética y demoníaca, se les debía presentar como a un habitante de Nueva York una ciudad del Congo: "Son menos atrasados de lo que suponía ¡pero qué atrasados son!"

CANTOS DE GESTA

Cantos de Gesta

Francisco Pizarro (esp. 1470-1541) contó en versos de Arte Mayor, al estilo castellano, con lenguaje de soldado, antirenacentista, la gesta peruana. En 1548, un poeta anónimo hizo lo propio. Ya nombramos a Gonzalo Jiménez de Quesada, conquistador de Nueva Granada, que versificaba al modo italianizante y que gustaba del octosílavo. Fray Luis de Miranda (Siglo XVI) en un romance de ciento cincuenta octosílabos (1541-45) narró el asedio indígena, el hambre y la destrucción de Santa María de los Buenos Aires, fundada por el adelantado don Pedro de Mendoza (en 1536). De todos estos poemas tres merecen señalarse: "La Araucana" (1569-89) de Alonso de

Ercilla (esp. 1533-1593); "Elegías de varones ilustres de Indias" (1589) de Juan de Castellanos (esp. 1522-1607) y el "Arauco domado" (1596) de Pedro de Oña (esp. 1570-1643).

* * *

La Araucana

"La Araucana" es, sin duda, el mejor y más completo de todos esos Cantos de Gesta de la Conquista. Tuvo tres partes publicadas en 1569 (I: trata de la valentía y triunfo de los araucanos); 1578 (II: comienza la derrota araucana, valor de ambos bandos); 1589 (III: el triunfo español empalidecido por la grandeza de la derrota araucana). No es, en definitiva, un poema épico de acuerdo con los modelos clásicos, aunque se haya anotado la imitación de Lucano. Se aparta de Ariosto, pues es visible el esfuerzo por dar la nota amorosa, que parece siempre agregada. La composición —en octavas reales— es renacentista y sí busca la sencillez y la claridad en la expresión. Tiene de las viejas Crónicas —incluyendo el Mio Cid— la pecularidad del detalle cruel, de quedar inconclusa —como los romances en voga en tiempos de Ercilla— y de no tener un héroe definido sino a todo un grupo (en cierto sentido y en muchas de sus partes, esto mismo ocurre en el Cantar de Mio Cid). Es el primer ejemplo de poesía no individualista y de alcances populares —fué un éxito su publicación hasta más allá del límite cortesano— que encabeza la línea de la poesía populista (con destino al pueblo y con temas que, escritos por un individuo, y a veces con un héroe guía, tenían un caracter colectivo. Vgr.: la poesía gauchesca).

Tal vez la nota más destacada de "La Araucana" sea que es el primer poema de la Conquista que, sin ambages, admira la nobleza del enemigo, la dignidad del enemigo. Ercilla era hidalgo de linaje —fué paje de Felipe II— y nunca perdonó a García Hurtado de Mendoza, hijo del Virrey en Lima, que le hubiera hecho sufrir prisión (luego de conmutarle la pena de muerte) después de que juntos arriesgaron la vida en la conquista del suelo chileno. Esto hizo que no aparezca el nombre de don García, aunque sí el de otros capitanes, en el poema. Lo cual llevó a Ercilla —y en esto fué totalmente petrarquista— a exaltar el "hado adverso" que se descarga sobre el que antes todo lo tuvo. Seguramente mucha de esa glorificación del indio —acentuada por la narración en primera persona, del poeta parte y juez—, que ha convertido a "La Araucana" en el poema nacional chileno (al que Neruda tiene muy en cuenta en su "Canto General") se debió al resentimiento que Ercilla guardaba por sus ex camaradas. Al escribir, gozaba de una sólida fortuna y de un prestigio que lo ponía a resguardo de contraataques (que vinieron envueltos en las numerosas imitaciones de su obra).

* * *

Lautaro, Caupolicán, Colocolo, Galvarino, son los verdaderos héroes de "La Araucana". En boca del último, pone Ercilla esta estrofa: "Sin respeto ni miedo a la muerte / Habló, mirando a todos, desta suerte: / ¡Oh gentes fementidas, detestables, / Indignas de las glorias de éste día! / Hartad vuestras gargantas insaciables / En esta aborrecida sangre mía. / Que aunque los fieros hados variables / Trastornen la araucana monarquía, / Muertos podemos ser, mas no vencidos. / Ni los ánimos libres oprimidos."

Caupolicán se convirtió en el símbolo del indio indómito, martirizado por el invasor que afrenta su libertad. Rubén Dario lo rememoró en un soneto admirable, exaltándolo en su triunfo y no en su atroz muerte.

* * *

1o.: "La Araucana" no describe fielmente los paisajes y episodios vividos personalmente por Ercilla, pero es objetiva y verista al juzgar la conducta de los personajes.

2o.: Al reconocer la valentía y nobleza de los indios los colocaba en un plano de respeto e igualdad. Debe anotarse aquí *un primer germen de la poesía patriótica futura*: la rebeldía del que defiende una libertad justa.

El indio, un enemigo

3o.: El entusiasmo de Ercilla no tuvo continuación. El indio interesó tan poco al criollo como al español. Pocas veces aparece como centro de un poema, y siempre con sentido negativo. Desde "La Araucana", donde al reconocerle su valentía y la justicia de su pelea se le da un sentido positivo, hasta "Tabaré" (1879-88) del romántico uruguayo Juan Zorrilla de San Martín (1855-1931), no hay una reivindicación efectiva del indio, excepto como pretexto anecdótico o con propósitos revolucionarios no dirigidos a él mismo, en sí. En la poesía gauchesca el indio aparece como el natural enemigo del criollo. Será José Santos Chocano (per. 1875-1934) quien lo reivindique creando ese "indoamericanismo" que de manera tan diferente atraerá a Gabriela Mistral y Pablo Neruda.

* * *

Juan de Castellanos

"Elegías de varones ilustres de Indias" (1589) de Juan de Castellanos (esp. 1522-1607) tiene una importancia histórica, no desdeñable. Carece Castellanos de la inspiración poética de Ercilla, aunque era hombre erudito según lo probó en repetidas discrepancias poéticas con Gonzalo Jiménez de Quesada y es más narrativo, compilador de memorias, que creador. El poema, el más largo que se escribió entonces, aburre al lector de hoy y complace al historiador. Con todo, tiene momentos en que roza una poesía popular, con rasgos de ironía satírica, por lo menos socarrona, y agrada el empleo de palabras indígenas. Castellanos se hizo hombre en las Indias y es natural que al evocar el pasado, lo vivido y lo oído (puesto que comienza con el descubrimiento y el suyo es el primer homenaje poético al Gran Almirante que generalmente se registra), experimente una generosa nostalgia por la tierra que vió su juventud. La fuerza telúrica de América, sin que nadie lo sospechara siquiera, se iba haciendo presente ya en aquel entonces.

* * *

Pedro de Oña

"Arauco Domado" (1596) de Pedro de Oña (ch. 1570-1643) es, en cierto modo, la réplica al poema de Ercilla. Se señala con complacencia que "Arauco Domado" es el primer poema compuesto por un americano. Por un español nacido en América, con mentalidad y vocación españolas —adviértase el título— en el que no había ningún rasgo de criollo ni de criollismo. Ya para cuando escribe Oña la conquista de Chile ha terminado pero los araucanos son un terrible y constante peligro. Desde niño, Oña escucha los relatos que menudean en boca de los viejos y lógicamente aprende a odiar a quien temía. Por otra parte tenía un parentesco por su madre con el conquistador Hurtado de Mendoza, que le convenía para medrar. Por lo tanto su obra, incluso en gusto, da vuelta a la de Ercilla aunque con falsa humildad declare que nadie debería atreverse donde se atrevió el autor de "La Araucana". Su poema muestra a los indios bajo un diferente aspecto quitándoles no su valentía pero sí esa nobleza y dignidad que los caracteriza en Ercilla. En cambio, su pariente Hurtado de Mendoza es el nuevo Campeador y la espada española es la de la justicia y la fe. Pero Oña no es poeta épico. Cede al más puro barroquismo, se deleita en metáforas, en símiles y, como no le interesa el medio donde ha nacido, sueña con la Corte y con ser apreciado allí. Para que lo entiendan, sustituye flora y fauna chilena —que lógicamente conocía bien— por equivalentes nombres europeos, hay mitología de égloga y elegancia líricas en la descripción de la naturaleza de un paisaje idealizado como los personajes (Fresia, la india mujer de Caupolicán, aparece convertida en una Venus de casta blancura, "antepasada de las rechonchas, salvajes y desaseadas hembras araucanas", acota Torres-Ríoseco). Juan María Gutiérrez (arg. 1809-1878), el primer gran historiador de la poesía continental, publicó en 1849 "Arauco Domado", utilizando la edición de 1605 (Madrid, existente en Lima.

Otras Gestas

Podemos citar, en la línea de estos grandes poemas, "La Argentina y Conquista del Río de La Plata" (1602), de Martín del Barco Centenera (esp. 1540-1605), con el cual dió nombre a aquel país y al río que Solís llamó Mar dulce por ser el más ancho, y también el más corto, de los ríos del mundo; y el tardío "Lima fundada" (1733) de Pedro Peralta Barnuevo (per. 1663-1743), culterano y alegórico pero mejor ubicado en la sospecha de una realidad autóctona que corresponda exclusivamente a América.

Detengámonos a analizar la primera etapa de esa poesía popular que, como la culta, ha de tener origen religioso, se ha de producir por necesidades de la evangelización y escapará luego a la sátira, irrespetuosa incluso contra el clero, en el siglo XVIII y XIX (pero no más de lo que eran las *soties* medioevales que, como descarga freudiana, se oponían a los Autos Sacramentales).

Religión y escepticismo

Interesa ocuparse de la poesía religiosa en nuestro continente porque es un fenómeno digno de investigar la razón por la cual de la muy católica América hispana surge una América escéptica, por lo menos en la mayoría de sus cabezas rectoras. La gran masa popular ha continuado siendo católica ferviente, aunque plagada de supersticiones y fetichismo que remontan a la incompleta evangelización de la Conquista (y al mal trato que sufrieron los indios que, por reacción, se negaron a aceptar los nuevos dioses o a abandonar totalmente a los suyos, por los cuales se sentían protegidos). La Iglesia no está en contra de los indios en la primera hora de la Conquista aunque trate de imponerles una civilización que juzgaba mejor y más cristiana. Acompañará, incluso, a los movimientos patrióticos de la Independencia. Pero en el siglo XVIII, junto a los curas está la masonería, cada vez más escéptica, influída por la filosofía de John Locke sobre la autodeterminación de los pueblos. Del iluminismo racionalista nace el liberalismo ilustrado que, por etapas sucesivas, va a llegar al convencimiento de una oposición: libertad de pensamiento— atavismo religioso. Este proceso se reflejará en la merma, tan advertible, de poetas con tendencias místicas.

Los misioneros

Los misioneros españoles provenían de un mundo fanatizado peligrosamente. Pero venían, precisamente, movidos por esa fe. No eran corruptos o venales y no lo fueron hasta que la prosperidad de la Colonia ablandó a la jerarquía mayor, y esto también en forma excepcional. No olvidemos que de esa jerarquía mayor salieron los promotores de las primeras universidades americanas.

Los misioneros que acompañaban a los conquistadores aprendieron pronto que pasarían largos años antes de su vuelta, si volvían. En segundo lugar, es bueno recordar que no pensaban en riquezas sino en salvar almas y evitar que las que vinieron salvadas se perdieran para la Gracia de Dios. Quien no admita la sinceridad fanática de la Iglesia y de los Conquistadores entenderá torcidamente la Conquista de América. El voluntario desarraigo de los monjes hace que sean ellos, subrepticiamente, divulgadores de libros y pensamientos que la misma Iglesia prohibía —como el Iluminismo—. Al mismo tiempo, como fundadores de Universidades y Colegios, y como hombres con tiempo para la cultura, son los sacerdotes los primeros que se sitúan en América considerándola en otra perspectiva y los primeros que, al acriollarse por el contacto más directo con este suelo —el conocimiento de las lenguas que se hablaban en él— levantaron la voz en defensa de los indios —Montesinos, Las Casas. Renovaron su defensa como ser humano en paridad con otros seres humanos, cuando la polémica de Cornelio De Pauw (en 1768), que los consideró inferiores.

* * *

Fray Román Pan, acompañante de Colón, fué el primero que aprendió una lengua india. Su ejemplo fué seguido por los predicadores. Al ganar la lucha en favor del indio y en contra de las encomiendas, se había dispuesto que la evangelización se hiciera en lengua castellana. Los sadotes, los primeros rebeldes de América, ignoraron tal resolución que, dictada en abstracto desde la nebulosa de la península, resultaba inaplicable. La sensatez indicaba que había que aprender la lengua de un grupo para que este grupo comprendiera la Palabra de Dios y se interesara en la palabra de los hombres.

Teatro misionero

La Evangelización va a tener un camino asegurado con el teatro poético, que fué prohibido en 1585. Sus formas, buscando senderos sencillos, es la de los Autos Sacramentales. De éstos, el más famoso se llama "Auto de las Cortes de la Muerte" (1557); su autor, Micael de Carvajal (esp. 1490 —), presentó a unos indios que se quejan del mal trato que reciben de los cristianos. Muchas de las piezas estaban escritas directamente en lengua indígena, como el encantador Misterio de "Adán y Eva". El ejemplo alegórico que había conmovido a los pueblos europeos en el atrio de las iglesias, conmovía en el siglo XVI a los indios de la Conquista que se divertían, se asombraban o atemorizaban, maravilladas sus mentes simples. Espladián, Amadís, el Cid, eran figuras conocidas del teatro evangelizador.

* * *

Un complejo americano

De esta utilización de modelos hispanos caídos en desuso (aunque Calderón escribiera los más memorables Autos, se imponía una forma teatral nueva, la imponía Lope de Vega, un teatro de intriga con escenario al frente, a la italiana), de disputas sobre métricas poéticas que ya eran ociosas en España, surge la primera raíz de un complejo cultural, que va a acentuarse con los años y ser paralelo a la imitación del modelo europeo por una parte y a la convicción íntima —que solamente destruirá el Modernismo— de que allí, en Europa, sólo es posible la creación original: la "sensación" más que realidad de que América está siempre 20, o más años atrasada respecto a Europa.

Tal vez hubo algo de verdad en esto. Las comunicaciones tardaban mucho. Los viajeros no eran tantos ni eran todos intelectuales sino por el contrario, en su mayoría se contaban entre comerciantes sin inquietud o tiempo para la poesía o la cultura. Aunque sí, como hoy, con afición por la política y los pensamientos políticos (lo que suele ser una epidermis de la cultura), a los cuales asimilaban mal y de los que, por regla general cuando se trataba de "nuevas ideas" estaban mal informados. A pesar de las cada vez más amplias masas cultas, este "atraso" sigue en vigencia en grandes zonas de América. Unicamente que hoy ya no importa tanto, pues el americano advierte con orgullo que puede producir su propia cultura (lo que, por desgracia, lleva al equivocado aislacionismo de los nacionalismos).

* * *

Defensa del indio

Fray Andrés de Olmos (esp. 1500-1571) vertió al castellano las consejas conque los indios aztecas educaban a sus jóvenes ("Pláticas de los ancianos"). Fray Toribio de Benavente (el memorable "Motolinia", esp. 1500?) al defender a los españoles de las fogosas acusaciones de Las Casas admite la equiparación de derechos humanos entre indios y peninsulares. Hay una conciencia, creada por influencia del clero, del hombre americano: el indio, después el criollo. El obispo Juan de Palafox y Mendoza (esp. 1600-1659) había escrito "De la naturaleza del indio".

* * *

En 1546, en Lima, según lo afirma Garcilaso de la Vega, se representaban Autos Sacramentales en lengua indígena y es sabido que Juan de Espinosa Medrano, "El lunarejo" (mestizo, per. 1632-1688) escribió en quechua el "Auto Sacramental del hijo pródigo". Además, por 1546, se representaban alegorías cómicas en Lima. Y esto es importante.

La picaresca

La picaresca española, los personajes de Cervantes y del Lazarillo, estaban vivos en las calles de México y Lima. Sus dichos figuraron en el teatro ingenuo pero eficaz de la evangelización. En los "corrales" donde se representaban comedias, años más tarde, para los lugareños españoles y criollos, la broma, el guitarreo, el chusco, acompañaba a los cómicos. Y también la insolencia y la burla al corregidor, al alguacil, al hidalgo hambriento.

LA SATIRA

La burla va a ser uno de los elementos de la poética que, nacida de los golpes que recibían los "malos" en las sencillas comedias del comienzo de la evangelización, más pronto va a cuajar en América.

Los nombres que han quedado al pie de los poemas, que se vuelven cada vez más mordaces y realistas —en oposición a la poesía de tendencia abstracta que va del barroco al culteranismo puro y al neoclasicismo—, son muchos. Pero más son los que permanecieron en el anónimo, lo que permitió que sus versos sufrieran intercalaciones, pasaran de una región a otra —de España a América y viceversa, como pasó con la Copla de los gauchescos—, se deformaran, se convirtieran en canciones en boca del vulgo. De los nombres conocidos, podemos citar a Lázaro Bejarano (esp. 1500?) que en Santo Domingo (en 1541) escribía las primeras sátiras americanas, contra todo el mundo y también contra el clero; a Mateo Rosas de Oquendo (esp. 1559-1623), autor de la "Sátira que hizo un galán a una dama criolla que le alaba mucho México" y de la "Sátira de las cosas que pasan en el Perú" esta última es de 1598).

Significado de la sátira

Es interesante destacar que en los cuatro Virreynatos aparecen estas críticas que son muestras fidedignas de los ánimos ya en ebullición, cargados de resentimientos "lugareños" y foráneos". Las sátiras de Oquendo, por ejemplo, enderezan a criticar la vida criolla y el ablandamiento de la Colonia. Sin duda le dolía a Oquendo, como a muchos otros españoles viajeros de aquel entonces, la prosperidad y la cierta e inevitable independencia —por razón de la distancia a España— de estos gobiernos, mientras en la península guerras y ambiciones devoraban el rico tesoro llevado por los conquistadores.

Como réplica, los criollos respondían ya sin tapujos y sin miedos extremos (pues eran como ricos provincianos que critican a los capitalinos pretensiosos) e iban, entre burlas y veras, creando la noción de la injusticia que significaba que se diera preferencia en empleos y diezmos a los peninsulares por el simple hecho de no haber nacido en este suelo. Ha sido muchas veces recordado el cantar anónimo de fines del siglo XVI que comienza:

Viene de España por el mar salobre

a nuestro mexicano domicilio
un hombre tosco, sin algún auxilio,
de salud falto y de dinero pobre", etc.

En el siglo XVI hay una larga lista de poetas satíricos que se burlaban sin piedad de las flaquezas de la gente, y que no desdeñaban la calumnia si de hacer perder el favor a un "privado" —un favorito— se trataba. Los que detentan el poder, la nobleza, el clero, la burguesía comerciante, son el blanco preferido. Los autores son hidalgos resentidos, pobres criollos despojados, o pícaros —esos que muchos años después retratara Ricardo Palma (per. 1833-1919) en sus "Tradiciones peruanas"— a los que gustaba la holganza y animar la taberna con sus guasas. Al influjo del suelo americano, de la patente injusticia conque eran tratados los aquí nacidos, la picaresca se vuelve sátira. Aquí cabe recordar a Juan Rodríguez Freile (col. 1566-1640) autor de "El carnero" (1636), que es una sátira en prosa del paso de la Conquista a la Colonia y al más grande, al más original, al Francois Villon de la Colonia, a Juan del Valle Caviedes (esp. 1645-1697).

* * *

Juan del Valle Caviedes

Caviedes era andaluz, de Jaén. La comparación con el poeta francés la hizo el crítico Luis Alberto Sanchez, pero viene a cuento al leer, o al imaginar, la biografía de este notable personaje. Pues a decir verdad, se sabe de él más lo que se dice que lo que fué, se recuerda más su leyenda que su vida real, con largos períodos opacos. De su vida de pícaro y burlón, de hipócrita y adulón, con humildades piadosas, para saltar luego a la carcajada, a la grosería y al ingenio en la sátira punzante y sangrienta, dan testimonios sus versos. Pero ellos también dan cuenta, y esta vez ya no es burla disfrazada contra el fraile panzurrón, sino piedad y arrepentimiento, de su retiro a la fe luego de una juventud azarosa, de su consagración a Dios después de haberse consagrado al vino, a las mujeres y a dañar la reputación de los demás, con especial ensañamiento la de los médicos que le habían torturado con sus pócimas. No es de extrañar esto cuando se había visto a un emperador "en cuyo reino no se ponía el sol" retirarse al convento del Yuste, cuando la Inquisición había quemado a herejes y cuando las Colonias asistían al comienzo de la decadencia del gran Imperio Español, humillado por Luis XIV en el tratado de los Pirineos (1659). De Isabel de Castilla a Felipe IV, cuya hija casaría con Luis XIV, corre mucha agua bajo los puentes españoles y americanos. Algo nace, algo se transforma. Véase el primer ensayo escrito sobre Caviedes: "Estudios biográficos y críticos" (1865), por Juan María Gutierrez.

"Diente del Parnaso"

Caviedes escribe en Lima su "Diente del Parnaso" —conocido por todos, pero no editado en libro—, donde con estilo barroco imitado de Quevedo, pero con sabor popular imitado del cantar en la borrachería, y con mucho ingenio —tanto que llega a ser soez—, se ensaña contra los médicos y doctores: a unos agradece el haberle dejado con vida cuando le dieron por muerto y a otro le carga el que matara a una prima suya para no hacer distinción con las otras mujeres a las que había tratado. Como a Quevedo, se atribuyen a Valle y Caviedes mil anécdotas y mil poemas apócrifos. Concretamente, de él se sabe que trabajó en las minas peruanas, que se casó con una muchacha criada por monjas de caridad, en 1671. Que tuvo cinco hijos, que enfermó a punto de morir y que fué famoso y temido por sus sátiras y buscado por sus panegíricos.

"Romances amorosos", en su obra petrarquista, "Diente del Parnaso" es su obra satírica, "Definición de lo que puede ser la muerte", su obra moral. ¿Las compuso a un tiempo? ¿Iban en él dos corrientes en eterna oposición? No se sabe. A nosotros nos importa colocar a Caviedes como prototipo del autor colonial, pobre, obsecuente por necesidad —como lo dice, con real amargura, en el soneto "Para labrarse fortuna en los palacios"—, tan carnal como religioso, y con un sentido de la burla, de la ridiculización de los demás, que se convertiría en rápida arma de combate, corrosiva y eficaz, a medida que avanza el siglo XVIII con la influencia francesa. Felipe V, el nieto de Luis XIV y de Felipe IV, luego de guerras y humillaciones inicia a los Borbones en el trono de España, en 1713. Es la época en que se divulgan las "Coplas del ciego de la Merced", atribuída a un fraile peruano, Francisco del Castillo Andraca y Tamayo (per. 1716-1770) y en que Alonso Carrió de la Vandera (esp. 1751-1780?) escribía la prosa colorida de "El lazarillo de ciegos caminantes. . ." (1775), cuya paternidad le fué muy discutida (se la atribuyeron a Concolorcovo).

La picaresca en prosa y en verso y la sátira es al modo peninsular, pero ya tiene sabor americanista —porque los asuntos son locales y todo cuanto pasa allende resulta un tanto ajeno y salvo cuando la piratería arrecia no conmueven a la Colonia los padecimientos del Rey y la Corte—, en los tipos que comienzan a acriollarse y en la inquina que se alza con la diferencia cada vez más marcada en las clases sociales. Y en esto sí, tenía repercusión lo que pasaba en la Madre Patria: la censura, el impuesto, la ceguera absolutista de la Corte que rápidamente se afrancesaba, y las ideas nuevas, nacidas precisamente bajo ese absolutismo, como reacción contra él, iban llegando a América. A fines del siglo XVIII, la fábula —mediocre hoy pero tal vez de perdido y sabroso significado en la época— es un género que impera. ¿Aludían estas fábulas a hechos, a personajes, a deseos del tiempo? Solamente como posibilidad cabe anotarlo. No hubo ningún poeta fabulista notable, pero el género tuvo gran apogeo y acompañó a la sátira, que de ingeniosa se volvía política en los albores de los movimientos revolucionarios.

La fábula

Uno de los últimos satíricos es Juan Bautista Maziel (arg. 1727-1788), en el Virreynato del Rio de La Plata. Hasta allí había llegado la sátira que comenzó, anónima, en el México del siglo XVI. Pero a Maziel lo encontremos más adelante.

Casi contemporáneo de Maziel (a quien se considera un precursor de la poesía gauchesca, como veremos oportunamente) fué Estéban de Terralla y Landa (esp. fines del s. XVIII) quien en 1797 escribió "Lima por dentro y por fuera".

La poesía satírica abundó en el período de las independencias. Los poetas atacaron instituciones y costumbres buscando el descrédito español. No siempre fueron generosos: hay poca distancia de la sátira a la calumnia, a la venganza personal, a la envidia por el bien de los demás. Merecen recordarse, por su justa fama e ingenio a un salvadoreño criado en Guatemala, José Batres y Montúfar (1809-1844). Se hizo famoso por sus "Tradiciones de Guatemala: Las falsas apariencias,

Satíricos famosos

Don Pablo, El reloj", donde imitó "Gli animali parlanti" de Casti. Francisco Acuña de Figueroa (urug. 1791-1862) tradujo al castellano la obra de Casti, llevó un diario poético del sitio de Montevideo, describió animadamente las corridas de toros en "Toraidas" (con abundancia de octavas reales) y escribió "La malambrunada", poema satírico que narra la lucha entre las viejas, aliadas con el diablo, y las jóvenes, protegidas por Venus. Alberto Zum Felde tiene un interesante estudio sobre Acuña de Figueroa que, en lo satírico sobresalió con sus "Letrillas" y con el "Mosaico", compuesto por 1150 epigramas. Felipe Pardo (per. 1806-1868), autor teatral de interés en "El aniversario de Ayacucho" poeta con visos nacionalistas en su poema "El Perú", descriptivo en "Isidora" y romántico en "La lámpara", compuso una "Oda a Olmedo" que merece recordarse; pero su inspiración más segura estuvo en versos donde se mofa, con gran pericia e ingenio, del pueblo que abusaba de su libertad ("Zar de tres tintas, indio, blanco y negro, / que rige el continente americano / y que se llama Pueblo Soberano").

Otros satíricos de esta época son Joaquín Larriva (per. 1780-1832), enemigo personal de Pardo, un cura autor del malicioso poema "La angulada"; Fray Cayetano Rodríguez (arg. 1761-1823), mucho más ponderado en su malignidad; y Antonio José de Irisarri (guat. 1785-1868) que en 1867 publicó sus "Poesías satíricas o burlescas". Diez Echarri y Roca Franquesa, en su "Historia de la literatura española e hispanoamericana" (Aguilar, 1963) tienen un interesante estudio sobre el tema.

La poesía satírica deriva luego en formas menores, protegidas por el anonimato, que rozan el desenfado y lo miserable. Pero se continúa hasta nuestros días como testigo fiel de sucesos y de ataques a personas ilustres. Muchos poetas famosos y muchos pensadores eminentes no desdeñaron firmar sus epigramas satíricos; pero fueron los menos y, en general, ayudada por la caricatura en el dibujo, la sátira se convierte en género desdeñable y desdeñado en literatura.

LA POESIA CULTA

Debemos regresar para poder seguir, durante los tres primeros siglos de la Conquista y la Colonia, a la otra línea poética que también arranca de la poesía religiosa: la poesía culterana.

En 1531 se había prohibido en América la circulación de novelas por considerarlas malas para la templanza moral de las Colonias. A pesar de esto, se conocían novelas de caballerías (Espladían, Amadís) , y llegó Don Quijote de la Mancha y muchas otras que figuraban en las bibliotecas de los mismos que, corregidores o frailes, debían hacer cumplir aquellas disposiciones, que perdieron vigencia a fines del siglo XVIII. Es de suponer cómo irritaría a los residentes coloniales, españoles y criollos, aquella forzada limitación. El erudito poeta Francisco A. de Icaza (mex. 1863-1925) , en "Vida Mental en Hispano América: siglos XVI, XVII y XVIII", basado en sus búsquedas en los Archivos de la Nación mexicana, destruye erradas opiniones respecto a la difusión de libros a través de los viajeros y del contrabando. Los libros se embarcaban, pero eran destruídos o devueltos a España la más de las veces. Los religiosos y altos señores podían únicamente burlar la censura ya que eran los encargados de mantenerla. Y la burlaban.

En todo caso se crea la conciencia de que la novela es un género de entretenimiento, ocioso para la cultura, y desdeñable para gente instruída. La novela fué sustituída por los Cantos de Gesta, que eran más crónica que poesía, y crónica imaginativa más que realidad testimonial. En cierto modo, el poeta se hace novelista y el novelista se disfraza de historiador. "La Araucana", como luego "Tabaré", es novela versificada. En el siglo XVII, en la época dorada de la Colonia, la imaginación a la que no detienen decretos ha echado a correr, pero más en lo popular, en el teatro, en los poetas como Caviedes, que en lo culto. En este terreno lo buscado, lo admitido, son las admirables páginas (más exactas de lo que se supuso por muchos años) de los "Comentarios Reales" (1609) del "inca" Garcilaso de la Vega (per. 1539-1616), prosa erudita, narrativa histórica; o la poesía que del Barroco renacentista del Siglo XVI va a culminar en el Culteranismo del Siglo XVII para concluir en el Neoclasicismo, con derivaciones Preciosistas, del siglo XVIII.

Garcilaso de la Vega

EL BARROCO

El Barroco en América

Las reglas que rigen al Barroco español en sus dos formas, culteranismo y conceptismo, no son las mismas que se aplican exactamente a la poesía americana. Las influencias no se suceden siempre en orden cronológico, como se producen en España —dependen de la lejanía de las zonas, de las censuras— y las modalidades americanas les dan fisonomía propia (como en arquitectura).

Distinguimos en las Colonias tres clases de Barroco: de influencia renacentista; puro; y amplio o Culterano. El Renacimiento arriba tardíamente a las Colonias donde la Escolástica mantiene rígidas formas tradicionales de latinismo cristiano. Juan Boscán (1493?-1542), Garcilaso de la Vega (esp. 1503-1536), Fray Luis de León (1527-1591), Fernando de Herrera (esp. 1534-1597), al llegar a América provocan lo que llamamos "Barroco renacentista" o "Barroco americano", que es una mezcla de lírica y mística, con tendencia, más tarde, siguiendo a Herrera, a un lenguaje complicado, individualista, refinado, pero con gran libertad para el creador en el empleo de la metáfora. En las postrimerías del siglo XVI Luis de Góngora (esp. 1561-1627) es la gran figura de la poesía culterana. Bajo su influencia, el Barroco complica su forma y el refinamiento del vocabulario. En América, el Barroco puro se desenvuelve, aparentemente, bajo el influjo de Góngora y Quevedo; pero a poco que se avance en el estudio se advierten censuras e influencias sociales encontradas: el amor petrarquista se convierte en un símbolo neoplatonista, con la guía eclesiástica; el Renacimiento de la antiguedad clásica, en un recurso de elegancia para evadir la vulgar realidad que tan bien mostraba la picaresca popular; el lenguaje refinado y complicado hasta la incomprensión, en un medio de señalar a los "elegidos" de una casta aristocrática separatista. Finalmente, el postgongorismo origina el Barroco amplio o Culterano que no se evade, en muchas zonas donde la información llega en forma despareja, del peso de Góngora, pero que se afianzará en Pedro Calderón de la Barca (esp. 1600-1681), en Lope Félix de la Vega Carpio (esp. 1562-1633) y sus continuadores, para culminar en Baltasar Gracián (1601-1658). La característica es que a

Modalidades propias

medida que pasa el siglo XVII y se entra en el siguiente —es el pleno apogeo de la Colonia que logra cierta vida prescindente en virtud de los conflictos y la distancia de y a España— el Culteranismo se vuelve más mundano; aunque el barroquismo al modo peninsular es su principal elemento, no constituye el único que mueve la inspiración multifacética de los poetas que también atienden a cierto gusto "criollo" que inconscientemente se ha ido formando. El tema mundano llega a ser más frecuente que el religioso y el lirísmo más sensual que místico.

* * *

La Iglesia

Góngora crea una poesía barroca culterana, elaborada, difícil de alcanzar en su significado último sin saber muchos latines y más mitología que patrística, más platonismo que escolástica aristotélica. La Iglesia en América asimila al barroco cuya oscuridad de forma coincidía con el hermetismo del culto, pero no podrá evitar que el barroco culterano se vuelva hacia los valores del hombre y descanse en una filosofía espiritual pero humana. No en vano es la poesía de la corte amulatada de los Virreyes que, al promediar el siglo XVIII va a sentir los primeros impactos de la doctrina de Locke y, principalmente, el escándalo causado por unos colonos que, en un puerto inglés de América, tiraron unos sacos de te al agua. . . Desconocer esto era tan imposible en las Colonias españolas —Felipe II había naufragado contra la costa de Isabel, y su armada "La invencible", fué la desolada barquilla cantada por Lope de Vega— como impedir la llegada y la divulgación de las nuevas ideas que estaban fermentando en Europa. Y desde temprano, en estas ideas nuevas —en pro o en contra— va a intervenir la Iglesia cuya preponderancia en el terreno intelectual colonial hay que volver a restablecer claramente; porque sus claustros eran centros culturales, mejor que la vida laica de los cabildos donde se entendía más de comercio que de rimas (y el concepto entonces como hoy es el mismo: la cultura es un adorno agradable. Así lo sostenía el espíritu mercantil que componía el 70 %, para ser generosos, de la alta burguesía colonial).

* * *

Dos fechas son fundamentales: 1553 y 1551. La Universidad Real y Pontificia de México y la Universidad de San Marcos de Lima datan de esos años (la de Santo Domingo es de 1538). ¿Por qué son instituciones claves? Porque son divulgadoras de esa cultura no asequible a través de los libros del contrabando, y porque la divulgan en forma orgánica y no mezclada, incompleta o deformada por viajeros mal enterados. En esas universidades, y en los colegios religiosos de toda América revolucionaria se formó el pensamiento de los patriotas que allí estudiaron y se informaron. Por rivalidad de órdenes, por rebatir herejías, por escándalo ante informaciones peligrosamente distorsionadas por los advenedizos, por espíritu nato de análisis, eran de esos centros de cultura de dónde debían brotar, por antítesis, el conocimiento del iluminismo francés en las postrimerías del siglo XVIII. Un ciego liberalismo que arranca de la "belle époque" finisecular y se prolonga en el siglo XX afirma que la información enciclopedista se introduce en América a través de viajeros que idos a Europa, volvían cargados de libros y de pensamientos "subversivos" para la mentalidad de aquel entonces. ¿Cuáles eran esos libros? ¿Cuántos fueron? ¿quienes eran esos viajeros? Po-

¿Quién difundió las nuevas ideas?

dríamos sí, dar nombres y hasta algún fichero de biblioteca particular. Pero si se piensa que el desembarco de libros debía ser vigilado con cierta atención por las celosas autoridades hispánicas, si se admite que la mayoría de los viajeros que iban y venían eran comerciantes con muchas luces en tasajos pero no en letras y que las pocas figuras "pensantes" debían ser miradas con recelo miedoso en el pequeño círculo de su influencia, debemos concluir que la expansión de ideas a través de "los viajeros" —así, en abstracto— debió ser relativamente reducida y que es más lógico pensar que, aunque sea para oponerse a ellas, se divulgaron en los claustros universitarios y pontificios.

Los viajeros, al traer el comentario de ideas no siempre bien asimiladas, obligaron a las Universidades, a los sacerdotes, a discutir, aunque fuera en privado, esas ideas. Con el propósito de rebatirlas, o de ponerlas en el justo marco que tenían en Europa. Desde la primera hora se discutió a Erasmo, se anatematizó contra Lutero. . . y se divulgó así la Reforma. Unos eran agustinos, los otros seguían a Santo Tomás. Estos eran jesuitas, aquellos dominicos. Ordenes —cualquiera sea el fanatismo de que se las acuse— cultas, intelectuales. Sacerdotes que hablaban, discutían. La discusión sutil debió hacerse hábito en la monotonía de la vida americana ya que el fraile estudioso podía participar relativamente, y hasta cierta hora, en las mundanalidades de las cortes virreynales donde los saraos y las competiciones de poesía eran abundantes en el siglo XVII y XVIII (Antonio Castro Leal anota que en un certamen, en México, en 1585, concurrieron, según Bernardo de Balbuena, 300 poetas; y en la "Crónica de la orden de San Agustín en la Provincia de Nueva España" se dice que los muchachos de doce años que allí se educaban versificaban "como los hombres famosos de Italia").

* * *

Francisco de Terrazas

Probablemente sea Francisco de Terrazas (mexicano, nació hacia 1525-1584) uno de los primeros poetas cultos de los nacidos en estas tierras. Fué renacentista, petrarquista, escribió una epístola, sonetos, y hasta un intento de poesía épica sobre el "Nuevo Mundo". Se advierte en él la influencia de Boscán y el gusto por un refinamiento que separaba al hombre del medio que le mostraba su condición terrena. Es más Renacentista que Barroco.

Diego de Hojeda

Barroco de la más pura y alta clase, donde ya están cuajadas las doctrinas estéticas de Fernando de Herrera y donde el Gongorismo florece, a la vez amenguado y admirado (son contemporáneos, pero los separa las distancias, que significan años, que alejan a España con Perú), es Diego de Hojeda (esp. 1571-1615). Era un dominico español que vivió en Lima. En su convento compuso "La Cristiada" (1611), en 12 libros, vida de Cristo —por algunos erróneamente, según nuestro parecer, considerada una "epopeya"—, cristología al modo escolástico esencialmente pero asaetada por una amplia gama de influencias renacentistas y por la tentación del estilo barroco que, triunfante en España, recién llegaba a los coloniales (Juan de Espinosa Medrano, "el lunarejo" (per. 1632-1688), escribe una tardía "defensa" de Góngora, cuando ya nadie lo discute en la península y hay todavía gongoristas, como el jesuita Bautista de Aguirre (ec. 1725-1786), y no es el único, que gongorizan cuando ya la moda y la escuela han cedido al avance del neoclasicis-

Pedro Peralta Barnuevo

mo). Pedro Peralta Barnuevo (1663-1743), el peruano que escribió "Lima Fundada" en 1732, publicó "Pasión y Triunfo de Cristo" en 1738. Entre Hojeda y Barnuevo transcurre lo más grande de la poesía religiosa, hermética por barroca pero también por un culteranismo que trascendía a aquél, al incorporar al lenguaje remozado por el Renacimiento el pensamiento escolástico de la Iglesia. Recordemos a Fernando de Córdoba y Bocanegra (mex. 1565-1589), cuya muerte prematura y las pocas composiciones que dejó, todavía debemos lamentar y al "Espejo de paciencia" (1608) del discutible y misterioso Silvestre de Balboa (esp. o cub. 1564-1574). José Antonio Echeverría (cub. 1815-1886) "descubrió" el poema que, sin lugar a dudas, arregló para darle un tono exaltadamente cubano, que convenía a la política de su tiempo.

* * *

Bernardo de Balbuena

Más barroco que Hojeda, pero tan poco gongorino como él, la figura de Bernardo de Balbuena (esp. 1561-1627) merece especial atención. Su padre residía en México y a los tres años el niño llegó a estas playas. Estudió en Guadalajara. Ganó varios certámenes poéticos y comenzó en 1592 a componer su poema "El Bernardo", épica al estilo de Ariosto y Tasso, que publicó en Madrid en 1624 y le dió gran fama. Fué nombrado obispo de Puerto Rico, 1619, y en un ataque los piratas le quemaron la biblioteca. Sus otras obras fueron "Grandeza Mexicana" (1604) y "Siglo de Oro en las selvas de Erifile" (1608).

"Grandeza Mexicana" fue dedicado a exaltar, con gracia renacentista y sentido cortesano, la majestad de la ciudad cabeza del poderoso Virreynato. Balbuena era mexicano de pura sangre aunque por accidente hubiera nacido en España y hay en "Grandeza Mexicana", dejando de lado sus formas estilísticas a la moda renacentista, un sentido del paisaje y una fidelidad en la descripción que merecen destacarse. El Poema no habla de los tipos populares e idealiza personajes y lugares, pero en medio de la alegoría aparece siempre la realidad concreta ambiental. Es un canto al poder virreynal, a la corte misma. Más parece obra de un cortesano que la de un religioso. "Siglo de Oro en las selvas de Erifile", poema pastoril siguiendo a Garcilaso, al estilo de Petrarca y Virgilio en la parte poética, de Sannazaro en la parte en prosa, agrega poco de nuevo a la lírica americana. "El Bernardo" (1624), compuesto en 25 libros, uno por cada año que tardó en escribirlo, según se afirma, tiene un total de cuarenta mil versos. Es la contraréplica a la "Chanson de Roland". Bernardo mata a Orlando (Rolando) y los españoles triunfan sobre Carlomagno.

Aquí, en el poema, triunfa el barroquismo, pero ese barroquismo que hemos llamado americanista. No hay hermetismos pero sí elegancias formales, que se aumentan a medida que los años y la preocupación avanzan en el obispo que envejece. Un tema al estilo renacentista —desarrollado en "La vida es sueño" de Calderón— toma sin cesar importancia en "Bernardo": el de la vida breve y perecedera. Tema católico, favorito de la escolástica que gustaba recordar la vanidad de la vida. Balbuena muestra cuán poco independiente, a pesar de la modalidad americana (inadvertida por los poetas de entonces que buscaban parecerse a sus modelos españoles), era la poesía culta de la Colonia.

* * *

No es esto motivo para asombrarse. Intelectualmente, ya lo dijimos, América era una unidad homogénea en cuanto a cultura: se seguía el modelo peninsular sumisamente y con temor provinciado a dar un paso en falso, que nos ponga en ridículo. Si hubo alguna originalidad, la advertimos hoy. Intelectualmente la Colonia era la Provincia. Como modelo para la creación debía resultar para aquellos americanos educados a la española, en un mundo español todavía no inquietado por afanes independentistas, tan poco atractivo como resulta hoy el "provincialismo" o regionalismo que estuvo en voga a principios de este siglo. Además, la mentalidad colonial era centrista: en la Corte estaba no solamente la prosperidad sino cuantos tenían algo que decir.

Exodo de Americanos

Y hacia la corte va a partir Garcilaso de la Vega, el inca, (per. 1539-1616), a los 21 años, para no volver. Y también ese otro prototipo de intelectual americano que perfila el siglo XIX: Pablo de Olavide y Jáuregui, (per. 1725-1804). Aventurero, enciclopedista, afrancesado, perseguido por la Inquisición, revolucionario condenado por los jacobinos, se convirtió al catolicismo y terminó haciendo paráfrasis del Salterio y escribiendo "Poemas cristianos".

Complejos en formación

El "complejo" de atraso se va agravando —la información en América marcha con lentitud (digamos 10 años en las capitales, 20 tarda en difundirse en el interior). Y con el atraso de información crece el prestigio de la Capital, de la "oportunidad" que en la Capital puede encontrar un talento destinado a languidecer en la Provincia. Y detrás de este complejo, del que hemos dado cuenta, sigue creciendo el otro mal americano: la convicción de que la verdadera creación es privativa de España, de Francia, de Inglaterra, de Europa, porque allá están "más adelantados." ¡Cuánto daño ha hecho este complejo de inferioridad a la literatura americana! ¡Cuantos talentos se dañaron por no saber quedarse en sus "provincias"!

* * *

Ejemplos de la unidad espiritual con España, y de la "evasión" buscada, son respectivamente, Juan Ruiz de Alarcón y Mendoza y Sor Juana Inés de la Cruz.

Juan Ruiz de Alarcón

Alarcón (mex. 1581-1639), poeta y dramaturgo, conquistó notoriedad en España. Esto se ha dicho hasta el cansancio con sentimiento de satisfacción americanista, de "desquite" o pretendido "desquite" frente al culpable sentimiento de dependencia intelectual de los americanos a los europeos. Y es relativamente cierto, una verdad "sospechosa", porque si Alarcón escribió en España y llegó a mostrar sus obras, nunca ocupó una posición de privilegio. Su comedia "de costumbres" fué valorada posteriormente (Corneille la imitó en "Le menteur"), se lo escarneció por su fealdad, se lo ridiculizó por sus modales provincianos o "americanos" y ocupó oscuros lugares en el Archivo de Indias. Esto no es poner en dudas el indudable talento de Alarcón sino desinflar la "importancia" que el nacionalismo le asigna. Escribió como lo que era, como un español que no soñaba dejar de serlo, y nada agregó que diera carácter particular a la versificación en América; su único aporte —negativo— fué el tratar de disimular su origen americano, como el provinciano que ridículamente trata de parecer capitalino, perdiendo así el sabor lugareño que podría darle plaza, por original y sabroso, entre los estereotipados tipos de la Capital.

Y no es raro que esto ocurriera a Juan Ruiz ¿por qué habría de ser lo contrario? Estas eran provincias, alejadas y aisladas, a las que invade el tedio, y una corte de falso refinamiento, mientras que allá, en la Capital, está el gran teatro de Calderón, de Lope, de Tirso, están Góngora y Quevedo —con quien cambió terribles sátiras—, la información, la gloria. Alarcón fué un muchacho de provincia que se fué a vivir a la capital. Son culpables de leso americanismo los que con posterioridad siguieron su ejemplo, y el del Inca Garcilaso o Ventura de la Vega (arg. 1807-1865).

* * *

Sor Juana Inés de Cruz

La otra mexicana ilustre, Sor Juana Inés de la Cruz (1651-1695), también escribió "a la española" porque era natural que se considerara tal y no sospechara siquiera la posibilidad de una independencia creativa en América.

Se llamaba Juana de Asbaje Ramírez (¿Habría algún converso en su linaje?). En 1667 ingresó como carmelita pero el mismo año abandonó el intento. Fué en 1669 que tomó el hábito de San Jerónimo. De una congregación a otra había gran diferencia: aún cuando tuviera mucha oposición que vencer, en la segunda llevó una vida menos severa (recibía al Marqués de Mancera, el virrey, y a la virreyna, y a condesas y señoras que le dispensaron su protección). El convento "mundano" tan frecuente en Francia durante el mismo siglo, no era común en España peninsular. Pero la Colonia quedaba lejos y el virrey era poderoso. En su convento, sor Juana acumuló libros —4 mil contaba su biblioteca— y desde su convento defendió los derechos de la mujer. Puede decirse que ella fué la primera feminista notable de estas tierras. Su clara inteligencia, su vivacidad natural y su erudición le atrajeron el respeto de la nobleza, y la consideración de la jerarquía que respetaba a la nobleza. Su astucia natural para manejarse entre poderosos le permitió realizar con relativa tranquilidad toda su variada obra. El castigo más grande impuesto a su vanidad era que le prohibieran leer y la enviaran a la cocina del convento, para humillar su soberbia (en la cocina compuso un tratado de física como antes, al enseñar canto en el coro, compuso un perdido tratado de preceptiva musical). Sor Juana era ocurrente y sabía ser humilde con sus protectores a los que, buena cortesana, alaba según las reglas que eran de estilo entonces, sin el menor rubor: "Laura" es doña Leonor de Toledo, la virreyna, y "Lysi" es doña María Luisa de la Cerda y Aragón, condesa de Paredes.

El propósito de su cortesanía es fácil de identificar. Dedica a la condesa de Paredes su "Inundación Castálida" (1689) lo cual le permite, bien protegida, publicar su "Crisis de un Sermón" al año siguiente —refutación a un sermón del jesuita Antonio Vieira— a la que el obispo de Puebla llamó "Carta Athenagórica", es decir, digna de Palas Atenea por su sabiduría. Hermilo Abreu Gómez tiene un estudio interesante en la edición mexicana de esta obra y de la "Respuesta a Sor Filotea". El obispo, puesto en el brete por el jesuita ofendido, recomienda a Sor Juana que lea menos y se ocupe más de lo que a una mujer conviene, Juana, en prosa, responde con ingenio conceptista, muy del gusto de la época —lo cual regocijó a todos y le dió prestigio mayor— haciendo la defensa de su humildad de mujer y de su derecho a no ser tan tonta como era costumbre que las mujeres parecieran frente a los hombres.

Facetas estilísticas de Sor Juana

Más legítimas, porque ha durado su influencia y la verdad que encierran, son sus famosas "redondillas", que pueden haber respondido a algún comentario inconveniente, nacido en la Corte, contra sus amigas o protectoras.

En estas muestras de ingenio Sor Juana es barroca, pero ya con tendencia al culteranismo amplio —en el cual cabía no solamente el lenguaje hermético y lleno de floripondios, sino también la erudición— y al conceptismo proclamado por Quevedo. El Barroco en sus tres formas (renacentista, gongorino y culterano amplio) se divide gran parte de su obra.

Su erudición la lleva a un humanismo barroco renacentista al que muchas veces se entiende equivocadamente. Al perder nuestro tiempo el hábito del platonismo tan en voga entonces, versos que eran espirituales según las reglas del más puro idealismo resultan de amor terreno (como pasa, por ejemplo, con el famoso "Esta tarde, mi bien, cuando te hablaba"...). Por muy mundana que fuera una monja en aquel entonces y por mucha protección que contara, el "Santo Oficio" con el cual Juana alega no querer tener tratos, habría intervenido si sus versos hubieran sido tan carnales y apasionados como se alegó después. Se ha dicho que estos versos seguían las modas de la época. Esto es verdad, y por eso pasaban muchos que a nadie molestaban; pero los llamados "versos de amor" no deben confundirse con los ejercicios retóricos de Sor Juana. Son, en verdad, cantos de amor y de éxtasis, pero no terrenales sino que estaban en la corriente del misticismo, sobre la huella de Santa Teresa y de San Juan. O de Calderón de la Barca, que fué el autor que más señas dejó en la monja poeta (no solamente en las imitaciones que van de "Estas que fueron pompas y alegrías", de Calderón, al "Este que ves, engaño colorido..." de Sor Juana). Renacentista es esa sensualidad, ese canto de amor que confunde hoy a los que no quieren recordar cuánto influyó el platonismo en la poesía de Petrarca y cómo actuó Petrarca en toda la lírica española de unos años antes y cómo insidía todavía en la métrica y en los sentimientos de los poetas de la época de Sor Juana.

Finalmente, el barroco gongorista, al estilo de Góngora, también atrajo a Sor Juana. "Primero Sueño", poema alegórico, conceptista, hermético aunque inteligible, es inspiración directa de don Luis de Gongora y Argote. El tema discurre sobre la mejor forma de alcanzar una sabiduría útil y cuál ha de ser el método de estudio adecuado (y curiosamente, la extraordinaria monja se inclina por el método racionalista, apartándose de toda intuición reveladora a la que debía haberla llevado su idealismo). Con su biblioteca, su inquietud cultista por la poesía, la música, las ciencias, su actitud mundana y su piedad sincera, Sor Juana es, en pequeño, un Leonardo da Vinci de la Colonia española.

* * *

Entre los muchos aspectos que cabría estudiar en ella, hay que destacar uno, pues favorece a su faz americana: el buen sentido, la cordura que en mucho la va a relacionar con la atmósfera en que vivía, que ya era americana —insistimos— aunque la gente no se percatara de ello ni lo anotara en versos. Sor Juana, en poemas como "Ines, cuando te riñen por bellaca", trae esa mezcla de humor callejero —aunque lo exprese cultamente— que le llegaba a través de la ventana de su convento, una ventana muy abierta al aire de México. En algo debió ayudarla a ese buen sentido que no la dejó enredarse en el gongorismo oscurantista, el tener que andar entre ollas y vasijas cuando le prohibieron leer.

* * *

Divorcio entre fondo y forma en los poemas

Debemos hacer una digresión: En España, el Renacimiento influencia a la Epica y a todos los demás géneros de la poesía, en especial a la cortesana, de refinada mitología y égloga. Garcilaso —el español, no el indiano— Boscán, Fray Luis, Herrera, Góngora, Quevedo. La sucesión va indicando etapas del Renacimiento al Barroco, que con los dos últimos citados se transforma en culteranismo y conceptismo. En América, las influencias de las grandes figuras españolas —en la poesía, en la mística, en el teatro— se dan a destiempo y no cronológicamente y a veces se conoce mejor a Gongora que a Herrera, o simultáneamente se recibe a Garcilaso y a Quevedo. Esto hace que se deba andar con cuidado, pues muchas veces la forma exterior del poema no se corresponde con lo que expresa su fondo.

Esta reflexión es valedera en este momento pero lo será también para el resto de esta guía que esbozamos, pues señala una de las características más interesantes de la poesía en América. Es común al erudito preocuparse más de la exactitud de la forma que del contenido de los poemas. Luego de acumular fechas —y de olvidarse de relacionar a los hombres con los acontecimientos que conmovían a su tiempo por no aparecer estos, aparentemente, relatados anecdóticamente en los versos—, muchos estudiosos se preocupan de las formas métricas, del estilo, de las innovaciones que se introducen. Sin percatarse que, cualquiera sea la apariencia exterior, en octava real o décima, en endecasílabo o en pie blanco, importa más mirar y considerar lo que dicen los poemas para no confundir su esencia, que es lo permanente, con su forma, que es lo momentáneo aunque innove y parezca original.

* * *

Carlos de Sigüenza y Góngora

Carlos de Sigüenza y Góngora (mex. 1645-1700) se ordenó de sacerdote en 1673 y enseñó "Matemáticas y Astrología" en la Universidad Pontificia de México. Poeta barroco con características especiales, es más culterano y conceptista que Góngora y Quevedo, sus influenciadores. Las competiciones de "elegancia" poética en la corte de su protector, el conde de Paredes y marqués de Laguna, el virrey –remedo de aquellas "Cortes de amor" provenzales–, exigían una habilidad extraordinaria para el cultivo del verso, las metáforas originales, las palabras justas y exquisitas. Pero –Angel Balbuena Briones tiene un excelente estudio sobre Góngora– el poeta era algo más que un cortesano: un jesuita vocacional, un sacerdote de real fe, polemista y sabio, ofendido por la Reforma y ansioso por llevar adelante la didáctica de la Contrarreforma. El culto a la Virgen, el horror a la herejía protestante, la penetración divina a través del amor, son los temas que "comprometen" a la poesía de este Góngora mexicano. Pero hay más: en su afán cultista, Góngora quiere "acercar" al lector a sus poemas y recurre entonces al indigenismo. En "Oriental planeta evangélico", al aludir a Francisco Xavier habla con verdadero acento americanista del medio en que actuó el santo jesuita. En "Glorias de Querétaro" describe al famoso templo de la Guadalupana. Indigenismo hay en "Primavera indiana", en loor de la Virgen María, con sus contínuas alusiones a la historia del Virreynato y al milagro de la Virgen de Guadalupe, a las rosas de mayo, a los indios. Su refinamiento barroco, todavía más oscurecido por las alusiones mitológicas al gusto de la época, y por el conceptismo católico que detrás de una alegoría escondía una preceptiva, hace dificultosa la lectura de Góngora. Pero piénsese que en su época ese hermetismo de hoy era bastante claro pues se dirigía a un público adiestrado, con más conocimiento que nosotros de Patrística y mitología. No se debe pues exagerar —como tantas veces ocurre— la oscuridad del Barroco y del Culteranismo en España y en América. Góngora escribió mucho en prosa y aludía contínuamente al medio donde vivía, lo cual es interesante pues indica que los criollos comenzaban a mirar con orgullo posesivo el paisaje donde nacieron (por supuesto, todavía sin ninguna conciencia separatista).

* * *

Hasta mediados del siglo XVIII los poetas barrocos de culteranismo amplio (y hubo muchas mujeres que anotar, Jerónima Velasco (ec. siglo XVI) y Santa Rosa (per. 1586-1617), o la famosísima Madre Castillo —Sor Francisca Josefa del Castillo y Guevara (col. 1671-1742), de mística sencillez en su prosa y de controvertida autenticidad en los versos, pues resultaron muchos de ellos de Sor Juana, copiados por la Madre para su placer) tienen tres rasgos que los caracterizan: sumisión espiritual a España (lo cual traerá el ya mencionado complejo sudamericano de acatamiento intelectual a la creación poética europea); el éxodo en busca de la Capital, de la Tierra Prometida, la huída física o espiritual de la realidad circundante; y el "confusionismo" que los viajeros obligados a regresar, o que los nuevos residentes en América, introducían con sus ideas mal asimiladas, con su información incompleta o mezclada cronológicamente.

* * *

Unidad con el modelo español

Con excepción de los cantores populares, o de algún granuja colmado de talento como Caviedes, la poesía americana no había nacido aunque ya apuntaran algunos rasgos de su personalidad en la utilización del paisaje y en el uso de cierto costumbrismo pintoresco. Continuaba la perfecta unidad cultural de todo el territorio de la Colonia. Los autores se consideraban españoles, aunque hubieran nacido aquí (y las protestas de la picaresca y la sátira no llegaban a escucharse porque iban en coplas de guitarras cuyo escosor, por insolente, permitía aparentar no percibirlo), se interesaban muy raramente por el anecdotario americano (casi siempre con referencias a sucesos religiosos, como los que consagran a la Virgen de Guadalupe, a la "guadalupana", en México; que es la forma más externa y elemental de crear un comienzo de literatura nativa); pensaban y escribían para allende los mares y secundariamente para quienes los rodeaban.

* * *

Un poco de Historia

Pero a mediados del siglo XVIII todo va a cambiar. Como un aluvión se precipitan los acontecimientos: el trono pasa de los Austrias a los Borbones (1700, Felipe V), luego de una guerra de sucesión que duró 13 años, y Francia irradia sus luces, apresuradamente buscadas por los cortesanos españoles. El feudalismo que el orgulloso nieto de Luis XIV inaugura al abrogar los privilegios de Cataluña (y prohibir el idioma catalán), lleva al absolutismo borbónico que será una de las causas más explicables de la quiebra de las Colonias en América. Los Virreynatos pierden la autonomía ganada por la distancia y la burocracia del Consejo de Indias. Por otra parte, el advenimiento de los Borbones permite que el iluminismo, aunque con retraso, llegue a España e, inevitablemente, por viajeros, por polémica entre curas y laicos (pero laicos que, al estilo de Voltaire, todavía no son del todo escépticos), se lo conozca en América.

Finalmente, dos acontecimientos conmoverán a las colonias españolas, y por ende a sus poetas y hombres de pensamiento, a los satíricos, y a la chusma descontenta, que se van a transformar en polemistas por un lado y en soldados después: estos acontecimientos ocurren el 4 de julio de 1776 y es la Independencia de los Estados Unidos, y el 14 de julio de 1789 y es la Revolución Francesa (o sea la primera vez que el pueblo, y no la traición u otros reyes, le corta la cabeza a un Rey de sangre borbónica).

En América, el siglo XVIII tiene un aspecto propio. Hay castas divididas y delimitadas entre sí que claman ante la injusticia de que son objeto: españoles peninsulares, criollos hijos de españoles, indios, negros, mestizos. En 1724, don José de Antequera y Castro provoca una insurrección en Paraguay, conocida como de "los comuneros", semejante a la que contra el rey Carlos I (V) provocaron los famosos "comuneros" de Castilla. En 1780, un episodio igual sucede en Nueva Granada. Dos indios, Jacinto, en Yucatán y José Gabriel Condorcanqui, llamado "Tupac Amaru", en Perú, se sublevan contra el trato dado a su raza. Haití lucha por la independencia de los pueblos negros en contra de Francia. Y surgen los grandes nombres de los políticos-intelectuales que son precursores de las independencias: Fray Servando Teresa de Mier, Antonio Nariño, Eugenio Santa Cruz Espejo, Mariano Moreno y el más grande en su visión Panamericana: Francisco de Miranda.

Ya los intelectuales tienen una conciencia política propia y toda una clase oprimida, desplazada, expoliada, la de los criollos, se informa ávidamente.

EL NEOCLASICISMO

El iluminismo

El Iluminismo francés avanza, y con él las ideas científicas de Newton, las teorías de Locke se van haciendo realidad. España, de guerra en guerra, exige cada vez más a las Colonias. Carlos III intenta una política económica liberal. En 1767 se expulsa a los jesuitas de España y por lo tanto de América. En 1794 se inicia la invasión napoleónica de la península.

* * *

La cosmogonía escolástica es rápidamente sustituída por los ideales iluministas: el hombre puede bastarse a sí mismo. De Montesquieu a Rousseau hay bastante trecho, pero más distancia hay para que todos estos acontecimientos lleguen, se conozcan y se asimilen en tierras americanas. En poesía, se cae en un academicismo barroco, ya sin fuerzas ni inspiración, y se pasa al primer preciosismo americano, tan recordado en el Modernismo. Nada hay de memorable ni de señalable. Los poetas de fines del siglo XVIII parecen estar de espaldas a América, en cuanto a originalidad creadora se refiere. Pero esas espaldas tienen un cerebro y ese cerebro, desconcertado en un principio, va a encontrar el cauce del nacionalismo que nacerá después de las revoluciones, con las declaraciones de independencia. Encontrará el cauce regional de la poesía gauchesca y el cauce continental de la poesía patriótica.

Y así, si la forma es neoclásica, colmada de dioses olímpicos a la moda peninsular, el fondo, lo que importa, será finalmente americano, en lo que a poesía se refiere.

* * *

Poco valdría recordar nombres que no alcanzan más que un significado momentáneo y local. La sátira se convierte en arma política, y se continuará —sin ningún valor poético, más que el del ingenio cáustico— hasta los albores del siglo XX. Recordemos, sin embargo al peruano José Joaquín de Larriva (1780-1832). El neoclasicismo toma un aspecto que es casi involuntario: los dioses y personajes de la mitología greco-latina que evoca de continuo son los de la guerra y los héroes que, simbólicamente, luchan contra la opresión. Finalmente, los fabulistas que cultivan un género finisecular en voga en España seguramente impregnan sus fábulas de un significado político difícilmente captable hoy, al igual que sucede con las de Esopo o La Fontaine.

REVOLUCION E INDEPENDENCIA. DEL NEOCLASICISMO AL ROMANTICISMO CON EL GAUCHO POR EL MEDIO

El centralismo patriótico

Antes del fervor patriótico que encendería en fogosos versos la lira de nuestros poetas, ebrios por el entusiasmo de haber podido rebelarse contra el opresor que les dió origen, nació el enojo de los criollos por el trato desigual de que eran objeto. No había conciencia de Patria sino localismo ciudadano y al decir "criollos" se quería decir "limeños", "porteños", "granadinos" y no se abarcaba en la designación la conciencia de arrastrar tras la protesta a todo el Virreynato, como si fuera una nación. Este sentimiento centralista, unitario, prevaleció incluso en las constituciones pseudo federales de América, prevaleció en los hombres que miran todavía hoy hacia México, Buenos Aires o New York como antes miraban a Madrid o Paris o Londres.

Las independencias, después de las revoluciones, cogieron casi de sorpresa a los patriotas que habían buscado una libertad económica y se encontraron envueltos en una libertad política. Nos referimos a la gran masa popular ciudadana y comerciante y no a los soñadores que, a Dios gracias, tenían una visión más amplia de lo que iba a ocurrir.

Sátira y autonomía

La conciencia de la libertad económica les vino a los capitalinos americanos de las ideas enciclopedistas, pero el sentimiento patriótico, de autonomía, primer germen del nacionalismo (cuyo atisbo ya mencionamos en las sátiras que ridiculizan a los españoles que venían a este suelo con pretensión de asombrar y que derivará en la conocida frase de "venir a hacer la América"), les llegará del interior de los virreynatos, de las ciudades postergadas, de las clases bajas, del aporte del gaucho que con su valentía trajo su anarquía indigenista no sometida. Ese sentimiento de independencia del hombre del interior, que va a derivar en el federalismo traicionado por las clases cultas precisamente por vanidad y error del concepto de civilización, se había gestado entre burlas y veras, entre alabardas y tacuaras, entre coplas y cielitos, lentamente, apenas advertido, despreciado por ser de gente vulgar.

De la gesta a la poesía picaresca y satírica, al cancionero que nadie anotaba, a la poesía gauchesca que anotaron poetas ciudadanos mucho después que los payadores anónimos la llevaban por las rancherías perdidas en la planicie o en las selvas americanas. Así se fué gestando una con·ciencia revolucionaria independentista. La poesía popular la dejó impresa en el viento; mucha se perdió en el olvido.

La trayectoria poética de la primera mitad del siglo XIX tiene dos faces: una, la poesía patriótica, neoclásica primero, cuando lucha contra el español, romántica después cuando lucha contra la tiranía, modernista y librepensadora cuando debe buscar el camino de las integraciones nacionales (la poesía religiosa no reaparecerá hasta el siglo XX, con carácter importante y como género conglomerador).

La segunda faz es la de la poesía gauchesca en Argentina, que crea un género original, nuevo y con continuidad hasta nuestros días. Este es un género que tiene equivalencia en Europa pero que no recibió ninguna influencia foránea.

LA POESIA PATRIOTICA

La poesía patriótica

Aunque muy pobre en cuanto a inspiración y originalidad poética, apegada a modelos europeos en las formas (y hasta en el espíritu pues Victor Hugo fué una epidemia, tal vez necesaria, en el romanticismo), la poesía patriótica tiene una importancia que no debe desdeñarse si se quiere estudiar la conformación de la mentalidad americana, a la par que el proceso cultural de América. Es una poesía de militancia, de propaganda, y, a veces, de encargo (se asegura que Bolivar encargó a José Joaquín Olmedo su poema "La victoria de Junín"), por necesidad de mantener alerta el espíritu ciudadano —y no se piensa en la campaña— para que apoye el movimiento revolucionario con hombres y dinero.

La poesía patriótica se escribe sobre el redoble de los tambores y acompaña, como testigo inflamado de entusiasmo, a veces forzando el escaso talento del poeta, a los ejércitos de la independencia. Bueno o malo, no debe desdeñarse este género tan americano —a pesar de sus modelos afrancesados las más de las veces— y que brotó por doquier. Contribuyó, y no en poco, a la conciencia independentista al exaltar al gusto de la época los hechos que los criollos iban comprendiendo y que Miranda, San Martín y Bolívar habían comprendido militarmente: que era posible derrotar a los ejércitos españoles cuyos jefes desconocían este suelo Los gauchos fueron un elemento sorpresivo, su indisciplina sobre un terreno conocido les valió más que la ordenada estrategia española. San Martín se da cuenta de este nuevo aporte militar y deja la defensa del norte a cargo de los gauchos del general Güemes; pero esto no era reconocido en el unitarismo capitalino de la poesía patriótica que centraba siempre su homenaje en el jefe y no en el soldado, a quien tomaba en grupo, endiosado, transformado por el neoclasicismo.

* * *

Las invasiones inglesas

El primer asomo de poesía patriótica orgánica lo provocan las dos invasiones de Buenos Aires, en 1806 y 1807, por tropas inglesas, que son rechazadas por los capitalinos. El gaucho, según los testimonios de los mismos invasores documentado por Carlos Alberto Leumann, permanece ajeno al episodio por razones que son explicables ahora. Mientras Buenos Aires rechazaba la invasión, a apenas unos kilómetros los gauchos se reunían para ver pasar a los ingleses, recoger las mantas que arrojaban para marchar más ligero, y jugar al "pato". Este episodio es importante, porque indica la separación entre campaña y capital de la que dan testimonio la poesía patriótica y la poesía gauchesca, aunque aquel sea un género común a toda América y éste quede reservado a la pampa argentina (el personaje, el gaucho, no tiene más equivalencia psicológica, en aquel entonces, que el llanero venezolano, y en el charro mexicano, más tarde).

* * *

En las invasiones inglesas el pueblo de Buenos Aires comprueba por primera vez su superioridad frente a un virrey vacilante y a un ejército, o destacamento de españoles, desorientados y sin sentimiento de arraigo en el suelo que deben defender. Es el pueblo de Buenos Aires, los batallones criollos, con un francés al frente, Santiago de Liniers, y con los primeros patriotas argentinos, el coronel Cornelio Saavedra, quien rechaza a los ingleses. Y aquí nacen la poesía patriótica y la poesía gauchesca, que por su apariencia suelen confundirse.

Poetas independentistas

Vicente López y Planes (arg. 1785-1856) escribe "El triunfo argentino" (1803), continuando la tradición de Centenera de llamar así a los habitantes de la cuenca rioplatense. Pantaleón Rivarola (arg. 1754-1821) alaba el patriotismo de Buenos Aires descargando, como quien no quiere la cosa, alguna ironía en contra del español. Las sátiras y las décimas de los cantos populares florecen en todas partes. Bartolomé Hidalgo (urug.

1788-1822) iniciador de la poesía gauchesca, asiste al acontecimiento.

Vicente López y Planes fué el autor del Himno Nacional argentino (1813). Luego del acopio de dioses griegos, con remedos virgilianos, siguiendo a la poética neoclásica en "El triunfo argentino", escribe otros versos decididamente patrióticos: "A los defensores de la libertad, después de la batalla de Maipú" (1818).

Juan Cruz Varela

Más creador, más legítimo en su talento, es Juan Cruz Varela (arg. 1794-1839) quien, en 1818, escribe "A los valientes defensores de la libertad, en la llanura de Maipo" y en 1827 "Triunfo de Ituzaingó", para celebrar la victoria de las armas uruguayas y argentinas en la guerra con Brasil, donde imita el poema más importante y que mejor cumple su propósito: "La victoria de Junín", de Olmedo. Cruz Varela es también neoclásico y su poesía ajena a estos versos patrióticos es apenas recordable, fué autor de una tragedia, "Dido", de filiación latina pero con algún sentimiento transportable al temperamento americano. Lo que sí es recordable, pero no por su valor en sí sino por el significado de adelantarse a la derivación que veremos que sigue la poesía patriótica fué cuando, poeta oficial del primer presidente argentino, don Bernardino Rivadavia, celebra en versos tales como "Profecía de la grandeza de Buenos Aires", a una nacionalidad incipiente bajo aquel mandatario que pronto va a desaparecer derribado por la anarquía que avanza.

* * *

José Joaquín de Olmedo

José Joaquín de Olmedo (ec. 1780-1847) es el autor de "A la victoria de Junín" (1825), poema en homenaje a Bolívar, escrito, según afirma algún estudioso, a insinuación del mismo libertador —por las razones antes enunciadas—, que enlaza las batallas de Junín (6 de agosto de 1824), y la de Ayacucho (ganada por el general Sucre el 9 de diciembre de 1824), con las cuales se cierra —aunque quedan países subyugados en el Caribe— la gran dominación española en América. El clasicismo decadente de Olmedo tiene fibra sonora y vibración de legítimo entusiasmo. Diez años más tarde Olmedo vuelve a escribir otro canto, tan pulido y trabajado como el anterior, pero más profundo, menos sonoro: "Al general Flores, vencedor en Miñarica" (1835). Es interesante anotar la diferencia entre uno y otro poema porque será general en toda la poesía patriótica americana: los sueños de Miranda se han evaporado, San Martín se ha retirado generosamente de la lucha, la federación soñada por Bolívar se desmorona; con el romanticismo, que ya presiente Olmedo en su segundo gran poema, nace la anarquía en América, se rompe la unidad espiritual que hasta ese entonces ha regido política, moral y culturalmente, surgen los ideales particulares, los pueblos se dividen y se vuelven los unos contra los otros, y dentro de las fronteras mal dibujadas triunfan los caudillos (Vencen los bárbaros los gauchos vencen", dirá Jorge Luis Borges al evocar aquella época en su "Poema Conjetural").

* * *

Evolución de la poesía patriótica

La poesía patriótica sigue entonces canones románticos. Condena briosamente a los tiranos. La militancia que exigía la poesía patriótica concuerda plenamente con el ideal romántico donde el poeta se compromete a vivir y a sufrir y a padecer en medio de un paisaje exótico (y se descubre la belleza real del paisaje americano, como si cayera una venda de los ojos); a asumir un concepto absoluto de la libertad (¿y dónde mejor que en América, asolada y oprimida por extranjeros y tiranos, podría darse el ideal que llevó a Byron a luchar por la libertad de Grecia?) ; y a morir, aniquilado por un "fatum" (fatalismo que los neoclasicistas rechazaron de la literatura greco-latina y que recogieron los románticos), por un destino ineludible.

Romanticismo

Hay en esto algo sutil que es necesario destacar, en los románticos en general: la libertad los arrebataba, pero nutrían una esecie de voluptuosa convicción de que su sacrificio terminaría en la derrota, en el suplicio. El triunfo era demasiado salubre para sus ansias de compasión, padecimiento y desesperación.

A los románticos les preocupaba su *ego* tanto como su ideal, les importaba que su individualismo se advirtiera dentro del ideal colecivo que los animaba. La reacción parnasiana quizá explique su frialdad estilística (desaparecerán las exclamaciones, los lamentos, las confesiones y declaraciones grandielocuentes) como freno impuesto a tanto dejarse rodar.

Del caudillo al tirano

El grupo de los "exilados" argentinos en Montevideo, con unidad romántica rara vez conseguida en la confusión de estilos y de tendencias que caracteriza a cada uno y a todos los poetas americanos, se declara exaltadamente en contra de la tiranía de Juan Manuel de Rosas (¡ay! de Francia a Rosas, de García Moreno a Santa Ana, nacen los tiranos que desangrarán a América apoyándose, ¡ay! por segunda vez, en el resentimiento engendrado en el gaucho por el menosprecio de las clases cultas). José Mármol (arg. 1817-1871) escribió "A Rosas" y "El sol de mayo" (incluídas en "Armonías", 1851-54), poemas violentos, sonoros, para ser recitados, que todavía hoy acarician el oído con sus tremendos apóstrofes: "Ni el polvo de sus huesos la América tendrá".

* * *

Mencionemos algunos nombres más, a título de recordación. Deambulan, en su forma, entre el Romanticismo y el Neoclasicismo y se mantienen ajenos al despertar del Modernismo, metidos en el Canto de la Nacionalidad que precede al Nacionalismo. Citemos a Wenceslao Alpuche (mex. 1804-1841) con sus conocidos versos "Hidalgo", "Grito de Dolores", "La independencia", "El suplicio de Morelos"; y a otro mexicano de interés Joaquín María del Castillo y Lanzas (mex. 1781-1878) que imitó a Olmedo en su poema "La Victoria de Taumalipas", José Joaquín Ortiz (col. 1814-1892), lanzó sonoros poemas a Bolívar, al Tequedama, "A la bandera colombiana" y fundó, con José Eusebio Caro (col. 1817-1853) la primera revista literaria de Colombia: "La estrella nacional" (1836). De estos poemas que exaltaron a la patria, cuando la patria apenas nacía, cambiaba de forma, se desmembraba, fué Caro uno de los más admirables. En él el "compromiso" romántico que se centraba en la libertad territorial de los países (que comenzaban a seccionar la gran idea de unidad continental de Miranda) tuvo plena realización. Fue un campeón de la libertad y se negó a aceptar, al extremo de sufrir prisiones y persecución por las selvas, a los gobernantes injustos o fraudulentos. Desterrado voluntario en EE. UU. regresó a Colombia para morir de fiebre amarilla antes de reunirse con su hijo, Miguel Antonio Caro (col. 1843-1909), que tambión fué poeta eminente. Caro, como Ortiz, son poetas católicos liberales. De Caro recordemos su hermoso poema "El ciprés", los patrióticos "El hacha del proscripto" o la "Despedida de la Patria". De Ortiz recordemos "Colombia y España (20 de julio de 1822)", curioso poema de reconciliación donde afirma "que el odio no es eterno / en los pobres humanos corazones!"

Tal vez habría que recordar en la misma Colombia a José María de Salazar (col. 1785-1828) y en Chile al discutido fray Camilo Henriquez (ch. 1769-1825), que luchó fogosamente por la independencia chilena, colgó los hábitos luego de Rancagua y se refugió en Buenos Aires donde practicó la mdicina. Se lo llamó "el fraile de la buena muerte" y publicó el primer diario chileno "La aurora de Chile". Sus alocuciones patrióticas son violentas, casi diatribas, más políticas que poéticas pero exaltadas por una indiscutible sinceridad. Hizo una buena traducción del himno nacional de EE. UU. También en Chile mencionemos a Bernardo Vera y Pintado (ch. 1780-1827), en Argentina a Juan Crisóstomo Lafinur (arg. 1797-1824) y en Venezuela a Abigail Lozano (ven. 1821-1866).

* * *

¿Hacia dónde deriva la poesía patriótica? En Colombia desde la sinceridad de José Eusebio Caro (col. 1817-1853) a la poesía majestática de Miguel Antonio Caro (col. 1843-1909), con su poema "A la estatua del libertador"; y a los sonetos de "Tierra de promisión" de José Eustasio Rivera (col. 1899-1928). En México a los tiernos versos de "La suave Patria" de Ramón López Velarde. En Perú a la fogosidad de Santos Chocano. En Uruguay a las estrofas de "La leyenda patria" (1879), de Juan Zorrilla de San Martín.

Tomemos el ejemplo de Argentina, pues las

características son casi iguales en los demás países. Rafael Obligado (1851-1920) reúne en su único libro de "Poesías" (1885, editado en París, detalle digno de recordar) tres poemas memorables en la poesía patriótica "El negro Falucho" (nombre de un soldado de San Martín fusilado por los españoles en El Callao), "La retirada de Moquegua" y "Ayohuma" (dos derrotas). En estos poemas la poesía patriótica ha perdido su simultaneidad con el episodio que describe, ya es evocación de una grandeza pasada en el momento en que la Patria se transforma en Nación. Recordación de los valores patrióticos para afianzar los valores cívicos nacientes. Obligado, como Olegario Víctor Andrade (arg. 1839-1882), autor de "El nido de cóndores" con motivo de la repatriación de los restos de San Martín, presiente oscuramente que después de la anarquía, de la guerra de secesión de Buenos Aires que acaba de concluir, se abre la gran perspectiva de la grandeza del país. Esta es la transformación que ellos señalan. Obligado, como antes Cruz Varela, deja la exaltación patriótica para buscar la exaltación de la nacionalidad, la del trabajo constructor, la de la quietud y belleza de la propia tierra ("El nido de boyeros", "El hogar paterno", "El seibo"). Aunque los versos de romántico lirismo de Olegario V. Andrade ("Prometeo", "Atlántida", "La noche de Mendoza") lo convirtieron en un segundo Víctor Hugo americano, el tiempo ha ido apagando su figura y alzando más la de Obligado, sobre el cual hablaremos de nuevo al tratar la poesía gauchesca. En "Atlántida" (1881) Andrade adopta un tono profético, a lo Víctor Hugo, para anunciar el advenimiento de la raza americana después de la decadencia cíclica de las otras en vigencia.

Exaltación del pasado

Hacia la nacionalidad

* * *

Esta línea de presentimiento de la Nacionalidad la había iniciado Andrés Bello con su "Silva a la zona tórrida", donde canta, no a la tierra misma, sino a la agricultura, al trabajo. Por allí, en el Canto a la Nación, desemboca la poesía patriótica que de Epica en las Gestas de la Conquista, derivó en poesía de militancia propagandística y luego en condena exaltada contra los tiranos (aunque es bueno recordar que no son pocos los versos, de probados poetas, dedicados a adularlos. No es demasiada cierta la romántica imágen del poeta con ideal pureza política). Y terminará en este canto a los valores cívicos de la Nación que continuarán, después de Bello, poetas de la talla de Leopoldo Lugones ("Odas seculares"). La poesía patriótica como tal, de compromiso con la Patria y no con la Nación, reaparece en la segunda mitad del siglo XX para disfrazar, de algún modo, aspectos propagandísticos de la poesía del Nacionalismo, con tendencia social. En el interín, paralela al Modernismo, la poesía de la Nacionalidad se vuelve hogareña y, en los dos extremos de América, poetas patriarcales cantan la dulzura y la seguridad del hogar constituído, con sentimiento donde germina ya el nacionalismo: Carlos Guido y Spano (arg. 1827-1918), autor de "Nenia", "A mi hija María del Pilar", "Trova", composiciones de sus dos únicos libros "Hojas al viento" (1871) y "Ecos lejanos" (1879); y Juan de Dios Peza (mex., 1852-1910) que escribió "Cantos del hogar" en 1884.

Cantos hogareños

LA POESIA GAUCHESCA

La poesía gauchesca

Inevitablemente, en esta preocupación de seguir temas, de indicar la formación de idiosincrasias americanas a través del espejo fiel de la poesía, que por basarse en la inspiración tanto como en la razón refleja muy bien los cambios de la mentalidad social e individual en los distintos períodos, nos hemos alejado en el tiempo. Tendremos que volver a retomar el hilo del romanticismo en el momento mismo en que aparece. Pero antes habremos de regresar algo más atrás aún para explicar esa cuña, original como ninguna otra expresión de arte americano hasta la aparición de la poesía negroide o de los muralistas mexicanos: la literatura gauchesca (que se expresa por la poesía y en la novela, más continuadamente en ésta, hasta los días que corren). Los lectores de habla inglesa tienen la suerte de que uno de los más grandes novelistas gauchescos escribiera en inglés: Guillermo Enrique Hudson (arg. 1841-1922). Y en inglés están las famosas narraciones que de sus andanzas hicieron los viajeros durante el siglo pasado —desde el capitán Head hasta Darwin—, con el testimonio de la admiración que les despierta ese enigma altanero que encuentran de pronto en la soledad de las pampas argentinas: el gaucho.

Volvamos a 1807.

* * *

El gaucho

No es en este esbozo donde corresponde hacer la historia del gaucho, pero dada su importancia en la poética, podemos anotar, someramente, algo de su origen: En plena colonia, el nepotismo, la tiranía metropolitana, arroja a muchos jóvenes criollos —de pura raza blanca— a vivir en los desiertos donde la vida era dura, pero el ganado salvaje permitía una alimentación segura. El enemigo constante de los gauchos eran los indios, que se reunían en tribus mientras los "gauderios" o "güasos", que así se los llamaba entonces, vivían solitarios, en pobres ranchos temporarios a los que abandonaban cuando peligraba la vida ante un sospechado ataque de la indiada. Así fué desarrollándose el carácter nómade del gaucho. El gauderio tenía mucho del esquimal de hoy, lo aislaba un desierto de verdes llanos en vez de un desierto de hielo. Esa vida al aire libre, solitaria a pesar de la compañía de la "china", la paisana, cuando la tenía, hizo al gaucho un hombre calmo, observador, reflexionador agudo, de mente rápida y actitud franca —no era desconfiado, aunque parco en palabras, porque estaba seguro de sí—, solamente viciado por un apego indomeñable a la vida independiente. Ya en la Colonia, en época de Hernandarias, se califica a aquellos hombres de "vagabundos" porque no querían sujetarse a la civilización, que los había maltratado. Desde entonces, el enemigo del hombre de la campaña rioplatense —en ambas márgenes del Plata—, va a ser el indio —rara vez cantado, y muchas menos con elogio, después de Ercilla, hasta el siglo XIX— y el "pueblero", el habitante de la ciudad. El habitante de la ciudad tiene la fuerza de la ley, puede despojar impunemente al gaucho ignorante de las leyes, quitarle sus bienes, la mujer, siempre codiciada porque no sobraban las hembras blancas en aquellas soledades (en "Martín Fierro" se encuentran varios ejemplos de esto que decimos y también, en otro tono, pero con igual vivacidad de documento, en el "Fausto" de Estanislao del Campo). El gaucho no se entusiasma por las luchas de los españoles en contra de los ingleses. ¿A qué defender a quien lo oprimía y lo esquilmaba con el pretexto de su ignorancia y de que era un "vagabundo"? La revolución y luego la guerra de la independencia (1810-1816) hacen que estos hombres blancos, que se van mestizando insensiblemente y perdiendo en parte la nobleza de esa hospitalidad que asombró a Darwin y a Head, luchen por algo que les pertenece: la libertad. También en ellos, como en los patriotas ciudadanos, influirá una razón económica: que los "puebleros" no los despojen más, que respeten a las leyes y a los hombres del campo. La antinomia se va a agravar. Y al verse desfraudado en su esperanza, el gaucho se conglomerará alrededor de quien le ofrece garantía y amistad para su soledad, al mismo tiempo que le halaga su bravío instinto de pelea, desarrollado como necesaria prueba de hombría en la lucha contra el indio: el caudillo. El ansia de justicia, a su manera, de acuerdo con su ética particular que no entendía de leyes, hace que el gaucho engendre al Caudillo y que en nombre del derecho del hombre del interior opuesto al capitalismo la Patria se despedace en una guerra de anarquía apenas nacida del antiguo Virreynato del Río de la Plata.

El gaucho evoluciona desde el solitario semi-indiferente a la vida de la ciudad, en la Colonia, al participante activo en la Revolución por la independencia de las Provincias Unidas del Río de La Plata. Cuando la tendencia unitaria, centralista, de las ciudades mayores, desconoce al gaucho su valor como luchador en la independencia haciendo de él una abstracción vagorosa detrás de los bien determinados jefes (y esto no es solamente fenómeno de Argentina, sino que ocurrió también en el resto de América en relación con la gente del predio rural) se conglomera junto a los caudillos, a los tiranos después. El desdén de la gente culta de la ciudad por el inculto y bravo gaucho, de sinceridad primitiva e instintos primarios, va a provocar ese fenómeno terrible de América que todavía hoy subsiste: la demagogia de los tiranos.

Terminada la anarquía, el gaucho vuelve a ser reducido a una mísera condición cuando, por una ley de leva y contra la vagancia, se lo manda a la frontera de fortines que contenían a los indios. Se lo despoja de sus escasos bienes cuando comienza a afincarse y a perder su estado nómade permanente, y el capricho de algún comisario —amparado por el ejército— lo reduce a la miseria, le quita su tropilla, y hasta su mujer. Y tanto se los maltrata que a veces, como Martín Fierro, prefieren irse a vivir entre "los salvajes", a pesar de su inalterable fe de cristianos. En esto el gaucho nunca se mestizó, aunque su credo estuviera plagado de supersticiones: fué y se consideró buen católico. Si la necesidad lo obligaba a juntarse con alguna mujer buscaba luego, aunque tuviera hijos ya nacidos, de "cristianar" su situación.

* * *

Etapas de la poesía gauchesca

En poesía, a la primera época del gaucho —la de los "gauderios"— corresponde un poema que debiera incluirse en la poesía costumbrista y no en la gauchesca, del licenciado Juan Baltazar Maziel. El momento de la revolución y la independencia fué cantado por Bartolomé Hidalgo. La anarquía y el caudillismo, le corresponde a Hilario Ascasubi. La evolución final va desde Estanislao del Campo, a José Hernández. Y de Hernández, a Rafael Obligado, Leopoldo Lugones Ricardo Güiraldes. Después de ellos, la literatura gauchesca continúa en la novela pero en poesía se convierte en costumbrista, desborda de la zona pampeana y se extiende al resto del país (Miguel Camino). No se distingue, al perder sus dos características esenciales (lucha por la libertad y clamor ante la injusticia), de las demás literaturas costumbristas del resto de América. La inmigración, el cerco de alambre de los campos parcelados para el cultivo, termina con la vida nómade del gaucho y si se lo canta, ya será convertido en peón de campo —Lugones lo evoca también bajo este aspecto en sus "Odas Seculares"—, como nostalgia de un pasado al que nadie piensa volver —como en Trelles—, o convertido en "matrero" o transformado "ya resentido y duro" en el compadrito orillero, altivo ante la ley, con la ley de su coraje como norma, última forma innoble de lo que fué la nobleza gaucha. El peón de campo es su herencia buena, el compadrito bravucón su herencia mala. Ambos tipos, bien diferenciados, aparecen ya en "Los mellizos de la Flor" de Ascasubi.

* * *

Originalidad

¿En qué consistió la originalidad que hizo tan permanente la literatura gauchesca? Se ha insistido con criterio un poco escolar en que fué una creación basada en los modismos del lenguaje español deformado por el gaucho. Si esto fuera así, no cabría diferenciar a la "gauchesca" de las otras literaturas costumbristas de América: desde los "yaravies" de Mariano Melgar (per. 1791-1815), en Perú, hasta Palés Matos en Puerto Rico.

Calando más hondo se advierten los tres elementos a los que nos hemos referido: continuidad como género a través de casi 150 años; sentido innato de la libertad; lucha contra la injusticia. Y un lugar geográfico determinado: la zona pampeana rioplatense y parte de la Mesopotamia argentina. En lo exterior han de anotarse la preferencia por el verso octosílabo de la copla y el empleo de formas dialogadas.

Una nueva presencia

Pensamos que la importancia de la literatura gauchesca se debió a que, facilitada por las circunstancias peculiares en que vivían Argentina y Uruguay, se produjo la aparición de un elemento no ciudadano y con fuerza propia que provenía del interior de los países. La fuerza de ese campo que, en última instancia, iba a cimentar con su riqueza la grandeza y el orgullo del país. La necesidad de escribir en lenguaje popular, o de copiar el lenguaje popular que rodaba en "relaciones" —versos durante las danzas— y en los cantos intencionados de los "cielitos" (herencia de la picaresca), fué la primera advertencia de un federalismo real: el ciudadano recurría al paisano, al menospreciado gauderio, para afianzar la libertad a la que se había lanzado.

* * *

Así como el caudillo va a ser el conglomerante que en la soledad de la tierra reúna al errabundo solitario, al gaucho cansado de disputar a otros, cristianos o indios, la tierra, el payador de las pampas argentinas —el que desafiaba a otro en un espontáneo contrapunto tan bien mostrado en la payada del Moreno con Martín Fierro, o en la de Juan Sin Ropa con Santos Vega—, el cantor de los llanos venezolanos, el "guaso" chileno y el "charro" mexicano, serán conglomerantes del espíritu nacional y popular. Lo transmitirán generalmente en canto, pero también en relatos rimados con gracia picaresca, rezumante de filosofía dada por una experiencia adversa. Desde los "cielitos" ríoplatenses conque se festeja en los bailes orille-

El espíritu popular

ros la expulsión de los ingleses invasores, hasta los "corridos" —de sombrío humor— que testimonian la revolución agraria mexicana son los gauchos quienes mantienen alto un fervor patriótico federalista, que derivará en los actuales nacionalismos. Sus cantos, desde la "Zamba de Vargas" hasta "La Cucaracha", acompañarán a las revueltas cuando creen traicionado el amor ancestral por la libertad; y reflejarán, con freudiana fidelidad, sus sentimientos e impulsos.

* * *

Juan Baltazar Maziel

Juan Baltazar Maziel (arg. 1727-1788) se doctoró en teología en la Universidad de Córdoba y fué canónigo del Colegio de San Carlos cuando el Virrey Vértiz. Su sabiduría está documentada por los 1099 volúmenes que componían su biblioteca cuando el Virrey Loreto, por un conflicto de poderes con el Cabildo Eclesiástico de Buenos Aires, lo desterró a Montevideo. Se lo considera un innovador de la enseñanza en la Colonia, lo cual debió ser verdad en su época aunque hoy parezca extremado. Sus poemas cultos, mediocres y prosaicos, merecen poca atención —son 23 los que se conocen, aunque se le han atribuído otros— y si se le recuerda fué por una "ocurrencia" poética —que no repitió luego—, que lo convierte en el primer poeta ciudadano que escribe con terminología del vulgo, del "güaso" (todavía hoy esta palabra, en el lenguaje porteño, significa "ordinario", "mal educado").

El Virrey Cevallos, en lucha contra los portugueses de Brasil que habían invadido la Banda Oriental, ocupó la costa de Santa Catalina en febrero de 1777. Los poetas de Buenos Aires celebraron el triunfo y seguramente Maziel compuso en aquel año "Canta un güaso en estilo campestre los triunfos del Exmo. Señor Don Pedro de Cevallos". Dice Ricardo Rojas ("Historia de la literatura argentina. Los gauchescos"): "Concurren a crear este romance primigenio de la musa gauchesca todos los elementos que caracterizan el género: el metro, la rima, el tono, el contraste entre la idea de campo y de ciudad, la atribución del poema a un payador de la pampa, la sugestión de que ha de cantarse al son de la guitarra, el argumento americano, las sobrias notas de color rural, la intuición del genio nativo socarrón y valiente; por fin: el vocabulario gauchesco que pone a la obra el Sello auténtico de su linaje. Claro está que todo ello no aparece en el güaso de este cantar, con el colorido, fuerza y gracia y desenvoltura conque se nos presentará medio siglo más tarde en Hidalgo y un siglo después en José Hernández". Y hace Rojas la observación de que los españolismos del lenguaje eran muy probablemente usados por los "güasos" o "gauderios" a los que luego se llama "gauchos".

A nuestro juicio, Maziel es un precursor de la poesía costumbrista, en base a notas de pintoresquismo de lenguaje, de paisajes o de anécdota; pero su poema, aunque escrito en lenguaje popular, no encierra las características que en los dos parágrafos anteriores dimos como necesarias para conformar el género gauchesco tal como debe entendérselo.

Maziel es importante porque introduce sin quererlo "el argumento americano" —como señala Rojas—, un nuevo tipo de expresión americanista. Esa expresión, tratada por Hidalgo, adquirirá una valoración totalmente distinta a la que le dió Maziel cuyo único propósito fué contentar la vanidad de su virrey.

Bartolomé Hidalgo

Bartolomé Hidalgo (urug. 1788-1822), con sus "Cielitos", escritos entre 1811 y 1816, y luego con sus "Diálogos" (1821-22), expresa por primera vez el sentir, la protesta del hombre de la campaña, empleando, como lo había hecho Maziel, un lenguaje que conocía muy bien desde su infancia (huérfano a los 12 años tuvo que trabajar muy duro para ayudar a su madre y a sus tres hermanas). Aprendió a leer en el colegio de los franciscanos y leyó cuanto pudo de la poesía neoclásica en voga, que no dejó huella en su gauchesca. Trabajó en la tienda del padre de José Artigas e hizo con éste una durable amistad. Estuvo en la refriega del Cardal, se aprestó a defender a Montevideo, en 1806, contra la invasión de los ingleses; participó del sitio de Montevideo luego de haberse unido a Artigas en 1811. En 1815 fué interinamente Ministro de Hacienda en Montevideo y en 1816, a raíz de unos monólogos patrióticos que él tituló teatro "unipersonal" —un solo actor recitaba pero había pantomima en la escena—, se le encomendó la dirección de la casa de la Comedia.

Teatro "unipersonal"

Cuando la invasión portuguesa a la Banda Oriental (1817) se marchó a Buenos Aires (1818). No quiso aceptar ayuda y vivió pobremente, según la leyenda vendiendo sus "Cielitos" y "Diálogos" en las calles. En 1920 se casó con Juana Cortina, una porteña; murió en Morón, cerca de Buenos Aires, de una tisis, en 1822.

Sus padres y su última hermana eran porteños, la producción poética que se conserva de él —salvo muy pocas composiciones— las hizo en Buenos Aires donde el Triunvirato argentino, en 1811, a los 23 años lo declara "Benemérito de la Patria". Pero es inoportuno ningún nacionalismo sobre su persona ya que ambas riberas del Plata eran una cuando él nació y si escogió para vivir y amó a Buenos Aires, su lucha y su ideal de libertad estuvo en la Banda Oriental.

Su "Marcha Oriental", tan vibrante como la "Marcha Patriótica" de Vicente López y Planes, es de 1811, el mismo año de "Sentimientos de un patriota" (teatro "unipersonal").

Cielitos patrióticos

¿Cuándo comienza la producción poética de Hidalgo? Se conservan "Cielitos", que de seguro le pertenecen, de 1814. En 1812 parece germinar la idea de esta poesía patriótica, de triunfo y rebeldía, de los "Cielitos" —poesía más patriótica que gauchesca a pesar de su lenguaje— con uno que, incluso por el estilo que difiere de los otros suyos, parece recogido y no inventado por él. La acotación con que se presenta sustenta esta suposición: "Cielitos que con acompañamiento de guitarra cantaban los patriotas al frente de las murallas de Montevideo". Pero con el "Cielito a la aparición de la escuadra patriótica en el puerto de Montevideo" (1814), y principalmente con el "Cielito Oriental" (1816) su estilo se afianza. Donde logra ya la madurez, y sus poemas se encausan hacia describir la mentalidad criolla más que a procurar la exaltación patriótica, es en el "Cielito" dedicado al manifiesto que el rey de España dirigió a sus colonias luego de recuperar su trono y que motivó que se arrojara "la máscara de Fernando VII" y se declarara, en 1816, la Independencia de las Provincias Unidas del Río de la Plata. Este "Cielito", lleno de humor socarrón de los paisanos, es descriptivo de su indómito gusto por la libertad conquistada. ¿Data de 1816 tal Cielito? La impresión que da su lectura es que fué compuesto luego de 1817. Por el cambio de tonalidad que ya anotamos y por la aparición en él del gaucho "de la Guardia del Monte", Ramón Contreras, héroe de sus "Diálogos" conjuntamente con el capatáz Jacinto Chano. El "fuerte" de La Guardia a orillas de la laguna del Monte, adquirió renombre entre 1815 y 1820, cuando Juan Manuel de Rosas fundó las estancias "Los cerrillos" y "La independencia", en tierra hasta entonces dominada por los indios.

El diálogo gauchesco

En 1821 aparece, según el Dr. Martiniano Leguizamón, el "Diálogo patriótico interesante entre Jacinto Chano, capataz de una estancia en las islas del Tordillo, y el gaucho de la Guardia del Monte". Aquí, en síntesis, anudada y prieta, está la simiente de la gran poesía gauchesca: 1o., *Patria,* en la desencantada alusión a las "tres patrias" (la de la independencia de España, la intermedia o sea la separación de Montevideo de Buenos Aires y la dominada por la invasión portuguesa) y en cierta amargura que echa en olvido el "humorismo" socarrón de los "Cielitos". 2o., *La Protesta del paisanaje,* y es notable cuántas reminiscencias nacieron de este "Diálogo", desde muchos aspectos de la psicología de "Martín Fierro" (Hernández conocía tan bien al gaucho como Hidalgo) hasta las reminiscencias operísticas del "Fausto" de Estanislao del Campo. Eleuterio F. Tiscornia tiene una interesante serie de anotaciones a este Diálogo ("Poetas Gauchescos". Editorial Losada. Buenos Aires (1940).

Del mismo año 1821 es el "Nuevo Diálogo Patriótico entre Ramón Contreras, gaucho de la Guardia del Monte, y Chano, capataz de una estancia en las islas del Tordillo" donde Hidalgo vuelve al tono patriótico del "Cielito" contra Fernando VII y nuevamente, inspirado por la campaña de San Martín, escribe una loa "Al triunfo de Lima y El Callao", con el subtítulo de' "Cielito patriótico que compuso el gaucho Ramón Contreras". Finalmente, Hidalgo se vuelve descriptivo en su "Relación", de 1822, donde Contreras describe a Chano las fiestas del 25 de mayo, en conmemoración de la revolución de Buenos Aires en 1810. En la introducción hay reminiscencias de las peleas entre paisanos tan admirablemente vivas en "Martín Fierro".

Es posible que Hidalgo comenzara a componer desde muy temprana edad y que, en la guitarra, haya competido con más de algún "guitarrero y cantor" de los que no faltarían en los ejércitos de la independencia de la Banda Oriental. Al fin de cuentas, autodidacto, él mismo debía sentirse más integrado con ellos que con los señoritos como Francisco Acuña de Figueroa (urug. 1791-1862), que versificó desde adentro de la ciudad las peripecias del sitio de Montevideo (1812-13 y 1814), escribió versos satíricos y el Himno Nacional uruguayo (1833). Los "cielitos" y "Diálogos" de Hidalgo se publicaban en diarios de ocasión y hojas sueltas. Muchos se perdieron para siempre, como los restos del poeta en el cementerio de Morón.

Francisco Acuña de Figueroa

* * *

Hilario Ascasubi

Hilario Ascasubi (arg. 1807-1875) nació en Fraile Muerto, una posta de las carretas y diligencias que iban a Córdoba. Murió en Buenos Aires y fué enterrado en el cementerio de la Recoleta. La vida de este hombre, 68 años, es una de las más apasionantes entre las aventureras vidas de los escritores sudamericanos. Manuel Mujica Lainez tiene una biografía amena e informativa ("Vida de Aniceto el Gallo", Emecé Editores,

Buenos Aires, 1943). Se escapó del colegio y por una leva que lo cogió de sorpresa —tenía 12 años— lo embarcaron de tambor en una goleta con rumbo a EE. UU. La goleta cayó en manos de corsarios portugueses, que lo llevaron a Lisboa. Anduvo errante por Europa y pudo llegar a Valparaíso y regresar a Buenos Aires en 1823. Trasladó a Salta la vieja imprenta de los Niños Expósitos (la primera que hubo en el Virreynato del Río de la Plata), y en ella publicó sus primeros versos a la batalla de Ayacucho. Desde los 18 años participa en todas las guerras de la anarquía, en frente de Facundo Quiroga y a favor del coronel Gregorio Araoz de Lamadrid. Se hizo capitán junto al general Lavalle que luchaba contra la tiranía de Juan Manuel de Rosas. Vivía en Montevideo pero volvía a Buenos Aires una y otra vez, hasta que fué preso en 1830. Se escapó en 1832. En Montevideo permaneció veinte años expatriado. Era ingenioso, la vida dura que había llevado le enseñó a ser práctico. Se hizo panadero y le fué tan bien que ayudó generosamente a los demás exilados; en 1840 armó una goleta para que Lavalle atacara a Rosas. En 1852 estuvo en la batalla de Caseros en la que el general Urquiza derrotó a Rosas. Al producirse, en 1853, la escisión de Buenos Aires de la Confederación Argentina, Ascasubi se separó de Urquiza, que lo había hecho coronel, y se unió al general Mitre. Volvió a Buenos Aires, y con el dinero ganado en Montevideo contribuyó a obras de bien público, desde la instalación del gas, en 1854, a la construcción del primer Teatro Colón en 1857. Pero no descansaría aquí el infatigable aventurero, poeta y admirable espíritu: Mitre lo envía a Europa (1862) a reclutar tropas para los fortines de las fronteras con los indios —esos fortines cuya guarnición componían gauchos "matreros", vagabundos, llevados allí por la fuerza, en virtud de una ley de leva obligatoria, los fortines de "Martín Fierro"—. En París planta el sauce que Alfredo de Musset había pedido, en uno de sus versos, para su tumba. Allí, urgido por la guerra franco-prusiana (1870) que lo obligaba a regresar, publicó "Santos Vega" (1872), que comenzara a escribir en 1850.

* * *

Pero lo importante es que Ascasubi, en su eficaz vida, fue el testigo más fiel que tuvo su país: en esos 68 años ve nacer y desmembrarse a su patria en guerras civiles, y la mira encumbrarse hacia una organización nacional próspera. Ve también al gaucho cantado por Bartolomé Hidalgo transformarse en "montonero" —abandonar su aislamiento para agruparse, en montón, junto a los caudillos— durante la anarquía. Cuando esto ocurre, ocurre también en América otro fenómeno que podríamos situar, con discutible precisión cronológica, después del año 1830, luego de Ayacucho (1824), en todo caso: los países miran hacia su interior, ya no les importa, a menos que le disputen hombres y terrenos, los países hermanos, la anarquía cierra las fronteras que reunían a los americanos en un mismo ideal contra el enemigo común. Ahora cada cual se las arregla como puede, buscando ayuda extranjera, dinero foráneo para sostener las tiranías (es el germen del imperialismo). Los países se miran con desconfianza y sus tiranos y caudillos también son recelosos. El gaucho los sigue porque son los únicos que le dan algo y no lo maltratan; y porque le alientan la valentía empujándola por

Nace el imperialismo

el camino de odio de clases: interior contra capitalinos, barbarie humillada contra cultura orgullosa. "Civilización y barbarie" (1845) llamaría Domingo Faustino Sarmiento a su biografía del caudillo Juan Facundo Quiroga, apodado "el tigre de los llanos", feroz como pocos, justo y severo con sus hombres, galante en los salones donde se pagaba de saber la Biblia de memoria. Ascasubi, su enemigo, se lo encontró una vez en Tucumán, en un baile donde el sociable futuro coronel —que fué bien recibido en la corte de Napoleón III— estuvo apunto de perder el pellejo...

De 1833 es su primer diálogo al estilo de Hidalgo —que en su "Nuevo Diálogo Patriótico" relató las fiestas del 25 de Mayo de 1822—, en que el gaucho Jacinto Amores cuenta a su amigo Simón Peñalva las fiestas del aniversario de la Jura de la Constitución uruguaya. El éxito fué inmediato y Ascasubi, firmando con el pseudónimo de Paulino Lucero, en páginas y en folletos, continuó dando cuenta versificada de sucesos que ocurrieron en la Banda Oriental y, principalmente, incitando a la lucha contra Rosas. Publicó un periódico en 1839, "El gaucho en campaña" (cuatro números) y en 1843 "El gaucho Jacinto Cielo" (12 números). Después de 1840, a juzgar por el episodio que recuerda, escribió "Trobas y lamentos de Donato Jurao, soldado argentino, a la muerte de Camila O'Gorman". Los paisanos y los ciudadanos cultos aprendieron de memoria estos versos contra la tiranía de Rosas (pero estos últimos los creyeron cosa accidental y años más tarde reprocharon a Ascasubi que siguiera escribiendo en ese lenguaje de bárbaros, lenguaje que el coronel suavizó, sin hacerle perder su autenticidad, en "Santos Vega"). Para ese entonces las preferencias se encaminaban hacia el gaucho romántico, idealizado e inauténtico, como el creado por Ricardo Gutiérrez (arg. 1838-1896) en su poema "Lázaro" (1869). Sin embargo, debemos señalar que menos que el puro romanticismo, fué el pseudo realismo de los versificadores posteriores a la guerra del 14 el que más deformó la figura del gaucho. En 1853, al separarse Buenos Aires de la Confederación, Ascasubi escribió con el pseudónimo de "Aniceto, el gallo" (un periódico que él fundó en 1854), versos en contra de su ex-jefe, el general Justo José de Urquiza, en quien creyó ver ambiciones dictatoriales.

"Santos Vega, o los mellizos de la Flor"

Pero su obra fundamental, despojada de pasiones políticas, es "Santos Vega, o los mellizos de la la "Flor", terminada en París en 1872 y comenzada en Montevideo en 1850.

La importancia de "Santos Vega" es que, por primera vez con sentido histórico, mirando hacia atrás, se intenta hacer una memoria poética pero fiel de la vida del gaucho al promediar el siglo XIX. Es el momento en que el nómade comienza a volverse sedentario, por largos períodos, hasta que la nostalgia de la libertad lo hace partir hacia otro rumbo. Describe minuciosamente la vida en las estancias, los trabajos del campo, la mentalidad del patrón, del capataz, de los distintos tipos de gaucho. No alcanza a la fuerza poética y telúrica de "Martín Fierro", en parte porque un argumento folletinesco, muy complicado, de tipo romántico, concesión a los gustos de su tiempo, entorpece la grandeza del panorama costumbrista. Santos Vega —el cantor legendario que Mitre y Obligado inmortalizan— es aquí el relator, el testigo de lo que ocurrió en la estancia de la "Flor" entre dos mellizos, Luis —gaucho malo— y Jacinto —el noble—, criados junto con Angel, el hijo del patrón (un andaluz, don Faustino). No importan las peripecias sino cómo Ascusibi describe los paisajes de la zona pampeana y cómo da cuenta de elementos que ya corresponden al período de la Nacionalidad (el patrón extranjero, el gaucho transformado en peón de campo). Minuciosa es la descripción de "La estancia de la Flor" (canto IX); menos lírico que el de Echeverría pero con fidelidad histórica, la narración de "El malón" (canto XIII) y del trato con los indios en los Cantos LI y LIV; "El rastreador" (Canto XVI) y "El rastro del ladrón" (Canto XLIV) siguen el modelo de Sarmiento en "Facundo"; y son interesantes "La yerra" (Canto XXXII), "El gaucho forastero" (canto LXII) y algún otro donde el costumbrismo, el hecho histórico, el humorismo a veces, se mezclan con igual fortuna. El poema, de 13180 versos, guarda todavía la forma de "Diálogo" (Santos Vega, ya viejo, conversa con Rufo Tolosa, y hay diálogos injertados en la narración entre Genaro y Ramallo, Anselmo y Berdún, y algunos otros personajes).

* * *

La lietratura gauchesca tiene, luego de Ascasubi, otra figura para recordar: Estanislao del Campo (arg. 1834-1880). Partidario del General Mitre en la lucha entre Buenos Aires y la Confederación estuvo en las batallas de Cepeda (1859) y de Pavón (1861) y fué diputado, al constituirse la república, en 1867.

Estanislao del Campo

El 24 de agosto de 1866, Del Campo asistió a una función del "Fausto" de Gounod, en el primer Teatro Colón, en cuya construcción se había arruinado Ascasubi en 1854 y que se inauguró en 1857 (en las calles Reconquista y Rivadavia donde funcionó hasta 1883). Siguiendo la inspiración de Ascasubi, incluso en el pseudónimo, publicó un poema, en un periódico, titulado: "Fausto: impresiones del Gaucho Anastasio el Pollo en la representación de esta obra". De ese año es la primera edición y se fueron sucediendo otras, con pocas modificaciones, hasta 1875, con un éxito que solamente superó "Martín Fierro".

Un Fausto criollo

Ricardo Gutiérrez, a quien se dedica el poema; poeta romántico, fué quien incitó a Del Campo a escribir sus impresiones de la ópera en estilo gauchesco. Al salir de la representación, Del Campo, gran improvisador y con un sentido muy porteño del humor, había hecho reír a sus amigos narrándoles, en lenguaje criollo, el susto de un gaucho que asiste a la aparición del diablo. Del Campo era un hombre culto, de la sociedad elegante. Conocía el campo de cerca, porque el campo estaba a las puertas de Buenos Aires, pero no lo había vivido integralmente como Hidalgo y Ascasubi. El poema tiene una unidad perfecta en los caracteres de los personajes y su lenguaje, criticado y defendido por los exégetas, sirve para una romántica filosofía sobre el destino humano, más propia del hombre ciudadano que del paisano. La gracia oportuna, la sencillez de los paisajes, las observaciones agudas, medio en broma, medio en serio, contribuyeron al éxito de "Fausto Criollo", título con el que se califica al poema. Pero el porteñismo de Del Campo se advierte en un detalle fundamental: aunque se mantiene la ya tradicional desconfianza al "pueblero" enredador, no hay una queja real sobre la condición del gaucho en una época en que imperaba el abuso de los jueces de paz y los Comandantes de Campaña. Sin embargo, el informe que Estanislao del Campo —oficial mayor de Gobierno— redactó a pedido del ministro Antonio Malaver sobre los abusos de los jueces de paz en el distrito de Chacabuco (1869) debió interesar mucho a José Hernández, que lo publicó en su diario "El Río de la Plata".

Del Campo comenzó publicando en el diario "Los debates" versos satíricos, con el pseudónimo de "Anastasio, el pollo", que fueron atribuídos a Ascasubi y a raíz de lo cual surgió una duradera amistad entre ambos poetas. Escribió también poemas de tipo romántico. En 1870 con el título de "Poesias" editó todos los versos que había compuesto, cultos ("A Jesús", "América") y gauchescos ("gobierno gaucho").

JOSE HERNANDEZ Y "MARTIN FIERRO"

José Hernández

José Hernández (arg. 1834-1886) es la gran figura con la cual culmina la poesía gauchesca, que luego de él —y contemporáneamente a él— adquiere otros rumbos, abandonando su aspecto social para encaminarse al costumbrismo. Una afección pulmonar lo obligó, adolescente, a vivir en la estancia de su padre, al sur de la Provincia de Buenos Aires. Allí, en el sur, conoce al gaucho y comparte su vida. Vive como un gaucho, no "aprende" a ser gaucho. El matiz es importante pues explica la autenticidad en el lenguaje y en los sentimientos que tanto asombran en "Martín Fierro". Como Ascasubi, como Hidalgo, a los 19 años ya anda en peleas. El sur, donde la influencia de Rosas era grande, lo hizo federalista en contra del centralismo de Buenos Aires. Luego de la caída del tirano (1852), Hernández luchó a favor de Urquiza en contra del general Mitre que representaba, en ese momento, al unitarismo de

Buenos Aires. Peleó en las batallas de Cepeda (1859) y Pavón (1861) —en contra de Ascasubi, que ya había abandonado a Urquiza en favor de Mitre, y Del Campo— y es taquígrafo del Senado en la ciudad de Paraná, donde residía el gobierno de la Confederación. En 1863 publica *"Vida del Chacho"*, para refutar a Sarmiento que en 1853 había aceptado el federalismo a regañadientes, luego de atacar a Urquiza junto al cual combatió en contra de Rosas.

Una vez más el profundo federalismo de Hernández se demuestra cuando, después del asesinato del general Urquiza (1870) se pliega al levantamiento del caudillo entrerriano López Jordán (al que recuerda Lugones). El caudillo para Hernández no era el síntoma de la barbarie, por esto defiende al Chacho Peñaloza, sino el índice indicador del deseo del pueblo de las provincias de ser considerado en paridad con el de Buenos Aires para discutir fraternalmente sobre el destino de la Patria. Es decir, Hernández quería el reconocimiento de esa fuerza llegada del interior a la que tantas veces había recurrido Buenos Aires: el gaucho. Creía que el hombre del interior, tratado con justicia, dotado de medios que le permitieran civilizarse sin que se le impusiera un tipo de civilización que no pertenecía a su idiosincrasia, tenía tanto derecho a autogobernarse como el capitalino. El federalismo era la forma más justa de gobierno para quienes habían hecho tantos sacrificios por la libertad. De ahí su preocupación de publicar en su diario el informe de Estanislao del Campo sobre los abusos de los jueces de paz en la campaña, en 1869, tres años antes de aparecer "Martín Fierro". De ahí también, su tarea como vocal del Consejo Nacional de Educación, y su labor como diputado y senador nacional, y como presidente de la Cruz Roja Argentina. En todo momento, su vista va más allá del límite de Buenos Aires, que crecía acromegálicamente. Como Mariano Moreno (arg. 1770-1811) que publicó en 1810 su "Representación de los hacendados y labradores", con firme y temprana visión federalista, como Rosas que dió "instrucciones" a los hacendados y fundó en el campo la demagogia que lo alzó al poder, Hernández escribe, llevado siempre por su afán federalista y de una cultura autóctona, "Instrucción del estanciero" (1881).

* * *

Martín Fierro

Muy curioso es el caso de Hernández. No era poeta, no se consideró poeta, no escribió más poesía que "Martín Fierro" —y algunos poemas sueltos de escaso valor—, era un político militante, de gran talento y sinceridad (le manda a Mitre, su enemigo político, un ejemplar de "Martín Fierro" que el general acepta con hidalguía pero con reticencia que no provenían, precisamente, del hecho de que fuera su opositor) y sin embargo escribió el más inspirado poema nacional de toda América y dotó a la Argentina de una especie de "Kalevala", de "Canción de Rolando", de "Poema de Mio Cid", a la vez que contribuyó con su mejor pieza a esa poesía gauchesca, con originalidad americana y americanista.

"El gaucho Martín Fierro" (1872) y "La vuelta de Martín Fierro" (1879) fueron recibidos con frialdad por los porteños, que llegaron al extremo de reprochar a Hernández, como a Ascasubi, que desperdiciaran su talento en escribir poesía gauchesca. El conflicto entre federales y unitarios, a pesar de la federalización de Buenos Aires, reintegrada a la Confederación, seguía en pié.

Sarmiento con su concepto civilizador, y Mitre con su visión de una Nación poderosa económicamente, no podían admitir ni sospechar una civilización autóctona en base precisamente a ese elemento gaucho; al cual no despreciaban pero que consideraban necesario asimilar cuanto antes a una civilización con modelo europeo, aunque no copia fiel de la europea. La disputa estaba en pie cuando se publica "Martín Fierro". Era una actitud frente al futuro de la Patria convertida en Nación la que debían adoptar aquellos hombres. De ahí, la reticencia de Bartolomé Mitre (arg. 1821-1906) al aceptar el ejemplar de "Martín Fierro" que le envía Hernández. Y recordemos que el general, magnífico traductor de "La Divina Comedia" (1891), había escrito a los 17 años el primer "Santos Vega" (1838), sobre la leyenda del gaucho cantor que hace una payada —contrapunto cantado— con el mismo diablo. Como gobernante, Mitre deseaba algo más que gauchos incultos para su país. Y sin olvidar los valores nacionales, proclamados en sus famosas Historias de San Martín y Belgrano, o en su "Ollantay, un estudio sobre el drama quechua" (1881), su "pasión civilizadora" tenía rumbos bastantes semejantes a los de Sarmiento (no en vano tradujo 52 de las Odas de Horacio en 1895).

* * *

Fué bastante sorpresa para los porteños, a pesar del éxito increíble que significó el poema, el elogio de Miguel de Unanumo, en 1894 y de Marcelino Menéndez y Pelayo, en 1895. Años más tarde dos hombres que van a regir el pensamiento de las generaciones literarias posteriores al siglo, Ricardo Rojas (arg. 1882-1957) y Leopoldo Lugones (arg. 1874-1938) —con "El payador", de

1916—, reivindican a "Martín Fierro" sacándolo del marco político en que se lo había metido para llevarlo al plano de la gran creación telúrica, de una sabiduría y originalidad étnica no dada hasta entonces en ningún otro autor ni personaje.

Lo que Hernández se propuso

El genio de Hernández fué más allá de su intención, que era política, pero generosa y nacional. Su propósito fué el de llamar la atención y provocar una reacción sobre la forma como se maltrataba al hombre del campo, víctima de los abusos de jueces de paz y de comisarios o comandantes militares, que vivía postrado en la ignorancia y menospreciado por todos los citadinos. La prosperidad que seguía a la paz, y que se afianzaría en un largo período, creaba ya la división de clases según la riqueza agropecuaria, que no heráldica. Había llegado el desquite de Buenos Aires, había triunfado el unitarismo disfrazado de federalismo —triunfaban, como al fin de cuentas ocurre siempre, los más inteligentes sobre los más fuertes— y el gaucho volvía a ser el gauderio vagabundo, el montonero salvaje, en contra de la civilización —o de lo que la riqueza tomaba por civilización— y en favor de la barbarie. El gaucho, sostén de los caudillos analfabetos que habían ensangrentado al país, debía desaparecer, por salvaje y retrógrado, para dejar paso al trabajo organizado por la sabiduría de los libros —experiencia colectiva— y no por la unitaria experiencia personal.

Contra esto reacciona Hernández, federalista puro. "Martín Fierro" que canta "males que conocen todos pero que naides contó", fué un éxito tal en la campaña que los "pulperos" solicitaban ejemplares del poema mezclados a los pedidos de sardina, azúcar o yerba mate.

7.200 versos componen "Martín Fierro", combina sextinas, cuartetas y romances, con libertad que preanuncia el Modernismo. El lenguaje es tan auténtico que no se ha podido encontrar, o sospechar "extranjerismos" o infidelidades, como ocurrió con los otros autores gauchescos. La poesía a veces llega al vuelo lírico, aunque es realista casi siempre: "El tiempo sólo es tardanza, de lo que está por venir" y acopia una sabiduría honda, que maravilla. Por primera vez, el gaucho —hombre parco, expresivo únicamente en sus cantos— habla y muestra todo cuanto aprendió en decenios de silencio y de observación. Hay una oposición evidente entre los "consejos" del Viejo Viscacha, cínico y escéptico, y los que Martín Fierro da a sus hijos, antes de separarse para seguir su destino errante. Son los dos aspectos que de contínuo ofrece el paisanaje. Aspecto que ya había mostrado Ascasubi, detrás de su complicada historia romanceada, en Santos Vega". A Hernández le interesaba destacar y explicar, para sus fines federalistas, la entereza moral de Martín Fierro, al que la adversidad lleva a cometer crímenes en virtud de condiciones sociales que no le son propicias. El Viejo Vizcacha es la imagen futura de lo que puede llegar a ser un gaucho abandonado a su ignorancia. En muchos puntos de "Martín Fierro", como en "Santos Vega, o los mellizos de la Flor" reaparece la picardía que hemos visto en la picaresca colonial.

* * *

Rafael Obligado

Contemporáneamente a Hernández es otra la postura de una de las figuras que día a día va adquiriendo mayor relieve (pero en su época los dos grandes cantores de la Nacionalidad, Carlos Guido y Spano (1827-1918) y Olegario Víctor Andrade (1839-1882) lo ensombrecen con su fama) : Rafael Obligado (arg. 1851-1920). Ya nos ocupamos de sus poemas patrióticos y de sus cantos a la Nacionalidad. En la poesía gauchesca tiene un lugar de privilegio por sus cuatro poemas de "Santos Vega (tradiciones argentinas)", de 1885. Son cincuenta y cinco décimas de versos de elegante sonoridad, donde no se utiliza sino ocasionalmente el lenguaje gaucho. A pesar de lo cual no pierden interés porque la narración sobre la leyenda de Santos Vega les da especial encanto. Sin embargo, sin que tal vez él mismo lo quisiera, en "La muerte del payador" —donde narra la payada con el diablo, que simboliza el progreso— se pone a favor de los "culteranos" y en contra de los "tradicionalistas", a los cuales paradógicamente él se integra definitivamente con su poema. Tácitamente, Obligado reconoce que los Sarmientistas y Mitristas tienen razón frente a los "senador Martín Fierro", como se llamaba a Hernández.

* * *

Pasarán muchos años antes de que se lleguen a producir las dos últimas grandes manifestaciones de la poesía gauchesca, que ya deriva peligrosamente hacia el costumbrismo de Fernán Silva Valdés (urug. 1887), de José Alonso y Trelles, "el viejo Pancho" (esp.-urug. 1867-1925), Miguel A. Camino (arg. 1877-1944). Arsenio Cavilla Sinclair (urug. 1980), Carlos Carlino (arg. 1910), o Jaime Dávalos (arg. 1921).

Leopoldo Lugones, que en 1905 había dado la rara precisión barroca de "La guerra gaucha", terminó su vida con un poema, de lenguaje despojado hasta la aridez, pero de gran inspiración: "Romances de Río Seco" (1938), dedicado a la vida y amores del caudillo entrerriano Francisco Ramírez y a episodios de la anarquía ("El reo").

Ricardo Güiraldes

Ricardo Güiraldes (arg. 1886-1927), el famoso autor de la no menos famosa novela gauchesca "Don Segundo Sombra" (1926), publicó en 1915 un libro, "El cencerro de cristal", hasta hoy muy discutido. Muchos poemas de este libro, aunque anuncian el vanguardismo que pocos años después cuajaría en Buenos Aires, son esencialmente de poesía gauchesca. Una vez más, y serán muchas las que todavía lo repetiremos, el fondo y no la forma exterior usada por el poeta es lo que importa y lo que dura. El ultraísmo de "El cencerro de cristal", que tanto escandalizó en su época, ha dejado de sorprender; pero quedan los versos, a los que se comienza a prestar una atención por demasiado tiempo absorbida por la famosa novela. Federico de Onís cita en su Antología un poema ejemplar de lo que decimos: "Al hombre que pasó". Puede leerse también "Mi caballo" o la lugoniana "Chacarera". "Cada composición del Cencerro obedece a lo que el sujeto dicta desde su significado interior. Tal es por lo menos la intención. No creo en formas prefijadas, llámeseles como se las llame. El Cencerro es un libro que quiere respirar a su antojo y no puede aguantar fajaduras ni aparatos de ortopedia", ha escrito Ricardo Güiraldes . . . "No habría para comprobarlo más que leer Mi Caballo y Los Filosofantes. El primero escrito en pasión, buscando lo fuerte, y lo ideal en un solo impulso de palabras, el segundo escrito para definir lo grotesco". Aunque "El cencerro de cristal", prosas y versos, no sea "totalmente" un libro de poemas gauchescos, no está en la cantidad sino en la calidad la vigencia de Güiraldes en el género. Publicó, además de varias novelas, todas anteriores a "Don Segundo Sombra", dos libros más: "Poemas místicos" (1928) y el mismo año unos poemas en prosa, género que adquirió gran importancia en Argentina y en México para aquel entonces, "Poemas solitarios".

* * *

Caracteres y aportes de la poesía gauchesca

El contraste entre el romanticismo pulcro de la poesía culta de la época y el realismo formal, casi naturalista, de la poesía gauchesca, debe ser destacado. Otra característica general de toda la literatura gauchesca es que muestra personajes valientes —como lo prueban sus acciones— y al mismo tiempo pasivos y fatalistas. El fatalismo, el convencimiento de que "un hombre solo" nada puede contra la "autoridad", llega a ese "dejá hacer", tan característico de la mentalidad porteña de hoy, y cuando el gaucho se transforma en peón de campo y se vuelve sedentario, su último reflejo bravío, el "matrero" que no quiere detenerse en los alambrados que le roban la libertad, se convertirá, por resentimiento de hombría mal entendida, en el "compadrito" orillero que glorificará Jorge Luis Borges. Pero este fatalismo sólo en parte es atribuible al gaucho: es esencia romántica de los poetas "cultos" que crearon la poesía del gaucho. Es signo del hombre ciudadano que escribe, no del hombre rural al que se canta.

El valor, implícito, de la poesía gauchesca es que, en un determinado momento en que el deslumbramiento cultural, en plena organización definitiva del país, con el asentamiento de las instituciones, hace perder el pie hacia un extranjerizante sentimiento de sumisión a Europa, recordó las raíces tradicionalistas que afianzan la personalidad de los pueblos.

Es curioso que Argentina, tan abierta a las

culturas foráneas —se tilda orgullosamente de "país europeo"— haya sido el lugar donde se produce esta literatura original y única, sin antecedentes ni influencias extranjeras. Y es curioso que hayan sido hombres de Buenos Aires, en su mayor parte, los que crearon esta literatura del interior, de tipo federalista. Además, con ella se produce en la poesía y el habla de Buenos Aires un fenómeno de deformación de lenguaje que adquiere ciudadanía e importancia vital en la contradictoria psicología del porteño. El aporte migratorio de principios de siglo volverá a producir una deformación lingüística porteña —y no argentina— que se incorpora al tango y del tango a la literatura narrativa, muy poco a la poética, en virtud del mismo impulso: los hombres cultos adoptan ese lenguaje como rebeldía a sistemas literarios establecidos.

Relación con el tango

El fatalismo gauchesco pasará a la poesía del tango. Los hombres cultos que hacen poesía gauchesca, como los hombres cultos que hacen tangos (Discepolo, por ejemplo), conservarán ese convencimiento romántico de que el "fatum" va a arrollarlos y de que "no hay nada que hacer", aunque intenten algo para cambiar las cosas. La pérdida de la mujer, que el gaucho llevado por su azaroso y triste destino de paria canta en su guitarra, pasará luego al tango asimilada a la "traición" femenina como carácter intrínseco de la hembra.

De la poesía gauchesca nace una raíz de la poesía social argentina que afincará en el grupo "de la calle Boedo", los proletarios de 1920-30, y en el grupo ultraísta de la "Revista Martín Fierro", al cual pertenecieron Ricardo Güiraldes y Jorge Luis Borges. Dentro del grupo "de la calle

Florida" nace, junto con la libertad de formas, un sentimiento por lo nacional, a poco nacionalista, identificado con los ideales que sustentaron los autores gauchescos.

EL ROMANTICISMO. LOS ULTIMOS NEOCLASICOS.

Hemos ya visto la evolución de la poesía patriótica hasta el nacimiento de la Nacionalidad; y luego el transcurso de la poesía gauchesca, una vez más debemos retroceder en el tiempo para seguir igual trayectoria con respecto a la poesía "culta" que continúa al neoclasicismo: el romanticismo.

* * *

Romanticismo

Simultáneamente con la poesía gauchesca, y paralela a ella, a veces mezclándose aunque sólo en apariencia (como en "La Cautiva" de Esteban Echeverría o en el "Lázaro" (1869) de Ricardo Gutiérrez), nace y se desarrolla el Romanticismo en América. Es la primera vez que un movimiento literario obliga a quien lo sustenta a vivir de acuerdo con las reglas del mismo. Es un movimiento "comprometido", como se diría hoy. De él saldrán los nostálgicos de la patria perdida (y en la desmembrada América serán los hombres de lucha, los poetas expatriados convertidos en políticos, quienes asumirán este papel). Los poetas se ponen al servicio de las ideas políticas (como vimos en la poesía patriótica que los neoclásicos se ponían al servicio de la idea de la Patria). Esto también es esencia del compromiso romántico. Serán pues los poetas-políticos los que llevarán, desterrados, conspiradores, comisionados, el pensamiento de unidad americana de país en país y reactivarán su memoria perdida durante las gue-

Una doctrina "comprometida"

rras de anarquía. Nacen con la anarquía y concluyen con el triunfo del Modernismo en que se reconstruye la unidad espiritual que tuvo América en la Colonia. Y los nacionalismos de hoy en día volverán a hacer el papel que hizo la anarquía en el siglo pasado; pero no nos anticipemos.

* * *

Paisaje romántico

Los caracteres generales del Romanticismo podrían enumerarse así:

El descubrimiento de un paisaje idealizado por los sentimientos y las emociones del poeta, "mirado a través del poeta", distinto al frío paisaje parnasiano, estetizante y olímpico, de los neoclasicistas; la imagen sublimada de la mujer como urna de todas las perfecciones y motivo de todos los dolores no por pérfida sino por ser de este sexo; la libertad como un compromiso espiritual y físico, que obliga a una conducta, a una actitud, a asumir una promesa frente a la Patria; la idea de una frustración contínua, de que todos sus esfuerzos van encaminados a la derrota y al fracaso unida a un contínuo lamento por la Patria esclavizada o perdida, y a airados apóstrofes a los tiranos; nostalgias por un Paraíso perdido, simbolizado en la Libertad, tormentos interiores, enfermedades reales o imaginadas; la muerte, en fin, como consuelo único y definitivo, el aniquilamiento ansiado a través de un vago misticismo más declamatorio que concretado en una religiosidad canónica. Hay pocos matices en América que puedan diferenciar a un romántico de aquí de otro europeo. Byron, Poe, Hugo, Musset, Heine, Lamartine, Leopardi, Baudelaire, Goethe, serán los modelos que seguirán, con fidelidad absoluta, los poetas americanos: y más tardíamente a Becquer, Zorrilla, Espronceda. La subordinación al modelo

La mujer · **Libertad** · **Frustración** · **Nostalgia y dolor** · **Muerte y religiosidad** · **Autores e influencias**

fué casi absoluta, sólo matizada por la novedad del tipismo costumbrista que introducen los poetas americanos.

* * *

Esteban Echeverría

Esteban Echeverría (arg. 1805-1851) es una de las figuras importante de la poesía en América no solamente por lo que escribió sino por lo que influyó en sus contemporáneos. Fué el primer poeta romántico en América y aun de España pues su poema "Elvira, o la novia del Plata" (1832) se anticipa en un año —según señala Roberto F. Giusti— a "El moro expósito" de Angel Saavedra. Vivió de acuerdo con su posición de romántico y creó el grupo más homogéneo del romanticismo americano: el de los "proscriptos", los desterrados en Montevideo durante la tiranía de Juan Manuel de Rosas en Buenos Aires. Sus ideas políticas (enunciadas en el "credo" de 1838 que debió regir a los miembros de la Asociación de Mayo, perseguida y disuelta por Rosas, tomaron forma definitiva con el título de "Dogma Socialista" en 1846) forman las bases del futuro liberalismo argentino y, entre otras cosas, influencian en la desaparición de la poesía religiosa y en esa identificación de la Iglesia con el elemento conservador y apañado a las dictaduras, que ha sido característica del pensamiento liberal americano. Es obvio decir que la palabra "socialista", en Echeverría, se refiere a "sociedad" y no al partido político de este nombre.

Liberalismo social

Echeverría estuvo de 1826 al 30 en París. Volvió de allí el mismo año en que se desencadenaba la "batalla de Hernani", el drama de Víctor Hugo que dio existencia real al Romanticismo francés. Leyó a Shakespeare, redescubierto por los románticos; a Goethe, Schiller, a Walter Scott, a

Romanticismo

Hugo, a Vigny, a Chautebriand, a Lamartine, Benjamín Constant, a madame Stael. Fué el primero que tuvo una idea coordinada y clara del nacimiento y triunfo del Romanticismo en Francia, Inglaterra y Alemania. Esto fué lo que trajo a América, de manera inteligible y ordenada, tal como lo había visto en Europa, sin mezclas espúreas. Tal vez haya habido otros poetas románticos antes que Echeverría, y es ardua la discusión, pero lo que hizo el argentino fué importar un sistema orgánico, un dogma. A él dedicó su obra, aplicándolo en su vida.

* * *

Por lo pronto, arrojó al intelectual americano en la actividad política y en la urgencia de vivir de acuerdo con sus principios. Desde Echeverría, aunque no fuera él el primero que lo hiciera, se adquiere conciencia de que la inteligencia debe luchar contra la tiranía. Con el dictador Juan Manuel de Rosas (Restaurador de las leyes, fué el título que se dió) comienza el fin del caudillismo y el principio de las tiranías más amplias dentro de los sectores americanos. Ahora, el campo de acción de los intelectuales no será el enemigo europeo —aunque las Antillas todavía se debaten en esclavitud— sino el enemigo interior.

Echeverría trae nuevos planteos para la poesía. En una carta al Dr. Fonseca, le dice refiriéndose a "Elvira": "Excuso hablarle de las novedades introducidas en mi poema, y de que no hallará ningún modelo en la poesía castellana, siendo su origen la poesía del siglo, la poesía romántica inglesa, francesa y alemana".

Poesía activista

En el prólogo a "Los consuelos", pequeños poemas en el estilo de Byron (1834), escribe: "La poesía entre nosotros aún no ha llegado a adquirir el influjo y prepotencia moral que tuvo en la antigüedad y que hoy goza entre las cultas naciones europeas; preciso es, si se quiere conquistarla, que aparezca revestida de un carácter propio y original que reflejando los colores de la naturaleza física que nos rodea, sea a la vez el cuadro vivo de nuestras costumbres y pasiones que nacen del choque inmediato de nuestros sociales intereses y en cuya esfera se mueve nuestra cultura intelectual". Echeverría, como se ve, eligió ser romántico y quizás por esto fué el divulgador y propagador más notorio de la escuela en el continente.

* * *

"La Cautiva" y el paisaje romántico

Echeverría descubrió el paisaje que los románticos reclamaban, un paisaje exótico, lleno de fuerza creadora, donde los sentimientos pudieran expandirse acordes con la emoción de la naturaleza... que comenzaba a muy pocos kilómetros de distancia. Lo cantó en "La Cautiva" y lo mostró en el cuento "El matadero" (una de las mejores creaciones de la narrativa gauchesca de tipo costumbrista). Afirma en el prólogo de "Rimas" (1837), donde se incluye "La Cautiva", que "el desierto es nuestro más pingüe patrimonio" y que su propósito ha sido pintar su fisonomía poética. En el poema prevalece el octosílavo aunque hay diferentes metros en los nueve cantos y un epílogo que lo componen. El tema sigue las reglas que hoy resultan folletinescas de la historia romántica típica: Los indios regresan del malón, María aprovecha la borrachera de los salvajes para liberar a su esposo, el capitán Brian, y huyen por la pampa desierta. Muere el capitán antes de que la patrulla salvadora encuentre "a la cautiva" que también muere de dolor al enterarse de que su hijito ya no vive. Hoy, de acuerdo con los canones de nuestro gusto poético, que puede no ser el de mañana, de "La Cautiva" se salvan pocos versos y episodios, un fragmento ya clásico: la descripción del regreso del "malón" indio. En él, por primera vez, los románticos descubren el paisaje exótico que no tienen necesidad de ir a buscar a lejanas tierras o de imaginar. Lamartine había llegado a América.

Finalmente, Echeverría incorpora a su lenguaje culto —y no gauchesco, pues no es de esa clase ninguno de sus poemas— elementos del habla común, para dar verosimilitud al relato y más intensidad al drama. Con esto, intuye el naturalismo que por momentos afluye en la prosa de "El matadero" debido a azares de la narración más que por intención argumental. Pobres de inspiración pero interesantes por su neoamericanismo, son otros poemas de Echevarría tales como "La guitarra" (o "Celia"), "El ángel caído", "Avellaneda".

* * *

Neoclásicos o románticos

Los poetas neoclásicos —que no dejan de escribir en ese estilo aunque aparezca el romanticismo— han intuído el paisaje de su tierra y ya lo celebran, con su carga de dioses y su frialdad estatuaria, parnasiana antes del Parnaso francés, romántica aunque ellos no quieren serlo, impresionista ("simbolista" se diría en poesía) por sentimiento y no por estilo. Volveremos a encontrar, y este rasgo se acentuará, estilos y escuelas diferentes mezclados en la obra de un mismo poeta y hasta en un mismo poema, cuyo ropaje oculta una raíz distinta a su forma exterior. Las influencias mal asimiladas o conocidas tardíamente, y no en la sucesión bastante precisa conque ocurrieron en Europa, confunden la claridad.

El paisaje

De paisaje americanista es la "Oda al majestuoso río Paraná" (1801) escrita por Manuel José de Lavardén (arg. 1754-1809) y lo es el canto "Al Niágara" (1824), de José María Heredia (cub. 1803-1839) y la silva "A la agricultura de la zona tórrida" (1826), de Andrés Bello (venez. 1781-1865). Tres famosos poemas neoclásicos. Y de depurada majestad clásica serán, a pesar de sus matices, las "Odas Seculares" (1910) de Leopoldo Lugones (arg. 1874-1938).

Neoclásico había sido el paisaje mexicano de Fray Manuel de Navarrete (mex. 1768-1809) y también, aunque corto de inspiración, el ecuatoriano de José Joaquín de Olmedo (ec. 1780-1847). Virgilio es el modelo primero de todos estos neoclásicos; pero el Romanticismo ya se había asomado al fondo de sus poemas.

* * *

Poesía de la Nacionalidad

La trayectoria de lo que podríamos llamar "poesía de la Nacionalidad", que se sucede a la "poesía de la Patria" corre desde el descubrimiento del verdadero paisaje americano, Echeverría y Bello —romántico y neoclásico—, con su auténtica dimensión, fauna y flora, en vez de las sustituciones y equivalencias usadas en las Gestas de la Conquista, hasta el elogio del hombre que trabaja y construye en ese paisaje: "Oda a los ganados y las mieses", de Lugones, "El cultivo del maíz en Antioquía" de Juan Vicente González (venez. 1811-1866). Después, la influencia de la narrativa realista actuará en poesía para mostrar un paisaje y un hombre atormentados por el hombre (y será Poesía del Nacionalismo, de Chocano a Neruda). La diferencia entre Bello y Lugones es que éste, en pleno modernismo, está abriendo camino a otro tipo de poesía postmodernista que se va a basar en el hombre mismo en relación a su medio (Neruda). Estos poetas son nacionalistas y apoyan a los nacionalismos americanos que están en gestación como reacción contra tanta influencia, cultural y económica, que les viene de afuera (influencias en las cuales, desde el Romanticismo al Modernismo, ellos mismos se formaron). Pero no nos apresuremos.

Andrés Bello

Andrés Bello (venez. 1781-1865), después de escribir "A la victoria de Bailén" (1809, poema patriótico) es, nos atrevemos a decir, el primer poeta "nacionalista" de América. Terminada la guerra de la independencia, comienza la organización nacional: hay que dejarse de imitaciones foráneas y cantar a la naturaleza de los propios países que nacen, para que sus ciudadanos tengan noción de ese suelo que les pertenece y se sientan orgullosos de él. Además, hay que cantar con sentido pacificista, de exaltación del trabajo, pues se ha derramado demasiado sangre (y se seguirá derramando en las luchas civiles, como se verterá cuando las tiranías se convierten en dictaduras). Por esto el tema de Bello es la agricultura, como el de González será el cultivo del maíz. Se demora y se solaza en los nombres indígenas, en la descripción del paisaje que ofrece todas las posibilidades civilizadoras a hombres no contaminados. La verdad es que Bello, aunque neoclásico en la forma, era romántico en esencia, y su contacto con los románticos ingleses no debe haber sido ajeno a esta doble faz de su famoso poema ("A la agricultura de la zona tórrida").

* * *

Sin embargo, cuando en 1834, con Echeverría, eclosiona el Romanticismo en América, Bello —que lo conoce a fondo, no en vano ha vivido en Europa de 1810 a 1829, en Londres, y es enciclopedista y erudito—, le sale al paso. No porque fuera retrógrado, como creyó Domingo Faustino Sarmiento (arg. 1811-1888), que sostuvo con él una polémica agria en Chile, donde aquél estaba exilado y Bello residía (1842), sino porque presiente ya que en el afán civilizador de los jóvenes argentinos hay un olvido de la realidad americana en cuanto a creer en la posibilidad de que una cultura pudiera sustituir a otra sin asimilarla previamente (había en América una concepción sobre el modo de vivir que esa cultura importada quería arrancar de cuajo). Sarmiento creía que cuantos más libros, mejor. Bello creía que era mejor enseñar cómo debían ser leídos, primero. La polémica de Chile que envuelve a todo el grupo argentino —Mitre, Vélez, Alberdi— sirve para marcar, por primera vez, el comienzo de una lucha contra el snobismo sincero, pero snobismo al fin, por todo lo que fuera "civilización"; una civilización, claro está, centrada en Europa, aunque EE. UU. estuviera presente en la pasión educadora de Sarmiento. Esto no quiere decir que Bello fuera un americanista en estado puro, por el contrario, era muy europeo y también él clamaba para que las musas se trasladaran de Europa a América, pero naturalizándose aquí. Así lo propone en "Alocución a la poesía" (1823), fragmento de un poema que debió llamarse "América". La respuesta final, como veremos, la dará José Vasconcelos durante la revolución mexicana iniciada en 1910.

Bello fué un excelente traductor de Plauto, de Boyardo, de Hugo, de Byron (con una excelente versión de "Marino Faliero"). Pero se destacó en la imitación de alguno de estos poetas. En "La oración por todos" (1843) traduce a Hugo con tal fortuna que hay quien sostiene que es mejor el arreglo castellano que el original francés. Utiliza la octava italiana de rima aguda en cuarto y octavo versos y es uno de los poemas más románticos en esencia que haya dado la literatura hispanoamericana. Curioso que sea un neoclásico quien lo escriba y quien había clamado por la nacionalización de las musas en América. Pero Bello era un erudito, un informante —no actuaba en forma comprometida como Echeverría— sino que exponía las nuevas ideas, como maestro y guía que era, con cordura, sin transportes apasionados. Por eso su poesía neoclásica parece fría y su poesía de preejemplarización romántica puede hoy leerse, precisamente por esa sobriedad y esa falta de entrega al ideal postulado, con mayor gusto que la de muchos románticos puros. Con todo, a Bello principalmente deben éstos una de las características de su escuela: el buscar en la literatura alemana e inglesa fuentes nuevas de inspiración que completarán la nunca abandonada influencia francesa.

De su época de formación debemos recordar sus poemas neoclásicos, influenciados por Horacio y Virgilio. El bello soneto "A la victoria de Bailén", "Al Anauco" y "La nave". Ya hemos dicho que en Londres publica "Alocución a la poesía" (1823) y "A la agricultura de la zona tórrida" (1826), donde exalta los valores americanos. Su última etapa está dada por su estada en Chile, con poemas como la epístola "A Olmedo". Finalmente, siguiendo la evolución común a medida que se acerca el período de la Nacionalidad, hace algunos poemas de tipo religioso, como el titulado "A la Vírgen de las Mercedes" y otros de tipo costumbrista con atisbos de sátira como la narración inacabada "El proscripto". La obra de Bello es amplia, y la obra en prosa es, quizás, más importante que la poesía por la enorme influencia que tuvo en su época. Su "Filosofía del entendimiento" todavía ocupa un lugar respetado y su "Análisis de los tiempos de la conjugación" (1841), "Gramática de la lengua castellana" (1847), "Principios de ortología y métrica" (1835) sirvieron como base posterior a la reivindicación y defensa del castellano como manera de mantener una fisonomía hispanoamericana frente a las presiones imperialistas.

* * *

Creemos útil dar la lista de los quince volúmenes, publicados en 1872, de las "Obras completas de Andrés Bello": "Filosofía del entendimiento"; "Estudios sobre el poema del Cid"; "Poesías"; "Gramática castellana"; "Opúsculos gramaticales"; "Opúsculos críticos y literarios" (tomos VI al VII); "Opúsculos jurídicos"; "Derecho Internacional"; "Proyectos y estudios del Código Civil"; "Opúsculos científicos"; "Miscelánea".

Esta simple enumeración de sus obras da, mejor que cualquier comentario, una información bastante precisa sobre la mentalidad y las inquietudes de este extraordinario erudito, de este curioso del espíritu nuevo, de este conservador y renovador a un tiempo, de este Maestro (y bien se merece el título que se concede con tanta facilidad en nuestros días).

* * *

José María Heredia (cub. 1803-1839), neoclásico impuro con afán romántico y Gertrudis Gómez de Avellaneda (cub. 1814-1873), esta sí, romántica absoluta a pesar de las clasificaciones, dan una nota que se continuará en toda la poesía de América hasta nuestros días: la de la nostalgia, que sobrevive aunque hayan cambiado los motivos

La nostalgia que movieron a Heredia y a la Avellaneda. Nostalgia por su tierra cubana tenían el poeta y la poetisa que por distintas razones vivían lejos de ella (Heredia fué un desterrado de su patria, por cuya libertad conspiró en contra de los españoles, y vivió en México y los EE. UU., la Avellaneda se casó y pasó su vida de amores turbulentos en España). Esta nostalgia, que en ellos era concreta, se transformará en la mayoría de los románticos en el deseo de reconquistar un vago Paraíso perdido en un tiempo olvidado. Esta nostalgia es desubicación en la realidad circundante, disconformismo, desconsuelo. Como lo advierte Bello, tal vez era desilusión: pues lo conseguido —después de tanto impulso en favor de la libertad— no era lo aspirado.

Los románticos puros, y los neoclasicistas con influencias románticas, se enbriagan con partidas y ausencias que los incitan al dolor, al sacrificio. Y harto motivo tenían en las discordias que dentro y fuera de sus fronteras amenazaban a los países americanos en los fines del siglo y en los albores del siglo XX.

Gertrudis Gómez de Avellaneda Gertrudis Gómez de Avellaneda hizo su obra en España, sin embargo deben recordarse de ella sus poemas de nostalgia a Cuba ("Al partir" es un bello soneto) y algunos que escribió antes de marcharse. **José María Heredia** José María Heredia es más amplio, pues se quedó en América. Era un intravertido al que salvó sus atisbos románticos pues pudo volcar sus sentimientos e inundar con ellos el paisaje, recreado por él —pues nunca fué fiel ni al paisaje romántico ni al neoclásico—, de "Al Niágara" (1824), "En el teocalli de Cholula" (1820). Lo interesante es que era más contemplativo que violento, más esencialmente neoclásico que romántico.

Sus poemas de amor son apasionados, pero menos confesionales de lo que se supone. Se advierte en ellos un propósito de idealizar a mujeres imaginadas por él, y en esto sí es romántico. Pero de Catullo y de los latinos había heredado cierto erotismo, que retomarán los modernistas, y que no convenía a los románticos. Sus poemas cívicos, impregnados por un deseo de justicia para los oprimidos, más que de un deseo de libertad sin trabas, entran más en la poesía de la Nacionalidad que en la poesía de la Patria ("Vuelta al Sur", "Himno del desterrado", "A Emilia"). En 1940 el Ayuntamiento de la Habana publicó una edición crítica de las "Poesías completas" de Heredia.

* * *

Románticos varios

El romanticismo en Venezuela tuvo a José Antonio Maitín (1814-1874), autor de una de las más notables poesías del romanticismo hispanoamericano, en homenaje a su esposa muerta, "Canto fúnebre", bajo el influjo de José Zorrilla. En Colombia, junto a José Eusebio Caro (1817-1853), debemos mencionar a Julio Arboleda (1817-1861) autor de bellos poemas de amor tales como "Nunca te hablé", de románticos sonetos con sabor filosófico, tales como los de "Vanitas venitatum et omnia vanitas" y de una leyenda titulada "Gonzalo de Oyón". En Uruguay, se recuerda a Juan Carlos Gómez (1820-1884) y en Chile a Eusebio Lillo (1826-1910), de más calidad poética (en 1847 escribió el Himno Nacional de ese país) y a Guillermo Mata (1829-1899), en la línea de Espronceda. Mejor lugar en el recuerdo de una poesía durable tiene Guillermo Blest Gana (ch. 1829-1904) que evoluciona hacia un Romanticismo más sobrio, menos lloroso. En muchos de estos póetas coexisten las formas neoclásicas con las románticas. No olvidemos que la evolución del Romanticismo —de la militancia activa a la contemplación desesperanzada, que vivificará el Modernismo— es paralela al aletargamiento del Neoclasicismo, que reaparecerá en el Modernismo de la primera época.

Románticos argentinos

Románticos argentinos, de alguna calidad, fuera de los que ya hemos citado (Echeverría, Mármol) son Juan María Gutiérrez (arg. 1809-1878), autor de los primeros trabajos de investigación literaria americana ("América poética", una antología publicada en Valparaíso en 1846; "Estudios biográficos y críticos sobre algunos poetas sud-americanos, anteriores al siglo XIX", 1865), de quien Rafael Alberto Arrieta (arg. 1889) trazó una buena emblanza al prologar sus poesías ("Poesías", Biblioteca de Clásicos Argentinos, XIX, Buenos Aires, 1945). Tocó, pero más al estilo de Echeverría que al de Ascasubi el tema del gaucho en poemas como "Endecha del gaucho" y "Los amores del payador"; sus poemas con el personaje de las pampas argentinas deben figurar en la selección romántica y no en la gauchesca. Lo mismo sucede con Ricardo Gutiérrez (arg. 1838-1896) y su poema "Lázaro" (1878). Es un relato con líneas románticas puras cuyo escenario exótico es la pampa, pero los sentimientos que agitan al personaje cabrían en cualquier otro paisaje. "El libro de las lágrimas" y "El libro de los cantos", publicados también en 1878, son lo mejor de Gutiérrez, por sus poemas llenos de religiosidad —lo cual era bastante excepcional en el romanticismo americano, contrariamente al español—, tales como "La hermana de caridad", "El misionero", "Los expósitos", "Los huérfanos", "La oración", "La Patria universal". Bartolomé Mitre (arg .1821-

1906), que llegó a Presidente de Argentina, historiador, general, defensor de Buenos Aires en la batalla de Pavón, fué un aportador a la poesía gauchesca con sus poemas "Santos Vega", "El caballo del gaucho", "El ombú", y su lírica romántica puede apreciarse en "Rimas" (1854). Debemos citar a José Rivera Indarte (arg. 1814-1845), a Florencio Varela (arg. 1818-1839), a Juan Chassaing. (arg. 1838-1864).

Románticos cubanos

En Cuba fué José Jacinto Milanés (1814-1863) la figura más destacada del romanticismo de ese país aunque la calidad de sus temas no sea siempre la mejor ("La cárcel", "El hijo del rico", "El bandolero", "A una madre impura"). Escribió de 1832 a 1842 y luego enloqueció de amor por su prima Isabel. Un drama ("El conde Alarcos"), le dió gran prestigio, como también sus poesías tituladas "La madrugada", "El beso", "Su alma", "De codos en el puente" y "La fuga de la tórtola". Merece recordarse, con especial interés a Gabriel de la Concepción Valdés (cub. 1809-1844), el mulato que firmó con el pseudónimo de "Plácido" y que, comprometido en la línea más pura del romanticismo —idealizó a la mujer, cantó a la patria sometida y a la belleza del paisaje cubano, con admirable sencillez en sus poemas dedicados a las flores, y se alistó como conspirador— fué fusilado por revolucionario contra el poder español, dejando un poema escrito unos días antes de su muerte: "Plegaria a Dios", de muy buena calidad. Otros cubanos románticos, dignos de recordarse son Luisa Pérez de Zambrana (cub. 1835-1922), Juan Clemente Zenea (cub. 1832-1871) Rafael María de Mendive (cub. 1821-1886) o Joaquín Lorenzo Luaces (cub. 1826-1867), a quién se comparó con Heredia.

Romántico en parte, modernista, precursor en todos sus aspectos es Manuel González Prada (per. 1844-1919), del cual nos ocuparemos más adelante. Prototipo romántico, incluso como suicida, fué Manuel Acuña (mex. 1849-1873), el autor del todavía no olvidado "Nocturno a Rosario".

Otros Románticos

Antonio Pérez Bonalde (venez. 1846-1892) fué romántico con algún exotismo que le ha hecho un precursor lejano del Modernismo. Pero romántico de la segunda época, cuando la Patria ha dejado lugar a la Nacionalidad y al germen del nacionalismo. Esto puede apreciarse fácilmente en "Estrofas" (1877) y "Rimas" (1880) y en especial en su elegía a la muerte de su hija Flor o en "La vuelta a la patria". Martí, que le tenía gran aprecio, dijo de él: "No es, ni quiere serlo, un poeta cincelador. Gusta, por descontento, de que el verso brote de su pluma sonoro, bien acuñado, acicalado, mas no se pondrá como otros frente al verso, con martillo de oro y buril de plata". Esta manera de recurrir a la "inspiración" es romántica; pero Pérez Bonalde emplea a menudo métricas que son atrevidas para su tiempo. Sin embargo, si alguna influencia tuvo sobre el Modernismo inmediato fué a través de sus traducciones de Poe y de Heine, que deslumbraron con sus combinaciones de versos de medida diversa y acentos nuevos. De esto nos ocuparemos más adelante.

Ignacio Manuel Altamirano (mex. 1834-1893) vivió la época de Maximiliano y de Juárez. Escribió novelas de pura cepa romántica, con personajes idealizados, llenos de sufrimiento y muertes heroicas. Pero como poeta, en "Rimas" (1880), el soldado de Juarez demostró ser un paisajista de fina sensibilidad (sus poemas "Al Atoyac" y "Los naranjos" describen casi con realismo a su México tan querido). El autor de los "Capítulos que se le olvidaron a Cervantes", Juan Montalvo (ec. 1832-1889) es un gloria legítima de la prosa americana. Fué un poeta de la prosa y no del verso, escasos en su producción.

Romántico puro fué Jorge Isaacs (Col 1837-1895), incluso por su sangre: su madre era española, su padre un inglés judío —la perfecta combinación para una novela de piratas de las que puso en voga el movimiento—. El autor de "María" (1867), la más famosa de las novelas románticas, decidió vivir él mismo el "compromiso" adquirido, fué revolucionario en la guerra civil, conspirador, diputado, explorador, campesino, educador. Sus "Poesías" (1864) le atrajeron la admiración de todos, más allá de las fronteras de su país convulsionado (¿y cuál no lo estaba para aquel entonces?). Eran sencillas, llenas de melancolía, de su digno sufrimiento. Encantaban a las mujeres. Conmovían a los hombres. En 1881 publicó un poema mesiánico, con algo de premodernismo: "Saulo". Su novela oscureció su labor poética, pero el tiempo ha revalorado el romanticismo de Jorge Isaacs, su costumbrismo lleno de sabor, su amor al paisaje de Antioquía, tan gratamente expresado en "La tierra de Córdoba", un largo poema incluído en sus "Poesías completas" editadas en 1920 con prólogo de su compatriota, Baldomero Sanín Cano. Shakespeare y la Biblia fueron sus guías, Bécquer su ejemplo, pero su autenticidad se la dió él mismo al asimilar las influencias sin perder contacto con su tierra.

Jorge Isaacs

Ya nos referimos al argentino José Mármol (1817-1871) al hablar de la poesía patriótica en contra de los tiranos. Sus poemas contra Juan

José Mármol

Manuel de Rosas incluídos en "Armonías" (1851-54), fueron tan famosos como su novela "Amalia" (1851-55). Escribió sus primeros versos en un calabozo donde el dictador lo había confinado en 1839. Sus "Cantos del peregrino", inspirados en Byron, suenan hoy declamatorios y vacíos, pero tuvieron en su época admirados lectores. Los escribió en 1844 cuando se iba a Chile pasando por delante de la costa argentina, esclavizada. Son 12 cantos con un personaje, Carlos, y sin más argumento que la reflexión extravertida en el lamento o la indignación; o que la nostalgia de los paisajes o la admiración ante la grandeza de la naturaleza en la cual se pierde la pequeñez del hombre. Pero hay una nota interesante: Mármol reniega de Europa, presiente la nacionalidad que en su país comenzará apenas caído Rosas, y proclama la grandeza y superioridad de América. Es uno de los pocos románticos, y esto lo traslucen sus obras, para el cual Europa ha dejado de ser el Paraíso perdido, aunque fuera muy grande su admiración por los poetas europeos. Todavía hoy es efectivo su poema "Al trópico" y su poesía, que no resiste demasiados análisis, continúa teniendo una sonoridad grata al recitador.

* * *

Juan Zorrilla de San Martín

No podemos hablar del "último romántico" porque el romanticismo, en su forma sentimental, de renunciamiento, de dolor inconcreto, no en su forma de obligación militante, es instrínseco a la naturaleza americana. Pero sí podemos hablar de José Zorrilla de San Martín (urug. 1855-1931) como del último gran poeta romántico del continente. "Tabaré" fué concluído en 1886 y publicado en 1888, pero el autor no cesó de hacerle correcciones hasta 1923. Para ver el proceso evolutivo de Zorrilla habría que estudiar esas modificaciones de una edición a otra. Se vería cómo el medio ambiente, los gustos que se transformaron entre las dos fechas anotadas, hacen que muchos aspectos "modernistas" del poema hayan sido agregados, sin desmedro para el mismo. La mezcla de heptasílabos y endecasílabos pareciera modernista, la historia —tan ingenua como "La Cautiva" y tan narrativa como "Los mellizos de la "Flor"— es romántica (Tabaré, mestizo charrúa, de ojos celestes, queda deslumbrado ante Blanca, la española que ha salvado, que no es insensible a él. Don Gonzalo, el hermano de ella, mata al indio creyéndolo el raptor de Blanca). Pero lo que es romántico y, de muy buena calidad, es la descripción del paisaje, idealizado sin perder su fisonomía, donde el alma inquieta del charrúa se vuelca libremente adivinando en Blanca el mundo de su madre, una cautiva española, con su misterioso cristianismo. Se ha querido ver en esto un rasgo simbolista (América india asimilada por el blanco), y es probable que así sea. El modelo de Zorrilla fué Bécquer, pero en las transformaciones del poema, el "pobre Lelian", Verlaine, estuvo presente. El simbolismo (impresionismo sería mejor palabra aplicable a la poesía de América que, ya lo dijimos, rara vez es vaga o imprecisa en ese entonces) atraía más a los románticos que la frialdad parnasiana, por la cual siguieron los que llevaban un ancestro neoclásico.

"La leyenda patria" (1879), que gozó de inmenso prestigio, es un poema que narra la gesta patriótica de los 33 orientales. Fué calificado por Paul Groussac como "muy superior" a "La victoria de Junín", de Olmedo.

Zorrilla escribió unos pocos poemas más; fué

político, educador, admirado mucho tiempo y respetado cuando pasó de moda. Significó, como poeta nacional uruguayo, lo que Guido y Spano en Argentina: un símbolo de la nacionalidad.

* * *

Con una figura que por su longevidad abarca muchas de las transformaciones del romanticismo, que se van produciendo lentamente, por evolución de sus hombres y no por sustitución de románticos de un tipo por románticos de otro tipo, cerraremos nuestro capítulo de "La Colonia a la Patria". Lo dejamos, como ya hemos visto, no en las puertas sino dentro de la "Poesía de la Nacionalidad". Sería tajar demasiado, tal vez distorsionar, para conservar una problemática división precisa, dejar para más adelante todos los elementos de la nacionalidad que se fueron introduciendo a medida que se formaban los países.

Rafael Pombo

Rafael Pombo (col. 1833-1912) tuvo una producción abundante. "En su adolescencia fué sensiblero; rebelde y luciferino en la juventud; melancólico en la la madurez, y sereno, casi estoico, en la ancianidad, "dice de él Carlos García Prada ("Diccionario de la literatura latinoamericana. Colombia. Unión Panamericana, 1959). Además fué un apasionado soñador, en un afortunado país de grandes poetas. La mujer, en su poesía, podría servir de ejemplo a la evolución señalada, que es la evolución del mismo romanticismo: idealizado sufrimiento, acompañado de reproche; símbolo de lo espiritual y de la belleza; erotismo de pasión insatisfecha. Quizás su fealdad lo hizo ansioso de amor y sus fracasos, reales, lo llevaron incluso a inventar una poetisa —Edda la Bogotana—, amante fogosa y alma en disponibilidad de amor, como la suya (1855, durante su estada en EE. UU.). De sus poemas con temas femeninos podrían citarse "La copa de vino", "Noche de diciembre", "Elvira Tracy", "Las norteamericanas de Broadway", "Avisag". Pero el aspecto más original de este romántico sin rebeldía romántica, que se acomoda más con la burguesa nacionalidad ya constituída que con la patria revuelta, son sus "Cuentos pintados y cuentos morales para niños formales" (1854), literatura folklórica para niños y grandes, y sus poemas a la naturaleza: "Al Niágara", "El valle", "De noche". Junto con libretos para óperas, una inmensa cantidad de traducciones de despareja fortuna, intentó un largo poema anticatólico "La hora de las tinieblas", a los 23 años, que rectificó con versos posteriores, en su ancianidad.

* * *

La poesía neoclásica y romántica, en la línea culterana, y la poesía patriótica y gauchesca —de esencia romántica—, en la línea popular, dejan un saldo auspicioso para la poesía de América, que encuentra una fisonomía propia con la primacía de lo popular, que obligará a los culteranos a descubrir y a incorporar algo más que el paisaje americano. El romanticismo culto, si se comparan valores y profundidades, queda en desmedro respecto a la línea del criollismo popular. El desquite culterano, ya en pleno período de la Nacionalidad, vendrá con el modernismo.

* * *

Las dos etapas del Romanticismo

El Romanticismo tiene dos etapas muy claras y bastante diferenciadas entre sí. La primera es la que llamamos de "el compromiso" del poeta que debe vivir y morir por la libertad política de los pueblos; en la segunda etapa, este "compromiso" para actuar se ha perdido frente al avance aburguesado de la Patria convertida en Nación. El romántico al estilo de Pombo o Zorrilla conserva todas sus características (el culto de la desdicha, la amada idealizada, el sufrimiento, la escenografía melancólica o tétrica, etc, etc.) menos la de la acción libertadora. Pero este "compromiso" reaparecerá en breve cargado de significado político en la segunda etapa del Modernismo y pretenderá subordinar la poesía a sus necesidades propagandísticas en las postguerras de 1918 y 1945.

* * *

Las generaciones románticas

Vamos a plantear una vez más el tema de las generaciones que suceden y reemplazan a las anteriores. Entre los románticos es común admitir tres generaciones: iniciadores, culminadores, decadentes. El concepto de "generación" —los nacidos en fechas aproximadas que aparecen simultáneamente o se agrupan para defender nuevos principios —es fruto, creemos, de la idea romántica sobre la vida breve y el reemplazo natural que la muerte aporta. "Los elegidos de los dioses mueren jóvenes" era una frase que gustó a los románticos. Pero, a decir verdad, la mayoría de los grandes románticos en América vivieron una vida larga y el suicidio o la enfermedad dejó con menos figuras al Modernismo que al Romanticismo. No hubo reemplazo de una generación por otra, ni "invenciones" de los jóvenes que no aparecieran también en los representantes de la generación anterior. Hubo evolución y no sucesión: evolución de los que ya estaban y de los que vinieron después, que comienzan a transformarse desde el momento mismo que aparecen.

DE LA PATRIA A LA NACION

> **Se levanta a la faz de la tierra**
> **Una nueva y gloriosa nación.**
>
> **Vicente López y Planes**

INTRODUCCION AL MODERNISMO

Semejanzas y diferencias con el romanticismo, el simbolismo y el parnasianismo

Es lugar común señalar que el Modernismo se debió a una reacción contra los excesos del Romanticismo, similar a la ocurrida en Francia. Esto no es del todo exacto: muchos de los modernistas y postmodernistas continuaron siendo románticos en esencia. El error proviene de aquellos que buscan en los poemas la originalidad exterior, que los sitúe como modernistas, sin prestar la debida atención a lo que dicen los versos en su fondo. Otro error admitido es decir que el modernismo se debió a una confluencia del parnasianismo (culto por las formas, severidad máxima en el verso y estricta vigilancia a los excesos subjetivos, admiración por la grandeza clásica), con el simbolismo (sugestión en las descripciones, sonoridad en las rimas y en los vocablos, aires galantes y sensuales). El primer Modernismo (entre 1888 y 1905, entre "Azul" y "Cantos de Vida y Esperanza") presenta estos caracteres, pero los desborda. Porque en él también están presentes Edgar Allan Poe y Charles Baudelaire, y Bécquer, y Heine —de filiación romántica— y la asimilación o transformación de dogmas de otras escuelas: los franceses no son tan audaces en mezclar los versos de metros dispares, casi al capricho del poeta, la vaguedad simbolista no es característica declarada del Modernismo, salvo muy contadas excepciones, los acentos de los versos y algunos metros ya han sido empleados por los clásicos de la lengua, la Grecia que muestran es neoclásica más que parnasiana, más rococó que napoleónica.

El exotismo y el realismo

El exotismo del primer Modernismo sí le venía de París; pero también lo influenciaba el realismo y el naturalismo, que Julián del Casal americanizaba, entre otros. Además, el intimismo y la concepción de la muerte fueron bastante diferentes en el Modernismo de la primera y la segunda época, con relación a los poetas de Europa en general. Ya hablaremos de la "náusea" modernista y de la vitalidad inesperada que trae la esperanza del panamericanismo político para los desesperados por la escasa cultura americana (problema que no se presentaba a los creadores europeos).

Intimismo

El intimismo, impresionista en la técnica —más Manet que Verlaine—, duró poco, aunque se encuentren bellos ejemplos, incluso en los postmodernistas. (Casal: "Neurosis"; Darío: "De invierno"; Silva: "Taller moderno"; Lugones: "El solterón"). Fué sustituído por la visión subjetiva

El paisaje modernista

del paisaje —geografía con paralelismos espirituales—, se purificó del encierro romántico de cortinados y velones y se volvió impresionista puro. A los "decadentes" modernistas de pronto les asalta un deseo de frescura. Y ya dan entonces la nota realista que antecede a la vulgarización postmodernista (Curioso es el Dario de "Del trópico", antirrefinado y fresco, juguetón y alegre; Manuel José Othon: "En el desierto" –II y V–; Julián del Casal: "Paisaje del trópico" y "Crepúsculo"; Francisco A. de Icaza: "Paisaje de sol", "Tonos del paisaje"; Ismael Enrique Arciniegas: "Acuarelas"; Lugones: "Salmo Pluvial"; Urbina: "En el lago", "En el alma"; Blanco Fombona: "Mediodía aldeano"; Julio Herrera y Reissig: "Julio", "La vuelta de los campos").

Subjetivismo

Debemos aclarar que el subjetivismo modernista nunca es narrativo –aunque pueda existir alguna historia insinuada– como el romántico. No cuenta sino que capta apenas un instante fugaz, que pasa mientras el poeta lo está viviendo o que ya es pasado. La nostalgia había nacido con los poetas románticos y pasó sin dificultad, más sobria y más personal, con disfraz profesional, sin efusiones ni gestos declamatorios, al Modernismo y a todas las tendencias posteriores.

Nostalgia

* * *

La muerte en los modernistas

La muerte es escasamente cantada por los modernistas que, más que los románticos, se le entregaron al sentirse frustrados (por reacción, será un tema preferido por la vanguardia). Más que en la obra, la muerte actúa sobre la conducta de los poetas que tratamos: El suicidio es una tentación contínua y si el deseo de morir llega a ser no una obsesión sino una determinación, hay que buscar en la vida exterior, en el medio militante en que actuaban los poetas, la razón de ésto.

No es por decadentismo que se suicidan, ni es por romanticismo trasnochado que se dejan consumir por el alcohol o la tuberculosis: sino por un sentimiento de impotencia. Los románticos aspiran a la muerte con entusiasmo; los modernistas no tienen ninguna gana de morir pero aceptan, fatalísticamente, que no les queda otra salida. ¿Por qué? La razón no es el "mal du siecle" al estilo europeo, sino la "fiebre americana" al estilo del nuevo mundo.

La "torre de marfil"

Y tenemos que hablar para explicar este aserto, de la "torre de marfil" del modernismo. ¿Qué torre de márfil? Es un preconcepto admitir que existía y que su existencia significaba la prescindencia respecto a la realidad circundante. Basta leer cualquier biografía sobre Rubén Darío, Julián del Casal y hasta del mismo Herrera y Reissig (tan prototipo del Modernismo que hasta se inventó una torre propia, donde vivir) para convencerse de que no había tal torre sino una militancia equivocada y una fe absoluta en el valor de la cultura, que al quebrarse los incitaba a la muerte. La "fiebre americana" era la cultura. Y para los atacados por esa fiebre, la cultura era Europa.

La "fiebre americana"

No pretendían dar la espalda a la realidad circundante sino hacer entrar a una sociedad que ya consideraban madura —era la época de la gran prosperidad finisecular, de la Nación, y esto engañaba y enceguecía a todos— en la torre marmórea de la civilización, que equivalía a conocimiento, historicidad, abrirse a las formas de la belleza —como defensa ante la barbarie— que centraban en el refinamiento de los Luises, en la fragilidad de la "chinoiserie" o del japonesismo, o en lo apolíneo de una Grecia más cultivada que lo que supo ser la misma Grecia. Querían que la gran clase burguesa se acomodara en la torre de la cultura para conseguir de esta manera el elevamiento moral, político y espiritual, que los países de América necesitaban para luchar contra

Qué se propuso el modernismo

sus tiranos. Tal interpretación de tipo social es aplicable a la poesía: la distancia permite juicios que a los propios modernistas quizás no se le hubieran ocurrido. Mientras se analice la obra de estos poetas sin vincularlos o vigilar el marco en que se desenvolvían, tal juicio podrá parecer erróneo o inconvincente.

* * *

Desubicación y náusea

Los modernistas fueron los primeros "desubicados" de América porque no lograron cambiar el nivel intelectual que los rodeaba, como los románticos habían logrado cambiar el medio material con sus ideales de libertad física.

La rabia de su impotencia engendra en ellos lo que Jean Paul Sartre llama "la náusea": experimentan el deber de actuar y no saben cómo actuar. Al tratar de expresarse, emplean con frecuencia palabras "orgánicas", que no son de uso corriente en la poesía —en Casal esto es muy claro y lo será también en Herrera y Reissig—, un baudeleriano desintegrarse de las cosas, más físico que espiritual, y un vocabulario nuevo cuyo exotismo lleva el propósito de indicar derroteros en el camino del refinamiento cultural, no una evasión hacia el ensueño escapista.

Lo cual no quiere decir que muchos de ellos, derrotados en su lucha de superación, no cayeran en una huída con características de suicidio.

El liberalismo y la mística

El liberalismo, la reacción anticatólica —se acusó a la Iglesia de explotar la superstición, la incultura, de ser regalista frente a los tiranos—, el cientificismo en voga, contribuyeron a un misticismo desafiante, espiritualista más que canónico; a un narcisismo acentuado —en oposición al de los románticos, que abarcaban el todo con sus efusiones sentimentales y sus intenciones fraternales—, con cierta peculiaridad mesiánica consistente en declarar lo que el poeta no pudo hacer pero que los demás deberían hacer; y en un convencimiento heredado de los románticos acerca de la finitud de la vida.

Frustración

Fatigados de la lucha ciclópea, la incitación al escapismo es fuerte. Si no hay nada, parecen decir, ni Dios, ni futuro inmediato, ni dignidad en el alma de los hombres comunes —incapaces de entender la salvación que les vendría de la cultura propuesta—, mejor es gastar la vida buscando sensaciones que produzcan belleza, poesía, y morir jóvenes, sin mancilla de vejez, como deben morir los héroes (los cuales rara vez estuvieron de acuerdo con este principio romántico: precisamente si luchaban era por amor a la vida).

Ejemplos de esta "náusea", de este existencialismo modernista, lo tenemos en Martí: "Amor de ciudad grande"; Gutiérrez Nájera: "Para entonces"; Casal: "Paisaje espiritual"; Darío: "Lo fatal"; González Prada: "Triolet"; Enrique González Martínez: "Mañana, los poetas", y en muchos otros fáciles de encontrar. Están ansiosos de la vida, pero no creen que les llegará la dicha. Son subjetivos e intravertidos, pero no herméticos (sus "confesiones" expresan un estado genérico más que una situación particular. Pocas veces personalizan de verdad).

* * *

Un movimiento sin reglas

La consecuencia a veces fatal de la pseudo torre de marfil es el desasosiego, la angustia, los sueños frustrados. De esto nacen los poemas de tipo confesional y algo mesiánicos a los que hemos aludido. No son autobiográficos aunque parezcan serlo (insistimos en señalar que los modernistas son más intravertidos de lo que vulgarmente se cree al leer sus "declaraciones" de principios). No pretenden, tampoco definir al Modernismo (que no es una escuela con reglas estrictas como las anunciadas por Verlaine o Breton para el simbolismo o el superrealismo) sino mostrar una aspiración —lo que debería ser— seguida la mayoría de las veces de una confesión de impotencia o derrota. Y tal no formulan "reglas" a seguir para los que quieran entrar en el modernismo, que generalmente estos poemas confesionales son escritos para anunciar un cambio de modalidad en la mente del poeta; y formular la oferta de nuevos principios. El ejemplo mejor es el poema inicial de "Cantos de Vida y Esperanza", de Rubén Darío. Pero también podemos citar a Martí: "Mi verso", "La poesía es sagrada", "Cual incensario roto"; Manuel González Prada: "Ritmo soñado"; Casal: "En el campo"; Silva: "Un poema", "Ars"; Nervo: "Autobiografía", etc., etc.

* * *

Definiciones limitadas

Muchas de las definiciones con que se caracteriza al Modernismo provienen del Darío de la primera época y no comprenden a los otros modernistas, pues no todos utilizaron el inventario rubendariano de "Divagación", ni tuvieron Luises, abates y visiones de Wateau. Se olvida con frecuencia la segunda etapa del movimiento: la eclosión de la idea Panamericanista —romántica, si Bolívar fué romántico— da una salida a los poetas modernistas. Darío con "Yo soy aquel que ayer no más decía . . ." da el adiós— no definitivo, claro está, porque nadie se cambia el alma y la sensibilidad como un traje— a sus cisnes simbólicos.

Cabe aquí una acotación sobre el significado de este animal. No se trata de enumerar cuántas

Los cisnes y su significado

francés de Hugo, Lamartine, Vigny, Heredia—, veces aparece la palabra "cisne" en los modernistas o de dónde tomaron esa palabra —del modelo sino saber porqué la emplean y qué modificaciones sufre el símbolo que de ella deriva: 1) Nace como acotación a la descripción de un paisaje (Nájera: "¡Cuántos cisnes vogando en la laguna!"; 2) Se convierte en símbolo de la perfección (Darío); 3) Siguiendo a Mallarmé ("Un cigne d'autrefois"), pasa a ser el símbolo del poeta ("¿Qué signo haces, oh cisne, con tu encorvado cuello...", Darío); 4) Termina por representar al esteticismo esterilizante y quietista ("Tuércele el cuello al cisne de engañoso plumaje...", Enrique González Martínez).

* * *

¿Qué poetas lo influenciaron?

Puede hablarse de poetas que genéricamente, influyeron en la creación del Modernismo: Theophile Gautier, José María de Heredia, Leconte de Lisle, Mallarmé, Baudelaire, Verlaine, Edgar Allan Poe y Enrique Heine (traducidos por Juan Antonio Pérez Bonalde (Ven: 1846-1892) en 1887 —"The Raven"—, y en 1877 —"Intermezzo lírico"). Fueron importantes en el preciosismo modernista Eugenio de Castro (incluído por Darío en "Los raros". "Belkiss" (1894), su obra teatral, fué traducida por el argentino Luis Berisso en 1897) y Gabriel D'Annunzio. Castro, como Walt Whitman, difundido por Martí, con varias traducciones previas a la de León Felipe en 1937 (la de Alvaro Armando Vasseur, por ejemplo), fueron importantes con relación al metro libre tan empleado por el movimiento. Se pueden citar muchos otros poetas que, individualmente, influenciaron con su métrica o sus temas a los poetas modernistas.

Pero lo interesante es lo que éstos produjeron, no cómo aprendieron a producirlo.

¿Qué preceptivas siguieron?

Respecto a la influencia de poetas foráneos en la adopción de las métricas de los modernistas hay que disipar un error: fué mucho menos lo que tomaron del extranjero, que lo que redescubrieron en los poetas del siglo de Oro español y americano. Sabemos que Rubén Darío lée con atención los trabajos de su amigo Eduardo de la Barra (chil. 1839-1900): "Estudio de versificación castellana" (1889) y "Nuevos estudios sobre versificación castellana" (1891). Hay otras preceptivas que van interesando a los poetas y rememorando viejas combinaciones métricas caídas en desuso: Salvador Rueda (esp. 1857-1933), "El ritmo" (1894); Ricardo Jaimes Freyre (bol. 1868-1933), "Leyes de versificación" (1912). El ciclo podría iniciarse con Sinibaldo de Mas (esp. 1809-1868) y su "Sistema musical de la lengua castellana" (1845) y concluir con Edmundo Montagne, "La poética nueva: sus fundamentos y sus primeras leyes" (1922).

* * *

Las combinaciones métricas

Al estudiar a los poetas en particular daremos algunos ejemplos de sus innovaciones poéticas en cuanto a metros y acentos del verso se refiere. Darío empleó el endecasílabo acentuado como en el siglo XVI, cambió los acentos del alejandrino, usó metros en desuso tales como el eneasílabo. Así en "Pórtico", de "En tropel", usa el endecasílabo dactílico, de origen clásico español conservado en canciones populares; en "Divagación" utiliza un endecasílabo acentuado en la cuarta sílaba, a imitación de Boscán. En el libro "Breve Historia del Modernismo" (Fondo de Cultura Económica", México, 1961) de Max Henríquez Ureña, el lector encontrará abundantes ejemplos de los metros y acentos usados en el Modernismo. Dice Henriquez Ureña refiriéndose a "Nocturno" (1894) de José Asunción Silva: "La forma era desusada y novedosa. Esa medida elástica, en la que se mezclan versos asonantados de cuatro, ocho, doce, dieciséis y veinte sílabas (siempre múltiples de cuatro), en mitad de los cuales aparece excepcionalmente algún exasílabo, cuando no un decasílabo repetido tres veces consecutivas, para producir, por contraste con las cláusulas tetrasilábicas, una armonía superior, desconcertó a muchos lectores". Darío siguió el ejemplo de Silva en "Marcha triunfal" (1895), de base trisilábica, y José Santos Chocano, con base rítmica tetrasilábica, hizo lo propio en "Los caballos de los conquistadores" (1906).

* * *

¿Dónde publicaron?

La "Revista Azul" (1894), de Manuel Gutiérrez Nájera; "La revista de América" (1894), fundada por Darío y Jaimes Freyre en Buenos Aires; "La Biblioteca" (1896) creada por Paul Groussac (franc. 1848-1929) también en Buenos Aires; Eugenio Díaz, en Chile, funda "El mercurio de América" y en Montevideo José Enrique Rodó lanza su "Revista Nacional de Literatura y Ciencias" (1815); Luis Llorens Torres (puer. 1878-1944) fundó en 1913 su "Revista de las Antillas"; Domingo Martín Luján creó "Modernismo", en Lima, en 1900. Y debemos citar los suplementos de los diarios, algunos de fama continental como el de "La Nación", de Buenos Aires. En todas estas revistas, y en muchas otras que es difícil acotar, se presentó el Movimiento Modernista en América.

* * *

El Modernismo triunfa en 1888, con la pu-

Duración del movimiento modernista

blicación de "Azul", de Rubén Darío (nicar. 1867-1916) y se continúa hasta el estallido de la guerra del 14. La postguerra va a encontrar modernistas vergonzantes, superstites, espúreos. El mundo de las sensaciones refinadas ha sido sustituído por el mundo de los sentidos y del materialismo.

* * *

¿Por qué surge el modernismo?

El Modernismo se produce por el aburguesamiento de la sociedad patricia (la Patria se convierte en Nación); por el asentamiento de dictaduras con aspecto pseudo constitucional y con un período bastante largo de años en el poder; y por la riqueza disfrutada por los mismos americanos en grandes predios, que atrae sobre América el fenómeno imperialista (por la desidia de gobiernos y particulares, ávidos de poderío inmediato). La "belle époque" renueva la elegancia en toda Europa y se centra en París, escandalosa, intelectual y aristocrática. La "belle époque" (1871-1914), el último gran reflejo de la aristocracia y de los reinados europeos, coincide casi por entero con el movimiento modernista. Y la sociedad sudamericana siente aumentar el complejo tradicional de que "todo" lo ha aprendido de Europa, desde la libertad a la manera de vestirse. La riqueza abundante engendra el snobismo (nunca se ignora con más naturalidad a las clases bajas, sinónimos de salvajismo y subdesarrollo mental y espiritual). Hay que copiar a Europa —y se importan muebles, plumas, músicas, actitudes del pensamiento, hasta títulos mobiliarios— porque Europa sabe vivir.

Un snobismo sincero

¿Significaba esto que América solamente servía para producir riquezas que ir a gastar a Europa? No del todo. Con la Nacionalidad se despertaba un todavía informe orgullo nacional, del cual saldrá luego, casi inmediatamene, el nacionalismo. En aquellos *snobs* finiseculares había mucho de sincero: creían a pie juntillas que ahora que los países sudamericanos ya existían y eran prósperos había que educarlos y refinarlos. Si en América nunca había habido una civilización verdadera —la indígena precolombina estaba menospreciada o era desconocida— ¿dónde buscar el modelo cultural sino en Europa que dominaba al mundo y lo había dominado siempre? Aquella gente con avidez de sensaciones, dirigentes económicos de América, aristócratas del Gotha agropecuario de estas tierras, con avidez de sensaciones, languideces, voluptuosidad y sensualidad, confundían y equiparaban Poder con Civilización.

* * *

¿De qué fuentes surgió el Modernismo?

Se ha hablado hasta el cansancio de que el Modernismo imitó al simbolismo y al parnasianismo francés (y a los Clásicos del siglo XVI). Ya hablamos de la imitación de la "Belle époque" y del convencimiento de que la civilización tan necesaria en América —de Sarmiento a Justo Sierra, se luchaba por más libros y más escuelas— debía ser de tipo europeo. Recordemos ahora que las zonas culturales en América se habían desplazado y desarrollado en diferente forma: unas se habían ordenado y educado más que otras. La información seguía llegando lentamente y expandiéndose todavía más pausadamente. Las zonas de distinto nivel cultural producen, paradojicamente, grandes figuras; tanto mayores cuanto más ha retrocedido el nivel medio. Darío, Valencia, Jaimes Freyre, son eruditos que se destacan sobre una chatura media. Pero hay que reaccionar contra el concepto de que la "facilidad", la "consagración" por diarios y revistas locales, el ditirambo en labios de amigos, la efusividad latina, hicieron la fama de muchos de estos poetas. Los grandes de verdad estuvieron desplazados por el versificador y recitador pueblerino y cortesano oficial, que nada tienen que hacer con la poesía. La erudición los aislaba todavía más, y habían adquirido tan sorprendente información humanista que el enciclopedismo de los creadores y no meramente de los profesores fué una de las características, que todavía conserva, de la cultura americana.

Zonas de cultura y erudición

El factor distancia seguía siendo un punto negativo para la cultura. Por eso, hombres patriotas, incluso poetas, aplaudían el progresismo de "La locomotiva" —un poema de Carlos Augusto Salaberry se titula así—, de los trenes del imperialismo disfrazado con la piel del cordero. Otra vez, como en el caso del snobismo europeizante, aquellos hombres obraban de buena fe. La diferencia entre los grados de desarrollo cultural, unida a la dificultad de la comunicación, hizo que se agravara —porque el afán de cultura iba pasando de clases más privilegiadas a la burguesía media— el confusionismo respecto a las escuelas literarias a que pertenecían tal o cual poeta. En América es imposible decir, salvo en muy contadas excepciones, a cual movimiento pertenecen los poetas de un período porque en sus poemas —y aún en un mismo poema— suelen mezclarse las formas métricas de una escuela con la sensibilidad de otra. Muchas veces tornaremos a insistir sobre este punto y este confusionismo.

Escuelas mezcladas

Esas zonas que recibían a destiempo las influencias europeas —unas estaban en el romanticismo decadente cuando otras habían ya descubierto el simbolismo o a los parnasianos— eran el refugio obligado de los intelectuales desplazados por razones políticas, por miseria, o por buscar otros horizontes (las grandes capitales, Buenos Aires, México, Lima, equivalían —¡qué remedio!— a Madrid, París o Londres).

El modernismo, pues, surge de la imitación (principalmente francesa, y clásica española, según hemos visto), y de la mezcla de todas esas influencias que se ejercían simultáneamente y no sucesivamente —como en Europa— en los países de América, en razón de la disimilitud de zonas culturales.

* * *

La influencia del Barroco y el Neoclásico

Pero debemos detenernos algo más en otra fuente de dónde surge el movimiento modernista: el período prerromántico (del neoclacisismo en la parte estética, y del barroco en la métrica). Ya dimos el título de algunos tratados de preceptiva poética que redescubrían formas de versificación del siglo de Oro español (siglo XVI).

No debemos olvidar que el modernismo es una continuación del movimiento culterano fomentado ya no por una aristocracia, como la que subvenía a los poetas virreynales, sino por una alta burguesía terrateniente —que todavía no soñaba convertirse en industrial— que con becas, corresponsalías de diarios o misiones diplomáticas, hacía lo mismo que aquellos nobles.

La imitación europea, tan mentada, de la que se acusa al modernismo se reduce un tanto cuando se entra a analizar, no lo que dijeron al proclamar "el arte por el arte", sino lo que verdaderamente produjeron esos hombres enamorados de su lengua, como los barrocos y los parnasianos: adaptaron a su sensibilidad moderna formas de la literatura española ya producidas en América antes del romanticismo. Este receso era lógico: a él, paradojicamente, conducían las escuelas francesas en voga: Verlaine no está lejos de Boucher, y Leconte de Lisle no riñe con David. España se les salió a los modernistas por debajo de la chaqueta y queriendo deslumbrar a los franceses en su misma salsa parnasiana y simbolista (hasta hubo gente, Darío, Valencia, que escribió en ese idioma) se encontraron de pronto rimando en viejo español. Afortunadamente todavía se les veían las plumas, que eran lo auténtico. El modernismo surgió de una burguesía y cantó para una burguesía, en la cual querían integrarse sus poetas (porque como ya dijimos el Poder, que era disciplina estatal, se confundía con Cultura). Con la incitación a una sólida clase burguesa, refinada y agropecuaria a la vez —¡oh pastores-marqueses de la Egloga!—, creían terminar con los tiranuelos, las revoluciones de cuartel, las policías fuertes. Y a pesar que luchaban y eran perseguidos por las dictaduras elegantes y blandas en su aspecto exterior —del tipo de la de Porfirio Díaz en México—, su pasiva y entregada actitud a esa "fórmula mágica de la cultura" propendía a facilitar la venta al mejor pastor foráneo de la Nación traicionada precisamente por la venalidad de quienes la habían convertido en tal a través de las generaciones. Será Rubén Darío quien asuma una posición antiimperialista y quien arrastre tras de sí al Modernismo "panamericanista" de la segunda época.

* * *

¿Qué aportó el modernismo?

¿Qué trajo el Modernismo? Muchas cosas que si no eran nuevas en otras lenguas lo fueron para la poesía castellana, y no aludimos a las reformas métricas, a las cuales se han referido con demasiada insistencia tantos estudiosos del movimiento.

Los modernistas fueron audaces en la rima y

en la manera como mezclaban versos de distinta métrica, pero esto no bastaría para explicar su influencia en la península (donde lo más granado de la inteligancia finisecular, Unamuno, Machado, Valle Inclán, Jiménez, ampliaban y hacían suyo el Modernismo), que por primera vez tenía que reconocer que en su propia lengua, y fuera de ella, se había producido una poesía que la movía a admiración e imitación.

España admira a América

Lo que sí explica la influencia en España del Modernismo es que si bien allá nadie había olvidado a los clásicos, eran pocos los que versificaban a su manera, y ninguno los que, al hacerlo, no se volvían arcaizantes; gongorinos en el decir y en el vocabulario. Los modernistas escogían palabras muy seleccionadas —como lo habían hecho los neoclásicos antes que los parnasianos— y las "engarzaban" en métricas remozadas. No creemos que el aislacionismo político de España finisecular, como se ha dicho tontamente, hiciera que estuviera menos informada que América sobre los matices de la poesía francesa. Pero sí, América existió por primera vez para España, intelectualmente, gracias al Modernismo: luego de cerciorarse de que el movimiento era tan sólo una reelaboración de elementos europeos, los españoles se adueñaron del Modernismo, no lo siguieron en la faz antiimperialista —que fué la nota más original que tuvo—, pero continuaron recibiendo a sus creadores con maravillada devoción (como antes, a la inversa, pasara con los españoles en América: Tirso, Cetina, de la Cueva): Rubén Darío, Valencia, Santos Chocano, Nervo.

Cura de un complejo de inferioridad

El famoso complejo de inferioridad americano —la aceptación pasiva del modelo europeo— va a sufrir un fuerte golpe con el "descubrimiento" de poetas americanos por los intelectuales madrileños y, en menor escala, por los parisinos. Esto ayudará a desarrollar los nacionalismos que pujan por manifestarse. Con el Modernismo, América consigue existir, intelectualmente, para el resto del mundo. Y lo que es mejor, comienza a mirarse a sí misma con otros ojos: los americanos se sienten creadores a la par de los europeos.

Crear en el mismo terreno de los europeos

Parecerá paradójico que esto ocurriera precisamente con un movimiento literario que no representaba a América sino que reflejaba a Europa. Tal vez sea esta la razón: permitió a los de este continente medirse con los de aquel en su mismo terreno. Pero hay matices dignos de señalarse.

La observación que hace Torres Rioseco de que mientras el Simbolismo francés era decadentista, el Modernismo reflejaba la cultura de un nuevo mundo, es exacta. Se trataba de un decadentismo al revés —por lo menos en sus comienzos, cuando el movimiento interesó en España—, porque era afirmativo: se pensaba que desde ese abismo de sensualidad y formas podría el hombre elevarse a una condición más alta de espiritualidad. No en vano eran los místicos, que no aparecían en sus poemas, la lectura preferida de los modernistas y no olvidemos que mientras Rubén Darío canta a la marquesa Eulalia, estalla en las hermosas estrofas al Quijote, en el ditirambo a América o en la condena a Teodoro Roosevelt.

* * *

Otros aportes

¿Cuáles fueron otros aportes del Modernismo? El culto por la inteligencia aristocrática, que va a provocar la reacción contraria: el proletarismo literario. El culto por ese refinamiento que ellos creían necesario en América, fomentará el nacimiento del vulgarismo de postguerra. Y el deseo de una forma de vida —pensamiento, en vez de militancia activa— va a originar la poesía social actual. Estas oposiciones dan aspectos positivos y negativos al modernismo. Pero negativo solamente en apariencia, porque todo lo que engendra algo nuevo, aunque sea por oposición, es afirmativo. Tanto más cuando la totalidad de la razón no la tienen los opositores que condenan al Modernismo por sus defectos y olvidan sus virtudes.

Pro y contras del Modernismo

Humorismo cínico

Dos elementos nuevos aparecen con el modernismo: la poesía erótica y un cierto humorismo que ya no es satírico —o caricaturesco como en los gauchescos— sino de burla interior, de burla de sí mismo. Ese humorismo encierra parte del complejo de inferioridad anotado: es estar orgulloso de algo, saber lo que vale lo que se ha creado, y al mismo tiempo adoptar una elegante postura disciplente o burlona, postura decadente de un príncipe que arroja perlas a la multitud hambrienta. Nada más que los poetas modernistas no eran príncipes sino multitud famélica. Estaban al otro lado de la mano. Sin embargo, es curioso señalar la aparición de este humorismo frío, prescindente, porque introduce el cinismo en la poesía. Y esto es nuevo: el cinismo, la no participación por propia voluntad, la decisión de quedarse al margen de las cosas porque las cosas no merecen que nadie se moleste por ellas. Esto sí constituirá la "torre de marfil"; pero llegará a los poetas culteranos en la postguerra, y bastante después, cuando triunfa el vulgarismo, ha pasado ya el modernismo, y el refinamiento de unos pocos es un mandato, una isla con una concha para preservar la cultura. Este proceso que se inicia con el humorismo cínico de los Modernistas culminará con la influencia de Paul Valery en América, en la década del 30 al 40.

Erótica

El otro aporte del Modernismo es el que se refiere a la erotología. Los modernistas, a medida que de las marquesas y los cisnes pasan a redescubrir el paisaje americano, introducen imágenes eróticas de positivo riesgo, sin temor al escándalo. El afrancesamiento de la sociedad, la debilidad de la Iglesia (aparentemente muy fuerte, pero en realidad apoltronada) hacen que se acepten esos poemas, con rubores de abanicos, sin que se los considere pornográficos. A lo más, las educadas señoras aparentaban no escucharlos. Esto es importante porque rompía con una sociedad pacata más por tradición que por convicción. Y esa libertad de los americanos asombraba en España donde ningún poeta culto desde hacía muchos años, tantos que sumaban siglos, se había atrevido a tanto.

La mujer en los modernistas

La mujer, en el Modernismo, deja de ser idealizada con pasión romántica. La influencia de Emilio Zola irrumpe en los premodernistas con un materialismo muy carnal, que incluso llega al casto Martí. Las cosas se aluden por su nombre (Darío emplea la palabra 'sexo" para designar al sexo, olvidándose de tantos "senos" donde los muy arriesgados hasta ese entonces habían centrado su sensualidad). Ejemplos de este tipo de poesía se encuentran en Martí: "Mucho, señora, daría . . . "; Casal: "Júpiter y Europa"; Nájera: "Para un menú"; Silva: "Ronda", "Dime"; Darío: "Leda", "La hembra del pavo real"; Valencia: "Palemón, el Estilita"; Lugones: "Oceánida".

* * *

Esta erótica modernista provenía, claro está, del desencanto finisecular con respecto a la mujer. La mujer se independizaba. Comenzaba a hacerse sentir. El hombre, instintivamente, cerraba las llaves de la casa y creía que una mujer independiente era una mala mujer. Al mismo tiempo que la deseaba carnal y entregada. Las mujeres independentistas de América, que llegaron poco después, tuvieron que luchar contra los prejuicios del hombre, y de las demás mujeres, y debieron recordar a menudo la queja de Sor Juana:

"Queredlas cual las hacéis
o hacedlas cual las buscáis."

* * *

Combinación de palabras antagónicas

No es menor aporte —junto a la novedad de las imágenes, los ritmos remozados, el colorido vibrante, el exotismo atrayente, la imaginación libre, la libertad de temas y de expresión— la utilización que algunos modernistas hacen de palabras que comunmente no van acompañando a otras, aunque no sea incorrección gramatical el ponerlas juntas: "El jardín puebla el "triunfo" de los pavos reales"; "El "mínimo" y dulce Francisco de Asís"; "Tus labios escarlata de púrpura "maldita"; "qué hicieron los "delirios" de las liras" en "las" Grecias, las Romas y las Francias"; "La "desnuda" estaba divina". Los ejemplos dados son tomados de Rubén Darío, pero no será difícil al estudiante encontrar el adjetivo raro, junto al calificativo de color —prima el azul, desde luego—, en cualquiera de los poetas modernistas: Diaz Mirón: "Un "ungüento" de suaves caricias con suspiros de luz "musical" ("Gris perla", 1901) ; Martí: "Allí donde los astros son "robustos pinos" de luz, allí donde en fragantes lagos "de leche" van cisnes "azules" ("Versos libres", 1882) ; Carlos Alfredo Becú: "Y el ruído "robusto" de las pisadas" ("En la playa", del libro "En la plenitud del éxtasis").

El adjetivo raro

Debemos todavía agregar dos características

más al Modernismo: 1*a.*: la utilización del color con un sentido simbolista e impresionista a la vez, para trasmitir sensaciones, reemplazar a otros adjetivos demasiado usados por los románticos —otras formas románticas, tales como el abuso del "do" quedan desterradas en las formas poéticas del modernismo, también los "¡ay!" y los exclamativos para indicar dolor o desesperación—, o despertar nuevas sugestiones. Esto viene de los franceses ("Azul" llama Darío a su primer libro importante, "Revista Azul" llama Gutiérrez Nájera a la suya), de "Sinfonía en blanco mayor (1852) de Théophile Gautier y de "Vocales" (1871) de Arthur Rimbaud.

El color

Descripción de movimiento

2*a.*: la otra característica digno de anotarse es la utilización de versos monorrítmicos, de combinaciones de frases musicales poéticas, y la elección de palabras con efecto percusivo, sonoro, para describir el movimiento, generalmente en la danza, pero también en el andar o en el trabajo. En el andar, el ejemplo clásico, desde luego, es "Marcha triunfal" (1895), de Rubén Darío —escrita en la base naval de la isla de Martín García, en Argentina—; en la descripción de un baile, los ejemplos son muchos antes de llegar a la poesía negroíde, con la famosa "La rumba" de Tallet: Casal: "La maja"; Martí: "Tórtola blanca"; Darío: "Elogio de la seguidilla". Esta necesidad de describir el movimiento les venía de España a través de la música, pero en poesía tenía el antecedente de la época clásica; los combates épicos en Ercilla y Balbuena. El famoso verso de "La Araucana" viene al caso: "Y una flecha a buscarle que venía".

El preciosismo en la elección de palabras con valor por sí mismas, con poder de sugestión poé-

El adjetivo "raro" en el vulgarismo

tica, que tengan su ritmo interior, o fuerte e inesperado colorido, va a provocar la reacción vulgarista de emplear palabras de uso cotidiano y de "insertarlas" sorpresivamente en la versificación.

* * *

Libertad de creación

La búsqueda de nuevas formas hizo que los integrantes del Modernismo tuvieran una libertad absoluta en la creación. Como el Modernismo no fué una escuela propiamente dicha, no obligó ni a sus mismos creadores a las reglas que estableció. Evolucionó muy pronto del preciosismo y la frivolidad a una autenticidad más legítima, con el advenimiento de su segunda época a la que el chileno Francisco Contreras (1877-1933), amigo y biógrafo de Darío, llamó "Mundonovismo": 'ismo" del Mundo Nuevo. Esta segunda etapa es la de los cantos americanistas de Darío (1905), la de la inquietud proletaria de Jaimes Freyre ("Canto a Tolstoy"), la de la poesía social de Palés Matos que arranca en 1915, precisamente en el momento en que Rubén Darío muere (1916) y en que Enrique González Martínez escribe, en 1910 —el año de la Revolución Mexicana— su soneto "Tuércele el cuello al cisne". La primera etapa, la del preciosismo, está singularizada por la evasión, el ensueño, el exotismo —pero no para dar la espalda a la realidad sino por las causas de "fiebre cultural" antes anotadas—; la segunda etapa —el mundonovismo— está caracterizada por temas realistas, por el abandono del exotismo lejano para utilizar el tipismo o el paisaje circundante y porque contiene un ideal panamericanista del cual va a surgir la poesía de protesta social de la postguerra de 1918.

Segunda etapa; Mundonovismo

El Mundonovismo, menos encantador, menos

pegadizo al oído, menos escandaloso en la renovación métrica, es muy importante para quien quiere analizar a través de la poesía la mentalidad, evolución y necesidades espirituales de los pueblos. América fué su tema primordial.

* * *

Las características esenciales del modernismo de la Primera Etapa, hasta 1905, han sido expuestas por Raúl Silva Castro en su "Antología crítica del Modernismo hispanoamericano" (New York, Las Américas Publishing Company, 1963):

Características del Primer Modernismo

Esmero en la elaboración de las formas; nuevos ritmos; amor a la elegancia; guerra al prosaísmo de léxico e intención; exotismo del paisaje; influencia francesa; el juego de la fantasía; arte desinteresado; exhibición y complacencia sensual.

Características del Mundonovismo

En la Segunda Etapa (Mundonovismo), ya anotamos las características: Paisaje americanista en lugar de rememoración exótica; reivindicación de temas americanos, como el indio; exaltación nacionalista a través de poemas con un ideal político panamericano.

* * *

Aunque la clasificación de poetas que hacemos en este ensayo difiere en parte de la de Federico de Onis en su "Antología de la Poesía Española e Hispanoamericana" (Las Americas Publishing Company, 1961, New York), conviene al lector conocer la de Onis, que transcribimos suprimiendo las citas de poetas españoles:

Clasificación de Federico de Onis

1.— *Transición del Romanticismo al Modernismo* (1882-1896): Manuel González Prada; Manuel Gutiérrez Nájera; Manuel Reina; Manuel José Othón; José Martí; Ricardo Gil; Salvador Díaz Mirón; Julián del Casal; José Asunción Silva; Salvador Rueda; Francisco A. de Icaza; Pedro

Antonio González; Leopoldo Díaz; Ismael Enrique Arciniegas; "Almafuerte", Pedro B. Palacios; Fabio Fiallo. II. — *Rubén Darío.* III. — *Triunfo del Modernismo* (1896-1905): Guillermo Valencia; Ricardo Jaimes Freyre; Leopoldo Lugones; Amado Nervo; Luis G. Urbina; José Santos Chocano; Rufino Blanco-Fombona; José Juan Tablada, Julio Herrera y Réissig; Enrique González Martínez; Alvaro Armando Vasseur; Carlos Pezoa Velis. 3: *Poetas regionales*: "El viejo Pancho", José Alonso y Trelles; Miguel A. Camino; IV. — *Juan Ramón Jiménez.* V. — *Postmodernismo.* 1: *Modernismo Refrenado (Reacción hacia la sencillez lírica)*: Manuel Magallanes Moure; Luis Felipe Contardo; Pedro Prado; Max Jara; Carlos Moncada; José Gálvez; Rafael Alberto Arrieta; Evar Méndez; Fernán Félix de Amador; Alberto Ureta; Carlos Préndez Saldías; Juan Guzmán Cruchaga; Agustín Acosta; Pedro Miguel Obligado; José González Carbalho; Cayetano Córdoba Iturburu; Francisco López Merino; 2: *Reacción hacia la tradición clásica*: Enrique Banchs; "Cornelio Hispano", Ismaél López; Arturo Marasso; Julio Vicuña Cifuentes; Alfonso Reyes; 3: *Reacción hacia el Romanticismo*: Miguel Angel Osorio; Ricardo Rojas; Víctor Domingo Silva; Roberto Brenes Mesén; Luis Lloréns Torres; Arturo Capdevila; Jorge Hubner Bezanilla; Angel Cruchaga Santa María; Carlos Sabat Ercasty; Rafael Heliodoro Valle; Medardo Angel Silva; 4: *Reacción hacia el prosaísmo sentimental*: a) Poetas del mar y viajes: Héctor Pedro Blómberg; Federico de Ibarzábal; b) Poetas de la ciudad y los suburbios: Evaristo Carriego; Emilio Frugoni; Ernesto Mario Barreda; Alfredo R. Bufano; José Eustasio Rivera; Felipe Pichardo Moya; 5: *Reacción hacia la iro-*

Quienes eran los poetas vinculados al Modernismo

nía sentimental: Luis Carlos López; Rafael Arévalo Martínez; Baldomero Fernández Moreno; Benjamín Taborga; Pedro Sienna; José Z. Tallet; Ezequiel Martínez Estrada; Enrique Méndez Calzada; 6: *Poesía Femenina*: María Enriqueta Camarillo de Pereyra; María Eugenia Vaz Ferreira; Delmira Agustini; Gabriela Mistral; Alfonsina Storni; Juana de Ibarbouru; María Villar Buceta; VI. — *Ultramodernismo*: *Transición del Modernismo al ultraísmo*: José María Eguren; Regino E. Boti; Ricardo Güiraldes; Ramón López Velarde; Fernán Silva Valdez; José Manuel Poveda; Julio J. Casal; Emilio Oribe; Mariano Brull; Luis L. Franco; Oliverio Girondo; Jaime Torres Bodet; Arturo Torres Rioseco; Francisco Luis Bernárdez; Conrado Nalé Roxlo; Rafael Estrada; Rafael Maya; Juan Marinello; Luis Palés Matos; Nicolás Guillén. *Ultraísmo*: Vicente Huidobro; César Vallejo; Carlos Pellicer; José Gorostiza; Jorge Luis Borges; Pablo Neruda; Jorge Carrera Andrade; Leopoldo Marechal; Xavier Villaurrutia.

LOS POETAS PREMODERNISTAS

¿Cómo eran los poetas Premodernistas?

¿Cómo eran? Por lo pronto, bastante distintos a como los imaginamos hoy. Ha surgido una mitología alrededor de muchas de estas figuras que las deshumaniza y las desubica. Se utilizan frases hechas que llevan a conclusiones erróneas. Cuando se dice, por ejemplo, "Martí fué un precursor del modernismo" se hace pensar en que, voluntariamente, queriendo innovar, modificar el orden intelectual, versificó utilizando ritmos y métricas que encantaron a los modernistas. La realidad fué que con genial intuición rimó porque a ello lo arrastraba su temperamento, su inteligencia sensible, sin preocuparse demasiado de

José Martí las normas preexistentes, José Martí (cub. 1853-1895), era un espontáneo e innovó más por despreocupación respecto a la poesía que heredaba su generación –romántica– que por afán de originalidad. Walt Whitman lo influenció y le demostró que podía volcar sus emociones sin las ataduras de las reglas establecidas para la versificación. Su poesía se conserva hoy tan fresca como cuando fascinó a los modernistas y se mantiene independiente de cualquier clasificación que intente apresarla. ¿Qué era Martí? ¿Un romántico? ¿Un parnasiano? Clasificarlo repite la polémica que se centra alrededor del romanticismo o neoclasicismo de su ilustre antecesor, José María Heredia. Tenía un poco de todos y mucho de ninguno. Fué y será único. Y con todo derecho pueden reclamarlo para sí todos los grupos sin que termine de caber en ninguno.

Veamos algunos puntos: Rubén Darío, en 1913, señaló refiriéndose a Martí: "¿No se diría un precursor del movimiento que me tocara iniciar años después?". Martí escribió poesía, continuamente, y son muchas sus páginas dedicadas a lo que él consideraba que debe ser la poesía en América: "Ya lo de Bécquer pasó... y lo de Núñez

Un precursor "antimodernista"

de Arce va a pasar, porque la fe nueva alborea . . . Ahora con el apetito contemporáneo, lo que empieza a privar es lo de los franceses, que no tienen en esta época de tránsito mucho que decir, por lo que, mientras se condensa el pensamiento nuevo, pulen y rematan la forma y tallan en piedra preciosa...... o riman, por gala, entretenimiento, el pesimismo de puño de encaje que anda en la moda". Esto lo escribía en 1890 y agregaba después: "Poesía es poesía, y no olla podrida, ni ensayo de flautas, ni rosario de cuentas azules, ni manta de loca hecha de retazos de todas las sedas, cosidos con hilo pesimista, para que vea el mundo que se es persona de moda, que acaba de recibir la novedad de Alemania o de Francia". Este párrafo nos haría pensar que —como se ha dicho— Martí estaba ya presintiendo el futuro y que, lejos de ser modernista, era decididamente antimodernista, ya que abomina del preciosismo que los modernistas ponen en voga. Sin embargo, sus "Versos sencillos" (1891) —en los cuales cabe observar alguna reminiscencia de "Martín Fierro"— influencian a Rubén Darío. Porque el Modernismo no era una escuela y el primero que no deseaba imitadores sino una libertad absoluta, un creador no dependiente de formas ni de estilos sino de su propia verdad, de lo que su yo interior, su necesidad de expresión le ordenaba decir, fué Martí. Y Darío, aunque tome a Martí y a otros como modelo, durante toda su vida lucha para que no lo imiten. Pero es más: con Martí despierta un sentido profundamente americanista. Sostiene que Estados Unidos, España y Francia son influencias aceptables mientras que el americano no pierda su sabrosa lengua criolla, que él cultiva sin buscar tipismos sino cuando lo típico de la imágen o del lenguaje le brota espontáneo.

Martí fué una figura esencialmente política, luchó por la libertad de Cuba —bajo la dominación española— y murió en un combate entre cubanos y españoles (en "Dos Ríos", 19 de mayo, 1895). Estuvo preso, fué proscripto, conspirador, y creyó en América. En él se unieron, por la circunstancia de ser las Antillas el último baluarte colonial de España en América—, el ideario "comprometido" del romanticismo y de la poesía de la Patria, que le exigía una militancia activa, y el Mundonovismo que caracterizará, con su visión panamericana, a la segunda parte del modernismo. En esto sí fué un precursor, y también un continuador del Modernismo.

Poeta de la Nacionalidad

Si innovó en la manera de versificar —utilizó el verso blanco, el monorrimo, distribuyó las rimas y consonancias a su placer, mezcló versos de diferente metro— no se plegó al Modernismo en el adjetivo rebuscado o en la imagen decadente, de la cual su vitalidad y su fe en el destino de su tierra lo apartaban, sino que fué el Modernismo quien encontró en alguna de las "audacias" del verso de Martí un antecedente libertario para las formas. A este respecto debemos agregar que Martí, con la influencia de Emerson y de Walt Whitman, pertenece a la poesía de la Nacionalidad, que cantó a la Nación, al hogar. Los versos de "Ismaelillo" (1881), —quince poemas dedicados a su hijo ausente—, inician la poesía "con niños" en América, como los poemas de Rafael Pombo —romántico que canta a su Nación— inician la poesía "para niños" (y no debe de confundirse la una con la otra. A la primera pertenece Gabriela Mistral, a la segunda Constancio Vigil). Sus "Versos sencillos" están más que en el Modernismo en los prolegómenos de la Poesía Costumbrista, según la veremos más adelante.

Poesía infantil

Hay que señalar, finalmente, otro punto para disipar errores respecto al papel de "precursor" que Darío asignó a Martí y que el patriotismo cubano, en su devoción al héroe nacional, ha exagerado. Martí escribió más en prosa que en verso, la prosa fué su elemento de combate, su medio de expandir sus ideas panamericanistas. Su obra estuvo dispersa en hojas sueltas, en diarios y revistas de América —"La Nación", de Buenos

Aires, fué una de sus tribunas— pero al morir, su obra poética era muy poco conocida, tapada por su misión de apóstol de la Independencia cubana. "Ismaelillo" fué publicado en 1882, en Nueva York; "Versos sencillos" son de 1891. Pero el resto de sus poemas, como "Versos libres", escritos en 1882, se conocieron en libro después de su muerte. Su difusión fué escasa. Debemos recordar, una vez más, las distancias, el aislamiento, la lentitud de las comunicaciones en aquel entonces. Lo mismo cabe decir de sus "Flores del destierro", que datan de 1887-1888, y que fueron editados muchos años después de su muerte, cuando el Modernismo estaba maduro. El "sencillismo" de Martí ha hecho que se lo "revalorice" en la postguerra de 1918 con el triunfo de esa tendencia como reacción contra el Modernismo. El "sencillismo" existió, no tan acentuado, junto con el Modernismo —que es solamente uno de los aspectos de la poesía de la Nacionalidad o de la Nación, su aspecto más culto—, en los versos de Guido Spano, en Argentina y de tantos otros, inclusive López Velarde, en México.

Sencillismo de Martí

Darío incluyó a Martí en la segunda edición de "Los raros"; Néstor Carbonell (cub. 1884) contribuye a dar a conocer su obra, apenas declarada la independencia cubana (1902), pero fué la publicación de sus obras completas por Gonzalo de Quesada Aróstegui (cub. 1868-1915), su amigo y discípulo, en cuyos volúmenes Miguel de Unamuno aprendió a admirar a Martí, las que dieron la medida de su genio.

Su pensamiento, su prosa llena de vigor admirable, cargada de ideas liberales, de humanismo al estilo de Emerson, de Thoreau, de Rousseau, de genio democrático, prevaleció sobre su poesía, a la que en cierto modo sacrificó del mismo modo como otro antillano, Eugenio María de Hostos (Puert. 1839-1903) se negó a sí mismo, en aras de los deberes cívicos, tal vez erradamente, el "ocioso oficio de poeta". Aunque, en el caso de Hostos, la poesía esté presente en su novela simbólica "La peregrinación de Bayoán" (1863).

* * *

José Asunción Silva

Precursor del Modernismo, a pesar de que aborreció de él (los modernistas fueron un poco "piratas" de nombres) fué José Asunción Silva (col. 1865-1896). Silva se enfurecía contra la estética proclamada por los modernistas, contra quienes satirizó en "Sinfonía color de fresa con leche". Sin embargo, no porque él lo niegue, y a pesar de él mismo, deja de ser un antecedente inmediato del movimiento. Veamos por qué.

La lectura de Edgar Poe lo movió a buscar, con auténtica originalidad, nuevas formas de versificar en castellano. Sus dos poemas más famosos, "Día de difuntos" y "Nocturno", están influenciados por Poe, y por Baudelaire, más que por Mallarmé o Verlaine, a quienes admiraba. Silva fué, a pesar de sus metros "modernistas", exquisitamente romántico. Se suicidó enfermo del "mal del siglo" y no por "la fiebre americana", de la que hemos hablado antes. Idealizó a la mujer a la manera romántica y no al estilo exótico, con cierta asepsia parnasiana, que utilizaron los modernistas. Los románticos como Silva sufren por la pérdida del espíritu de la mujer amada, mientras que los modernistas propiamente dichos padecen por la ausencia del cuerpo de la mujer amada, lo cual es bastante diferente. Torres Ríoseco compara "The Bells", de Poe, con "Día de difuntos' y "Annabel Lee" con "Nocturno"; pero seducido por este aspecto musical exterior de Silva, lo clasifica como simbolista (olvidándose que todo el "compromiso" pasional de Silva, que lo hacía vivir de acuerdo con las reglas románticas, iban contra la estética exótica de la *chinoiserie* simbolista). Anderson Imbert lo sitúa como romántico informado de las nuevas corrientes estéticas, con influencia de Campoamor y Bécquer. Federico de Onis lo declara post-romántico y creador "del lirismo romántico, subjetivo, melancólico, hiperestésico, trascendentalmente pesimista, que constituye la fuerza más característica del modernismo" (con este último juicio no estamos de acuerdo, ya que defendemos la actitud positiva —por muy errada que fuera— de los modernistas en relación a la cultura y a su ambiente). Max Henriquez Ureña coloca a Silva, decididamente, dentro de movimiento modernista como renovador de las métricas y de las formas poéticas y como "el más alto representante del pesimismo contemporáneo en la poesía de habla española; y ya sabemos que la angustia del vivir y la inquietud del más allá, que se hermanan para constituir "el mal del siglo", se manifestaron en el Modernismo de manera constante". Con lo cual incurre Henriquez Ureña en el pecado de confundir forma con espíritu y esencia con mezcla, y de atribuir como es común a los que quieren llevar toda la corriente para el modernismo sin discernir el material que compone las partes, lo que es de Dios al César, esto es: lo que es romántico puro —y Tennyson, Schiller, Baudelaire, D'Annunzio, Poe, evidencian las preferencias sentimentales del poeta— con lo que es Modernismo.

¿Romántico o Modernista?

Es muy característico el confusionismo que en la crítica engendra el caso Silva. Igual cosa

Confusionismo crítico sucede con otros poetas. Habría, para desglosar elementos, ir recordando, al leer los poemas de muchos poetas pre y postmodernistas, las definiciones estrictas de romanticismo, simbolismo, parnasianismo, naturalismo, realismo, ultraísmo, creacionismo, etc., etc. Ayuda a aclarar la visión un tanto confusa recordar lo que hemos dicho: que el Modernismo fué solamente un aspecto de la poesía de la Nación, que se entremezclaba con él adoptando sus formas, a veces, pero manteniendo siempre una independencia de fondo basada en su manera de ver la realidad circundante.

Tan modernista como su elaborada mezcla de metros dispares es en Silva el aspecto erótico. El

"Nocturno" "Nocturno" (escrito en 1894) se ha considerado siempre una poesía de amor (y más cuando las recitadoras la tomaron por su cuenta, como hicieron con el "Nocturno a Rosario", del mexicano Manuel Acuña, también suicida). Sin embargo, fué dedicado a la hermana del poeta, Elvira, muerta en 1891. Los otros dos "Nocturnos", arbitrariamente llamados así, sí son poemas de amor y de poesía erótica ("Ronda", de 1891, y "Dime...", de su libro "Gotas amargas"). Este erotismo es un elemento nuevo en la poesía de América.

Su vida La inquietud del vivir, el desasosiego, la obsesión de la muerte como evasión ante el fracaso de los sueños, se indican también como aportes de José Asunción Silva al Modernismo. Sus obras poéticas, "Gotas amargas", "Crisálidas", "Notas perdidas", fueron reunidas en un volúmen (1956) por el crítico Rafael Maya. En un naufragio se perdieron una colección de sonetos titulada "Las almas muertas" y otras obras suyas. Hijo de un rico comerciante, se arruinó a la muerte de su padre y tuvo que aceptar un puesto en la diplomacia. A pesar de la difusión de su "Nocturno" no fué un poeta conocido en el resto de América, aunque en Caracas integrara cenáculos literarios. Su obra, como su influencia, se expandió y se conoció con bastante posterioridad a cuando fué producida.

* * *

Manuel Gutiérrez Nájera

Federico de Onis anota que la obra de Manuel Gutiérrez Nájera (mex. 1855-1895) "parece menos revolucionaria que la de los demás iniciadores del modernismo; y sin embargo no es ni menos moderna ni menos profunda". La obra de Nájera ejerció influencia parcial en América pero sí pesó profundamente en México, donde la "Revista Azul" (1894), fundada por él, habría de reunir a los modernistas. Su obra fué recogida después de muerto, en 1896, y la prologó Justo Sierra. A partir de esa fecha se difundió rápidamente. Nájera vive en el México todavía sacudido por la presencia del emperador Maximiliado, fusilado el 19 de junio de 1867, y por la muerte de Benito Juárez (1872). La influencia cultural francesa había sido tan profunda como el sentimiento de libertad dejado por el gran presidente. En la balanza, Porfirio Díaz se inclinará por la burguesía afrancesada de los Ausburgo antes que por el indigenismo juarista y gobernará a nombre de los principios de éste y al estilo de aquellos. Este es el México de Gutiérrez Nájera cuya vida sin accidentes notables, de tranquila burguesía, acaba antes que el Porfiriato. La de Díaz es una dictadura, y muchas veces cruel, pero es una dictadura constitucional, que da a México una estabilidad necesaria para consolidarse como Nación, e incluso permite a sus hombres destacados forjar el movimiento popular que, con Madero, dará fisonomía al mexicano de hoy, tan opuesto por cierto al mexicano todavía extranjerizante, pero ya con orgullo nacionalista, de aquel entonces.

* * *

Un humorismo decadente

En Gutiérrez Nájera aparece el humorismo fino, y casi apenas aflorante, de muchos modernistas —más claro después de Darío—, en los poemas de "La duquesa Job", que él firmó como el duque Job. Utiliza el elemento de color en su famoso poema "De blanco", siguiendo a Gautier (Belisario Roldán, en Argentina, escribiría luego "La página blanca"). Pero los efectos de color todavía no son en él formas de sorpresa adjetivada, modos de sorprender al lector sustituyendo con nombres de colores otras formas o cosas que podrían nombrarse directamente (con la excepción, quizás, de "El hada verde", de 1887). Sin embargo, en Gutiérrez Nájera, aparece bien definido la reiteración de palabras y frases, como en "De blanco", con la frase "Qué cosa más . . . ?, y con la palabra "blanca".

El color

Lenguaje reiterativo

Esencialmente Gutiérrez Nájera no es modernista sino romántico, y romántico al estilo de Musset, de lamento triste, ya sin rebeldía y arrogancia romántica. Su humorismo es más decadente que optimista. Como corresponde al período que vive. Véase "Para entonces", poema subjetivo, confesión aristocrática llena de orgullo y melancolía donde el poeta no solicita ayuda de los demás; y en este tipo de confesión se une con los modernistas (ya dijimos que el poema confesional será una de las formas poéticas que ningún modernista eludirá).

Aporte musical

Al Modernismo, Nájera aporta su sentido musical con "La serenata de Schubert" —un poema estrictamente romántico en el fondo—, y un esteticismo que, a pesar del romanticismo que señalamos, no es pesimista sino de afirmación espiritual, y que resurgirá —en lo afirmativo más que en lo estético— en la segunda forma del Modernismo, en la del "mundonovismo". Si no fué un reformador de la métrica, contribuyó en cambio, y no en poca medida, a dar un nuevo sentido a la rima. Otro aporte de Nájera fué el tema del "lago" y el símbolo del cisne como belleza pura. En esto era afrancesado, porque desde Lamartine a Gautier, esos son temas de los poetas franceses. Pero era un afrancesado que sentía sus versos en pulcro castellano. Su idioma tiene calidad. No en vano admiraba tanto a Pedro Antonio de Alarcón, a Galdós, a Valera; y se había nutrido en Santa Teresa y San Juan de la Cruz.

Aspectos varios

El conflicto religioso en que vivió Nájera —en un país donde alboraba un fuerte anticlericalismo en los medios cultos— le trajo tormentos interiores que lo hicieron muy desgraciado. Se pregunta dónde está Dios, que no le responde; se vuelve místico, pero con rebeldía aunque sin exagerar su grito ("Después", (1889): "Señor ¿en dónde estás? Te busco en vano"), o de pronto, carnal por imitación francesa, desprecia a la mujer como un vaso usado, en un extraño poema erótico, solamente permitible en el contradictorio México del Porfiriato: "Para un menú" (1888), que debe haber escandalizado en más de un curato. Otros poemas notables de Nájera son "Tristísima Nox", "Pax ánimae", que testimonian sus conflictos interiores y su misticismo; "Elegía", donde se advierte su postura ante la muerte; "A la corregidora", con su maravillosa adjetivación y musicalidad, que data de 1895, el año de su muerte, y que ya es —en todo, exotismo, adjetivo raro, decadentismo— absolutamente Modernista; es paisajista en "Mariposas" y "Ondas muertas" o en "Crepúsculo".

La prosa de Nájera sufrió alguna influencia de Francois Coppé, que tanto conmovió a Darío al escribir los cuentos que figuran en "Azul". Sus "Cuentos Frágiles" (1883) y sus "Cuentos color de humo", póstumos, fueron reunidos en 1958 en un solo volúmen.

* * *

Salvador Díaz Mirón

Figura de la misma época, mexicano también y violentamente anti Porfirio Díaz, fué Salvador Díaz Mirón (1853-1928). Estuvo dos veces en la cárcel; cuatro años por matar —por razones políticas—, en legítima defensa (1892), un año por un altercado en la Cámara de Diputados (1910), de la que formaba parte. Se exiló, y volvió a México, a un México que ya lo superaba, al México de los héroes asesinados por héroes, para acabar sus días, más tranquilo, en medio del fervor triunfante de la revolución agrarista. De la primera época, que tanta influencia tuvo en la poesía de América, y en especial sobre Rubén Darío (se ha anotado la correspondencia entre "A Gloria", de Mirón y "A un poeta" de Darío), queda cierto tono, algo altisonante, violento como lo era él mismo. Se advierte su admiración por Víctor Hugo. Así, en su poema a Nicolás II, "Al Czar de las Rusias", y en "Sursum", dedicado a Justo Sierra donde están los conocidos versos: "Cantar a Filis por su dulce nombre cuando grita el clarín: ¡despierta, hierro! ¡Eso no es ser poeta ni ser hombre!". Mírese como Díaz Mirón, con acento nativo, se niega al "decadentismo" afrancesado, y es curioso observar de qué manera tan decidida estos "precursores" del Modernismo —como lo hemos visto en Nájera— se negaban a serlo y aún más, estaban absolutamente en contra de la estética que se iba conformando. Los versos que citamos de Díaz Mirón, de inspiración romántica —recuerdan los de Mármol en contra de Rosas— sustentan todavía el "compromiso" de morir por la libertad.

Los cuatro años de cárcel, los que dura su proceso, cambian al poeta que surge de la prisión más medido, más reflexivo, convertido en modernista. El resultado de esa larga y amarga meditación es "Lascas" (1901). Desde entonces, hasta su muerte, es innovador arriesgado en la elección de metros y en la mezcla de versos de medida dispar (monorrítmico en "El fantasma", usa el dodecasílabo doble en "Gris perla"). Fué "Lascas" el libro más leído y comentado de Díaz Mirón, pero como precursor, habrá que considerar también sus versos imprecantes, que anticipaban los apóstrofes de Almafuerte, y en alguna manera, el "compromiso" de asumir la responsabilidad de un ideal, en el posterior "panamericanismo" del mundonovismo.

* * *

Manuel González Prada

Otro violento —definido en su frase "los viejos a la tumba; los jóvenes a la obra"—, que debió luchar contra todos y contra todo, fué el peruano Manuel González Prada (1814-1918), una de las figuras más independientes de su tiempo, que tanto cabe en el Modernismo —que se apoderó de él con bastante derecho—, como en el liberalismo finisecular —anticatólico, anticonservador, antiespañol—, o el postmodernismo revolucionario de militancia socialista (muchos de sus hitos e ideas figuraron en la plataforma política del A.P.R.A., el partido de Haya de la Torre). Más que un militante, era un disconforme; y al mismo tiempo un justo. Sus equivocaciones en la prédica fueron muchas y sus verdades, confirmadas en el transcurso de los años, fueron tantas como sus errores. González Prada entiende que hay que romper lanzas para que nazca un nuevo orden. Es extranjerizante, y en esto típicamente modernista, porque cree que la civilización es cultura y que la cultura se ha estancado en la tenaza española de la tradición. Hay que abrir las espuertas. No se da cuenta, en su afán destructivo-constructor (valga la paradoja), del peligro de enajenar la Nacionalidad misma. El Perú de su época es el de la guerra con España, el de presidentes derrocados que contraen peligrosos compromisos económicos con el extranjero, el de la Guerra del Pacífico, (Chile, Bolivia, Perú) donde su país es derrotado. Prada estuvo en París e importó ideas y formas poéticas. Fué de los primeros que en América habló de Marx y se acercó a Tolstoy y a Prouhom. En sus poemas. en "Baladas peruanas" (publicados en libro recién en 1935), reinvidicó al indio —que los sociólogos positivistas miraban con desdén condenatorio, como lo había mirado el abate prusiano De Paw— y adoptó todas las formas poéticas que le dió la gana, con total independencia o sumisión a ninguna escuela (también en esto fué insurgente): imitó el triolet francés —y usó en él el verso reiterado varias veces en la composición, procedimiento muy del gusto modernista—, introdujo la balata italiana y hasta imitó las cuartetas de Hafitz y Kayham. Todo con genial desorden. Inventó el polirritmo sin rima en "Los caballos blancos" y el vago impresionismo de Baudelaire se reflejó en "En país extraño". "Minúsculas" (1901) y "Exóticas" (1911) lo incorporan

Defensa del indio

al Modernismo, al cual trasciende ya que se le puede considerar poeta pre-proletario, de lucha social. Su "Ritmo soñado", publicado en París, con la aclaración de "Reproducción bárbara del metro alkmánico", con su enunciado de "arte poética" modernista —en el metro, en la rima, en la enumeración de deseos—, lo meten más en el movimiento que muchos otros que lo fueron solamente en forma transitoria, en etapas de sus vidas, pero a los que por estar más cerca de la influencia de Darío se los considera tales. González Prada no se embanderó con el Modernismo pero tampoco, él que era tan pronto para la condena, lo anatematizó como tendencia.

"Arte poética" modernista

Prototipo del liberal

"Presbiterianas" (1909) y sus poemas reunidos póstumamente, pero ya conocidos en su vida, "Libertarias" (1938), "Trozos de vida" (1933), junto con su abundante y polémica obra en prosa, "Horas de lucha" (1908) y la recogida después de su muerte, ofrecen un cuadro amplio de su talento excepcional. No fué un hombre de acción, de conspiración, de lucha física; era el acabado representante del liberal de la Nación ya formada, a la cual se quiere defender con la pluma y enriquecer con el espíritu. Era un intelectual de biblioteca que lanzó más bombas —tanto conmovieron sus escritos— que el más arduo revolucionario.

* * *

Julián del Casal

En el orden que estamos siguiendo —alterando la cronología de época para tratar a estos casi modernistas en razón al cambio en esencia de sus poemas y de su pensamiento, más que de su forma (corrientemente se cita a Prada, Nájera, Díaz Mirón, Del Casal, Silva), debemos ocuparnos de otro solitario, como Silva, mucho más aislado por las circunstancias en que vivió: Julián del Casal (cub. 1863-1893). Hay quien sitúa a del Casal después de Darío y hay quien lo coloca antes, en el orden antológico. Desde ya es sabido que fueron contemporáneos —Darío nació en 1867— y que juntos, cada uno por su lado, pero ligados por una estrecha amistad, epistolar y de presencia —se conocieron en 1892, cuando Darío fué a Cuba de paso para España— dieron forma definitiva al Modernismo. Sin embargo, la influencia de Casal fué posterior a su vida y se ejerce en los últimos modernistas y en los primeros vanguardistas. En vida era poco conocido, aislado en una isla sometida y agitada por guerras de independencia. No participó de estas guerras, era demasiado niño cuando la Convención de El Zanjón (1878) y no alcanzó a la lucha por la independencia (con Martí, Gómez, Maceo, de 1895 a 1902. Su espíritu, pusilánime, indeciso, enfermizo, solamente tenía vigor para la poesía. La vida lo atemorizaba y nunca se atrevió a enfrentarse con ella. Renunció al amor, se refugió en la amistad, anheló la libertad que Martí proclamaba ya; pero no tenía ánimo para ir a buscarla. Se quedó en su casa. Verlaine lamentó que Casal tuviera tanta afición por los parnasianos y deseó que se incorporara al simbolismo. Casal, en cambio, se entregó a la desdicha romántica, producto de dos sentimientos que él marca en "Nihilismo": "mi fiel compañero, el descontento,/y mi pálida novia, la tristeza". Se entregó al vino y es probable que llegara a conocer los "paraísos artificiales" de los que habló su amado Baudelaire.

Del Casal publicó "Hojas al viento" (1890), "Nieve" (1892) y "Bustos y rimas", editado en 1893, el año de su muerte motivada por una aneurisma provocada por un acceso de risa durante una comida. Del romanticismo de Heine y Leopardi, de Zorrilla y Bécquer o Bartrina, pasa rápidamente al parnasianismo con Theophile Gautier como maestro, para descubrir a Baudelaire y Verlaine en su última época. Darío lo influenció y él influenció a Darío. Soñó con Francia y con París, pero cuando se fué a Europa, en su único viaje, se gastó el dinero en Madrid y decidió volverse a Cuba donde, con admirable precisión, describió a los dos París: el inventado por los modernistas y el París real que los modernistas sabían perfectamente que existía, y se declaró partidario del primero. Esto lo escribió en prosa ("La última ilusión", 1892): "Aborrezco el París que celebra anualmente el 14 de julio, el París que se exhibe en la Gran Opera, en los martes de la Comedia Francesa o en las avenidas del Bosque de Bolonia... Pero adoro, en cambio, el París raro, exótico, delicado, sensitivo, brillante y artificial; el París que busca sensaciones extrañas en el éter, la morfina y el haschisch; el París de las mujeres de labios pintados y de cabelleras teñidas..."

Pintura y modernismo

Así se muestra la faz más modernista de Casal, la pictórica, la que le haría decir, ya verleniano, "percibe" el cuerpo dormido/por mi mágico sopor/sonidos en el color/colores en el sonido." Su poesía se impregnó de toques pictóricos (admiraba al pintor Gustavo Moreau), lo que le dió esa estaticidad de cuadro; excepcionalmente los modernistas dan acción a sus poemas, como vimos en Ercilla o en los románticos que describían, por ejemplo, un malón de indios. Además, su sensualidad encontró mejor las mujeres "de labios pintados y cabelleras teñidas", las mujeres del decadentismo vicioso de los salones encerrados, de las

Sensualismo decadente

visiones de Toulouse Lautrec, que la atmósfera de responsabilidad en la conducta, de vitalidad hogareña de su isla de Cuba (que le gastaba los nervios con su luz y sus colores no tamizados por la morfina y el claroscuro). Si del Casal es admirable, es porque escribió entre muchos opacos, que acusan su permeabilidad a las influencias —como la acusan los títulos de sus libros—, los versos más auténticos de alguien que hizo suya la atmósfera europea, la trasladó a América, y vivió de acuerdo a ella. Fué, espiritualmente, más Huysmans que el autor de "Al revés". Y esta condición, de preferir el mundo artificial, de ser wildiano en aquello de la "naturaleza copia al arte", de vivir —cuando todos se comprometían por esa patria que él también amaba— "el arte por el arte", ajeno, temeroso, ansioso de sensaciones que lo van conduciendo a la muerte, hacen de Casal una de las figuras más notables y menos analizadas y ubicadas en su proporcióón real, de la literatura de la Nación. Con Darío, del Casal pudo ser la gran figura del Modernismo. Pero desperdigó su talento, no encontró una atmósfera propicia (Cuba fué uno de los países que, a pesar de Martí y de del Casal, menos influencia recibió del Modernismo primero, aunque aprovechó las enseñanzas del mundonovismo). Los títulos de sus composiciones revelan la influencia de Baudelaire, pero también lo enfermizo de su sensibilidad. Tiene, como buen modernista, su poema confesional, "Autobiografía", y su declaración de principios, "Nihilismo". Los poemas que escribió influenciado por autores que han pasado al olvido, apenas si se recuerdan. Pero en cambio vale la pena leer "Post umbra", "Horridum somniun", "La canción de la morfina", "Cuerpo y alma".

deles", tan bellos y sugestivo, de del Casal.

De su decadentismo impresionista, rubendariano, es testimonio "Neurosis" y de su actitud frente a la vida, de su conducta intrínseca, lo es "En el campo" ("Bustos y rimas", 1893), uno de sus poemas más originales. Al contrario que en sus poemas confesionales, como paisajista es descriptivo pero nunca realista: véanse "Paisaje del trópico" (del libro "Nieve", 1892) y "Crepuscular" (de "Bustos y rimas"). Confesional es "Nostalgias", de límpida transparencia. Y este es un rasgo que indica —aunque en Casal no haya sido así— que el concepto de "decadente", y éste fué el primer epíteto con el que se autocalificó Darío, era "comienzo" para los americanos, que cerraban así una época, en vez de ese "final" que significaba para los europeos (al cual se alió Casal). No hay un solo modernista que, en medio de su poesía intimista, de brocados y princesas chinas. no haya escrito versos claros, transparentes, llenos de ligereza, aireados. De este tipo son los "Rondeles", tan bellos y sugestivos, de del Casal.

Decadentismo y aire puro

El amor por los paisajes y los nombres exóticos, "La cólera del infante", "El camino de Damasco", "La agonía de Petronio", lo hacen parnasiano, pero su inspiración legítima, lo vuelve al romanticismo confesional, tristemente subjetivo, en versos como "Camafeo": "¿Podrá haber en los lindes de la tierra un corazón tan muerto como el mío?". En la adjetivación de muchos poemas de del Casal se advierte la influencia de Baudelaire, pero es detalle observable cómo, también, en cierto tipo imprecatorio, coincide, con el "vulgarismo" que aporta Almafuerte.

RUBEN DARIO: NACIONALISMO E IMPERIALISMO

Hablemos ahora de Rubén Darío, y no de-

Rubén Darío

masiado; pues de contínuo nos hemos referido a él en el transcurso de este capítulo sobre el Modernismo.

La felicidad y Rubén Darío (nicar. 1867-1916) no se encontraron muchas veces, pero Darío —alcohólico y de una vitalidad abrumadora— no fué un triste, aunque sí un disconforme. No con su destino, sino con las negaciones del mundo exterior. Se inició con "Epístolas y poemas" (1885) y con un libro cínicamente descreído y arrogante, de decadentismo postizo: "Abrojos" (1887) y continuó con un poema típico del canto de la Nación, "Canto épico a las glorias de Chile" (1887) para mezclar versos y prosas en 1888 con "Azul..." y crear así el abrevadero principal del modernismo. En 1888 publicó también "Rimas y Contrarrimas".

Obras y fechas

En las distintas ediciones de "Azul..." —1890, 1903, 1907, 1917— fue agregando nuevos poemas ("Caupolicán", por ejemplo, figura en la edición de 1890). Después publicó "Prosas profanas" (1896); "Cantos de vida y esperanza (1905); "El canto errante" (1907); "Poema de Otoño y otros poemas" (1907); "Canto a la Argentina" (1910). "Sol de domingo" (1917) y "Lira póstuma" (1919) completan su bibliografía poética.

En prosa fueron muchos los libros que escribió, pero el que más interesa aquí es —porque en él trata a las figuras que más influyeron en el Modernismo— "Los raros" (1893), donde se advierte la huella de "Los poetas malditos" de Verlaine. "La vida de Rubén Darío escrita por él mismo" (1915), aunque informa menos de lo que promete su título, es un documento interesante sobre su persona. La Biblioteca "Rubén Darío" de Madrid publicó la primer edición de sus obras completas, ordenada por A. Ghiraldo y A. González Blanco y en 1922, su hijo Rubén Darío Sánchez hizo lo propio. Desde entonces las ediciones completas revisadas y anotadas han sido varias.

Primera época

Hasta 1905 en que publicó "Cantos de vida y esperanza" se consagró al exotismo y a la delicada percepción de los sentidos, a crear color y ritmos nuevos, imágenes no usadas, metros adaptados del francés, renovados de los clásicos españoles, cambió el acento en algunos, modificó las rimas, se arriesgó siempre —aunque apenas llegó al verso libre abrió camino a él—, seguro y feliz en la creación; y su única dicha fué ésta, porque después lo acosaron, y acosó, a las mujeres. No fue afortunado en los tres grandes amores de su vida, de los cuales cabe recordar el de la paciente y siempre abandonada Francisca Sánchez. Además de las mujeres fué un perseguido por las deudas que contraía fácilmente y que le costaba muchos versos pagar.

Pero su fama, lograda rapidamente, lo ayudó a soportar la vida: si no lograba salir de sus aprietos morales y materiales, debió sentir que era un jefe necesario, pues había que poner en orden y hacer plasmar al movimiento modernista que ya se olía en el aire. Primero se autodenominó "decadente" pero la palabra que tuvo éxito y sirvió para calificar a toda la tendencia fué la de "modernista" que utilizó en 1890, durante su estada en Perú, con motivo de un artículo titulado "Fotograbado", en homenaje a Ricardo Palma. La denominación quizás hubiera pasado desapercibida si los enemigos de Darío, que tenía muchos, no la hubieran cogido para burlarse de la audacia de estos "raros", de estos "nuevos", a los que suponían, y era lo contrario, faltos de respeto por

Segunda época

el arte de otras épocas. Después de aquella etapa estetizante, Darío se dió cuenta de que no estaba en Versailles sino en América y volvió sobre las huellas que su talento ya había iniciado, pero sin detenerse en ellas, arrastrado por las sonoridades de su sistematización poética del Modernismo. Vuelve a su poema "Caupolicán", de "Azul" . . . ", al nacionalismo de "Canto Epico a las glorias de Chile" y publica "Cantos de Vida y Esperanza" donde inserta versos americanistas que no había querido incluir, aunque algunos de ellos ya estaban escritos, en "Prosas profanas".

"Cantos de vida y esperanza"

"Cantos de vida y esperanza" (1905) es una despedida a su estilo primoroso, prístino, de poeta que vive, o se ha propuesto vivir, con el lema del "arte por el arte". Esta despedida se anota en las primeras estrofas del poema que da título al libro y el tránsito final, el cambio profundo, lo señalan "Salutación optimista", "A Roosevelt" y "Los cisnes". Aquí se abre la línea nueva, "el arte por el arte" pasa a ser arte "comprometido": ha nacido el Panamericanismo que Darío conocía muy bien (Nicaragua creyó en la reunión de pueblos proclamada por Simón Bolívar; llegó a plegarse voluntariamente al imperio mexicano de Iturbide; integró luego la federación de las provincias Unidas de Centro América, hasta proclamar su independencia absoluta en 1838). Esa linea panamericanista se continúa en "Momotombo", de "El canto errante" (1907) y con el poema "A Francia", terriblemente anti-alemán. "El canto a la Argentina", y los versos al general Bartolomé Mitre confirman la tendencia, que no fué excluyente de otras: nunca se desprendió del todo del preciosismo espléndido; fué sabrosamente popular (y su "vulgarismo", sorpresivo, en sus labios

Otros aspectos

parece menos vulgar) en "Del trópico" (recogido en 1923, en la selección de "Poemas de adolescencia"; De Onís lo ubica como escrito en 1899), donde campea libremente ese humorismo que se perfila en muchas de sus composiciones posteriores, como en "Versos de Año Nuevo", por ejemplo; su "A Margarita Debayle" continúa la Poesía Infantil "con niños" que hiciera José Martí; "Elogio de la seguidilla", ya lo dijimos, da un ejemplo —muy raro en los modernistas que fueron casi siempre estáticos en la descripción— de poesía en acción, con movimiento; y finalmente, aquel poema titulado "La negra Dominga", que escribió en la redacción de "La Caricatura" en Cuba, mientras Julián del Casal cobraba una colaboración para poder continuar la juerga que ambos habían iniciado, se anticipaba decididamente a toda la poesía Negroide que culminará con Palés Matos y Guillén.

Uno de los aspectos poco estudiados —¡si es posible!— es el "existencialismo" en Rúben Darío. "Lo fatal", uno de sus "Cantos" habría interesado a Sartré. Las notas subjetivas se dan cada vez con más intensidad y casi siempre en poemas no confesionales, como sería de esperarse (confesionales son "Canción de otoño en primavera" y "Cantos de vida y esperanza"). En "El canto errante" hay el poema "¡Eheu!" que también tiene raíz existencialista, ajustada a esa filosofía: la angustia, el ser, el disgregarse en la nada, la elección que engendra la náusea, el temor a equivocarse . . . "El poema de otoño" (1910) también puede contarse en esta línea.

Precursor del Postmoderno

Marginalmente, Darío da origen, asidero, o ayuda a precipitar a muchas formas de la poesía postmodernista: desde la poesía social, a cierta instrospección de la poesía culterana de hoy (por la vía de los poemas "existencialistas" que hemos señalado, y de los muchos que podrían señalarse, incluso en estrofas de poemas que nada tienen de angustia existencial. Recoge el guante erótico, que otros desenvuelven con más audacia que él, y crea un erotismo sutil y mental, más recóndito, como el que campea en "La hembra del pavo real" y si se vuelve popular, imita sonoridades sin caer en lo onomatopéyico en "Marcha triunfal" (escrita en 1895). Es interesante analizar la similitud en el proceso sonoro, en base a períodos rítmicos con acentos repetidos —trisilábicos en Darío—, de "Marcha triunfal" y de "Triumphal March" de Thomas Stearn Eliot ("Coriolan", 1931): "Stone, bronze, stone, steel, stone, oakleaves, horse's heels over the paving . . ."; "los cascos que hieren la tierra y los timbaleros que el paso acompasan con ritmos marciales".

* * *

La poesía negroide

La poesía negroide de las Antillas no proviene de Darío —es excesiva el agua que se ha llevado a sus molinos— sino del acervo popular y de la negación que los cubanos y antillanos en general hicieron de lo estetizante que había en el Modernismo, del cual sí aceptaron la libertad en el verso y en el ritmo de los acentos. Pero como nada se pierde y todo se transforma es interesante anotar que el ritmo de "Elogio de la seguidilla", como los poemas con descripción de danzas de los demás modernistas, junto con lo popular y pintoresco de "La negra Dominga", pudieron influir en algún poeta negroide determinado, que podría ser el cubano José Zacarías Tallet (1893) y su famoso poema "La rumba" publicado en 1928.

* * *

Volvamos a los aspectos principales de la Poesía de Darío, con los cuales centra y da fisonomía al Modernismo. Cuanto hemos dicho en la Introducción al Modernismo se aplica a la obra de Darío. Las características señaladas por el profesor Raúl Silva Castro no convienen exactamente a "todos" los modernistas, pero van de perillas a la primera parte de la obra de Darío a tal punto que es factible deducir que al escribirla, el distinguido profesor pensó casi exclusivamente en el "divino Rubén" como gustaba llamarlo Arturo Marasso, su mejor exégeta ("Rubén Darío y su creación dramática", Universidad de La Plata, Argentina, 1934). El primer aspecto es afrancesado, romántico a veces —"A una novia", "Sonatina", "Margarita" (esto, sin desmedro de las formas modernistas que usa, reiteración de versos, combinación de metros dispares, acentos nuevos, adjetivación inesperada); en ocasiones sigue las huellas de los parnasianos, "El reino interior", "La hembra del pavo real", "Leda", "Blasón", "Metempsicosis"; y es verleniano, simbolista e impresionista las más de las veces: "Divagación", "Era un aire suave", "De invierno", etc. etc.

Ejemplos de sus diversas tendencias

* * *

Darío y el Mundonovismo

Pero es con el "mundonovismo" —expresión recogida por el chileno Francisco Contreras, crítico para los libros en español del "Mercure de France"— con el cual comienza la reacción contra la "evasión" del medio ambiente, contra esa falsa torre de marfil a la que nos hemos referido; y es Darío, el de la supuesta estética aislante de la realidad, quien va a ser una de las cabezas de la reacción, mucho antes que el mexicano Enrique González Martínez le retuerza el cuello al cisne. ¿A qué se debió el cambio de Darío, errante por

América, viajero con equipaje, consagrado en Chile, maestro de los jóvenes innovadores en Argentina (desde el boliviano Jaimes Freyre al argentino Leopoldo Lugones), con el cual se cerrarán las últimas ramificaciones del modernismo), escarnecido en París, explotado como fenómeno raro, siempre pobre, infeliz en amores, ebrio de vino y de la admiración que despertaba donde ponía el pié? ¿Pensó que la maduración lograda en el período de refinamiento era suficiente y que debía pasarse a la acción? Probablemente no. Su cambio de actitud, como la de otros poetas del movimiento se debió a las causas políticas que repercutían sobre su naturaleza sensible. Para comprender este aspecto de Darío hay que mirar un poco en su biografía y en la historia de Nicaragua.

Biografía

Darío nació en la pequeña población de Metapa, en 1867; se llamaba Félix Rubén García y era presumiblemente hijo natural. Su apellido poético lo tomó de un tío suyo. Fué educado entre mujeres, como niño prodigio. Un general salvadoreño, exilado, don Juan José Cañas, y amores contrariados, lo empujaron a buscar en Chile horizontes más amplios para su inquietud. En Chile fué amigo de Pedro Balmaceda Toro, hijo del presidente de la República. Detalle importante: Darío entra y mira desde su pobreza a los salones elegantes de la ya constituída Nación chilena. En Chile conoce a Eduardo de la Barra, que fué su íntimo amigo —prologó "Azul . . ."—, con el cual se disgustó luego, y que lo orientó en la búsqueda de nuevos y viejos metros para su versificación. Fué a Europa, a España, con motivo del IV Centenario del Descubrimiento de América, en 1892. Ya había sido corresponsal del diario argentino "La Nación Argentina" (hoy "La Nación") fundado por el general Bartolomé Mitre. De 1893 al 98, consagrado "maestro", se instaló en Buenos Aires y se vió rodeado de los jóvenes más brillantes de la generación modernista. En Buenos Aires publicó "Prosas profanas" y "Los raros". En 1905 vuelve a España; y siguen agregándose nombres a su bibliografía y ladrillos a su desgracia.

Hasta aquí, y hasta 1911 en que comienza su decadencia física, Darío asiste por todos los pueblos donde lo homenajean al período triunfal de lo que hemos llamado "la Nacionalidad". En Europa, inclusive: es "la belle époque". Por contraste Darío debía tener muy presente lo que pasaba en su patria y en los otros países centroamericanos.

En 1911 funda en París "Mundial Magazine", una revista mensual que sucumbe entre mil dificultades. Es contratado para una gira de conferencias que, ya con la salud claudicante, lo arrastra una vez más a Buenos Aires, y luego nuevamente a París, y de allí a Nueva York, huyendo de la guerra. En Nueva York (ciudad fatal para los poetas latinos donde padeció García Lorca y murieron Julia de Burgos y Gabriela Mistral) contrae una pulmonía que lo lleva a la muerte en Nicaragua, el 6 de febrero de 1916.

Nicaragua en época de Darío

Estos episodios van enlazados con la historia de su patria, y obviamente con Europa que con Darío como testigo en Madrid y en París, marchaba aceleradamente a su primera gran destrucción ("¡Los bárbaros, cara Lutecia!", exclama el poeta.) Los acontecimientos en Nicaragua son menos conocidos pero hay fechas sintomáticas, a las que es fácil unir con la sensibilidad de Darío y su reacción hacia lo que hemos llamado "panamericanismo"; el recuerdo de William Walker, un norteamericano que quiso convertirse en dictador de Nicaragua debió estar presente en la adolescencia de Darío, al igual que la lucha de los nacionalistas para impedir que Cornelius Vanderbilt obtuviera el control de las rutas del país. El intento de una confederación entre Nicaragua, Guatemala, Costa Rica y El Salvador, había concluído en lucha contra el presidente Justo Rufino Barrios. En 1895 termina esta lucha pero ya el presidente José Santos Zelaya, el protector de Darío, se ha convertido en agresor: en 1907 declara la guerra a Honduras y ayuda a la revolución en El Salvador. La mediación de Estados Unidos y México lleva a una conferencia de unidad y paz en Washington. Pero Nicaragua desconoce el juicio de la Corte de Justicia Internacional establecida. En 1875, Alemania, y en 1895, G. Bretaña, habían bloqueado los puertos nicaragüenses con el pretexto de reparaciones económicas, por deudas contraídas por los gobiernos del país. La política comercial del presidente Taft, motivó la repulsa del propio Congreso de los Estados Unidos. El "imperialismo" comenzaba ya a engendrar fuertes resistencias y a crear un nacionalismo basado en el resentimiento del más débil por el más fuerte. Cae José Santos Zelaya y en 1912 sube a la presidencia Adolfo Díaz, quien con el propósito de contener la guerra civil que amenazaba al país, solicita la ayuda de los "marines" de EE.UU. (permanecieron en Managua hasta 1925, y luego de 1926 a 1933).

Imperialismo y Panamericanismo

La oda "A Roosevelt" había sido usada como bandera antimperialista, a pesar de que no era un poema de ataque, ni tampoco lo fué "Los cisnes", como es fácil ver con una lectura detenida. Darío no fué antiimperialista sino que sostuvo, en su afán de paz —sinónimo de cultura—, un ideal de hermandad panamericana. Su "Salutación al águila", elogio de los EE.UU. provocó mucho escándalo en quienes lo utilizaban como bandera citando sus versos, aislados del contexto, para exacerbar el nacionalismo: "¿Tantos millones de hombres hablaremos inglés?". Es evidente que Darío sabía poco de política y que se dejaba engañar fácilmente, pero también es claro que pensaba más en el aspecto civilizado y organizado de los EE.UU. —en contraste violento con los revueltos y sediciosos países de América, donde los dictadores sucedían a los tiranos— que en la "agresión" imperialista que no debía ser tan clara para un errante de la fama de Darío, ante el cual tañían muchas campanas y que, por naturaleza, se inclinaba a los "civilizados" más que a los "insurgentes". De los primeros salía la idea bolivariana del Panamericanismo, de los otros el desangre, la incultura, la destrucción de los pueblos. No era así ¡ay!. El año de la muerte de Darío, Emiliano Chamorro se convertía en presidente "sostenido" —por los "marines"— de Nicaragua; pero ya Darío, llevado y exhibido como un glorioso y triste despojo, primero por los patrocinadores de "Mundial-Magazine", los hermanos Guido, y luego por un aventurero nicaragüense, Alejandro Bermúdez, que lo abandona cuando enferma en Nueva York, no está en condiciones de apreciar lo que pasa en su país, y lo que pasa en el resto de América. Escribe "Pax", incitación a la paz, al amor entre los hermanos, que es casi su canto del cisne. Serán los poetas postmodernistas los que tomarán, con otro sentido muy diferente a Darío, la bandera antiimperialista.

* * *

Si se considera al Modernismo como renovación formal de la poesía, con introducción de nue-

Dos formas de juzgar al modernismo

vos temas que no eran habituales antes, caben dentro de esta tendencia muchos poetas —casi todos los poetas de la época—, pero si se considera que la "evasión" era muy relativa (y por esto hemos insistido en los acontecimientos políticos que rodearon la vida de los poetas), y que la "torre de marfil", el aislamiento desdeñoso de los refinados —y hay que juzgar no lo que dijeron sino lo que escribieron e hicieron, porque "épater le bourgois", deslumbrar al burgués, con frases abracadabrantes fué uno de sus pasatiempos favoritos— más que una pose encerraba una voluntad de expandir cultura, de afianzar la cultura en un medio adverso, son muchos los poetas que ya no entran en la clasificación de "modernistas", aunque hayan sido contemporáneos al núcleo centrado en Darío. En una palabra, si se va al fondo de los poemas, a la intención verdadera que llevó a escribirlos, y si se mira todo con una perspectiva histórica que ya es posible, el modernismo puede ser juzgado muy diversamente. Poetas no modernistas —aunque utilizaran formas modernistas—, porque su intención era otra, son los cantores de la Nacionalidad a que nos hemos referido, Rafael Obligado —romántico esencialmente— y Carlos Guido y Spano, en Argentina, o el mexicano Manuel José Othón (1858-1906), paisajista nativista y romántico en sus "Poemas rústicos" (1902), "El himno de los bosques" (1908), y también ese otro mexicano, tan exquisito, Francisco A. de Icaza (1863-1925), de quien dice de Onís que estuvo aparte de las modas y las escuelas literarias de su tiempo, "sin perjuicio de conocerlas y aprovecharlas". A los 23 años se fué como diplomático a España y regresó a su país sólo por períodos cortos. Pero su acento mexicano es innegable en "Efímera" (1892); "Lejanías" (1899); "La canción del camino" (1905); "Cancionero de la vida honda y de la emoción fugitiva" (1922). Fué un erudito de gran valor que estudió aspectos del clasicismo español vinculados con América, como también la vida de las Colonias en los siglos XVI, XVII y XVIII. Otra excepción importante es "Almafuerte", seudónimo del argentino Pedro Bonifacio Palacios (1854-1917), que si en muchos puntos toca al Modernismo, se aparta en más puntos de él y se convierte en un precursor del ultraísmo y, aunque no declarado, del vulgarismo, al romper con las exigencias de perfección formal que exigía el Modernismo. Fue un romántico con afán mesiánico y postmodernista en su expresión. Véanse de él los poemas "La sombra de la Patria", "Sonetos medicinales" y su violento alegato antigermánico "A miss Cavel". Sus obras representativas son: "Confiteor Deo" (1904); "El misionero" (1905); "Evangélicas" aforismos en prosa (1915); "Apóstrofe: guerra europea" (1915); "La sombra de la patria" (1916); "Amorosas" (1917).

LOS POETAS MODERNISTAS

Estudiemos ahora a los poetas modernistas propiamente dichos y de estos, que son muchos —algunos ya decantados por el tiempo— escojamos a los más salientes, siguiendo el método inverso al que hemos empleado para aproximarnos a Rubén Darío: empecemos por los más cercanos a él y vayamos hacia los que se alejan o rebalsan el Modernismo.

Guillermo Valencia

Guillermo Valencia (col. 1873-1943) es el más próximo a los ideales del primer Modernismo; no lo siguió en la segunda parte, y fué político "conservador", aunque no indiferente a los avatares de su patria y de América. Parnasiano en la forma, su amplia cultura de erudito, su pertenencia a una clase de alta burguesía (a la "aristocracia agropecuaria" americana, como ha sido llamada), le llevó a mantenerse en un elegante aislamiento. Solía decir que no había nacido para la poesía. Y hoy, al leer sus versos perfectos y fríos, casi se pensaría que fué poeta simplemente porque versificar y estar al día en la última palabra literaria —tradujo a los poetas chinos y a Stefen George— eran formas implícitas de su condición de intelectual puro, diplomático, y de gran señor americano. Su orgullo secreto, quizás, fué demostrar cuán cultos y refinados podían ser "ces droles des sud-americaines". Escribió un único libro, "Ritos" (1898), gozó de la oscuridad en la versificación al estilo de Mallarmé más que al de Góngora, hizo poesía para iniciados y vivió, no de espaldas a la realidad, sino ajustando la realidad a su modo de vivir, que era como suponía que debían vivir los americanos. Todo el salvajismo exterior era accidente momentáneo. La cultura engendra cultura y los que hoy son excepción, mañana serán la mayoría. Tal parece ser la regla de conducta a la que, en su vida y en su poesía, se ajusta Guillermo Valencia. Su poesía no tiene los versallescos giros y las delicadezas verlenianas de Darío, pero en esencia es tan refinada, tan exótica, tan intimista ("Leyendo a Silva") y tan simbólica como la de éste. Si el cisne se transforma en camello ("Los camellos") no por eso es menos símbolo del poeta, tal como él lo concebía. Su catolicismo respondía también a un concepto de clase: era un catolicismo de obispo y no de cura rural ("San Antonio y el centauro"). La nota erótica, irreverente, la ofrece en "Palemón el estilita".

* * *

José Santos Chocano

Menos cercano al modernismo primero, pero sí totalmente unido e identificado con el "mundonovismo" y con la tendencia "panamericanista", que en el no lo era tantol pues le gustaba muy poco EE. UU. (desgraciadamente, el imperialismo azuzado por la facilidad de dictadores analfabetos, fácilmente comprables y sin sentido nacional, ha hecho que en la conciencia sudamericana se identifique al país con el sistema empleado por una de sus clases fué José Santos Chocano (per. 1875-1934).

Hablar de Chocano, como de Amado Nervo, es recordar a las declamadoras que lo volvieron cursi cuando, a lo más, era excesivo. En parte, él tuvo la culpa pues durante toda su vida ofreció "recitales" de sus poemas. Pero bien vale la pena olvidar a las recitadoras ("La tristeza del Inca" era el poema más atacado) y recordar al poeta. Su vida es, quizás, la más novelesca de cuántas tuvieron los novelescos poetas sudamericanos de este período de suicidas, locos, borrachos, enfermos . . . y asesinos. Chocano, además de asesino, fué aventurero por vocación, diplomático, bígamo, periodista, buscador de tesoros. Por respeto a su poesía, y al significado que su poesía tuvo para varias generaciones americanas, se hace rodeos para explicar su conducta sin situarlo en el plano de estafador, al que lo condujeron sus empresas descabelladas. Tal vez no lo fuese, pero hizo todo lo posible por parecerlo. En cualquier caso, pagó caro sus desatinos: lo asesinó uno que lo acusó de estafarlo, en Chile. Como en el caso de Hilario Ascasubi, la vida de Chocano es tan interesante que hay que hacer esfuerzos para no detenerse a narrarla con extensión.

González Prada, aquel que mandaba "los viejos a la tumba, los jóvenes a la obra", era figura nacional en Perú cuando Chocano, a los 15 años, publicó su primer poema. El indigenismo de González Prada se le metió a Chocano entre ceja y ceja, y entre trapalonería y cárcel (¡oh manes de del Valle Caviedes!), se dedicó a reinvidicar la figura del indio. Pero antes tuvo su etapa de renovador de formas.

Primeras Obras

Inventor de neologismos

La larga lista de libros de Chocano se inicia en 1895 con "En la aldea", compuesto antes de ese año, e "Iras santas", escrito en la prisión con tinta roja y con acento de poesía patriótica, imprecante. Escribió un drama en verso "Los conquistadores" (1906). Patriótico y heróico fué "El canto del Morro" (1890), al que siguieron "Selva virgen (1900), "El fin de Satán y otros poemas" (de 1901, el año en que González Prada prologó sus "Poesías completas"). En 1904 escribió su libro "mundonovista": "Los cantos del Pacífico". "En la aldea" utiliza el metro de quince sílabas, el tripentálico y posteriormente el de diecisiete sílabas. Anota Max Henríquez Ureña que la preocupación de Chocano en esta época de su poesía es la de ensalzar a los renovadores modernistas y la de inventar neologismos. Llega a Madrid como secretario de la comisión de arbitraje entre Ecuador y Perú (el rey de España fué el árbitro), en 1905 y allí se lo recibe con entusiasmo. El modernismo ya era un hecho en España y si bien los modernistas españoles no sigueron las huellas del "mundonovismo", conservaron siempre una respectuosa atención hacia los poetas de sus antiguas colonias. En España Chocano publica su epopeya del Nuevo Mundo, en 1906, titulada "Alma América", que unánimente se considera su mejor libro

Obras, aventuras, americanismo

y que, en todo caso, fué el libro que más resonancia tuvo en la juventud de habla castellana, para ese entonces. La influencia de José María de Heredia (el francés, autor de "Los trofeos") es visible en sonetos como "A Cartagena de Indias", pero ya hay una nota definitivamente nueva en "Los caballos de los conquistadores", donde utiliza un metro elástico, con cláusula rítmica fija. "Partiendo de esta base ha de llegar Chocano más tarde al verso libérrimo de su admirable "Oda salvaje", dice Henríquez Ureña. En "Alma América" el paisaje americano, la fauna y la flora del continente, adquieren un valor poético quizás no alcanzado antes.

La estada en Madrid de Chocano se interrumpió al mezclarse en un negocio turbio de giros y cheques falsos. En Cuba publicó "El Dorado" (1908) y en Guatemala fundó un diario, "La Prensa". En México fué amigo de Madero y enemigo de Victoriano Huerta. En Puerto Rico dió recitales de poesías que le produjeron pingües ganancias. Redactó la "Interpretación sumaria del programa de la revolución mexicana", en 1914-15. Volvió a México en la época de Venustiano Carranza y fué amigo de Francisco Villa y de Alvaro Obregón. El presidente peruano Augusto B. Leguía lo hizo coronar poeta nacional en 1922. En 1924, con motivo del centenario de la independencia peruana redactó su poema "Ayacucho y Los Andes" que recitó en el mismo acto donde Leopoldo Lugones leyó un discurso titulado "La hora de la espada". José Vasconcelos acusó a Lugones de militarista. Chocano, partidario de las ideas de Lugones, tuvo un incidente con Edwin Elmore, defensor de Vasconcelos, a quien mató de un tiro. Después de un año en la carcel se lo puso en libertad mediante una ley especial del Congreso. En 1927 fundó en Chile una empresa "para la búsqueda de tesoros" y en 1934 uno de los accionistas lo asesinó en un tranvía, pensándose defraudadado.

Aportes a la poesía

El aporte de Chocano a la poesía de América fué, por un lado la reinvidicación del indio —el indigenismo— y por el otro, sus versos con toques antiimperialistas. El indio había sido elemento simplemente de referencia para la mayoría de los poetas románticos, que lo habían idealizado, como también ocurrió con "Tabaré", de Zorrilla de San Martín. En Chocano, siguiendo a través de los siglos las huellas de Ercilla, con su admiración por las epopeyas de los conquistadores (ver su simbólica "Crónica Alfonsina" en "Alma América"), se advierte ese orgullo americano que "devuelve" algo a España; y además opone la lengua castellana al avance inglés, y alemán, en la lucha contra el imperialismo. El ensayo que más repercusión tuvo en la época, "Ariel" (1900), de José Enrique Rodó, confirma esta tesis. Chocano desarrolla una megalomanía especial, se comparaba con Walt Whitman, poeta sin excepción admirado por todos los modernistas que le dedicaron muchos poemas. En "Blasón" se proclama a sí mismo: "Soy el cantor de América autóctona y salvaje". Se consideraba el Mesías del indigenismo. En "Alma América" figuran tres poemas dedicados a Caupolicán, Cuathemoc y Ollanta ("Tríptico Heroico"). Pero a este indigenismo heroico, mezclado con la admiración por la valentía española, se agregan notas de protesta social, de defensa de ese ser oprimido y explotado, que se vuelve amenazante en su lenguaje sutil en "¿Quién sabe?", uno de los poemas más finos y logrados de Choca-

Reivindicación de España y del indio

no (tan bello como "La canción del camino" o "Los caballos de los conquistadores").

"La epopeya del Pacífico"

Pero Chocano, siempre instrumento de percusión de su tiempo, da una nota que ha de continuarse después y que coincide con la de Rubén Darío en "Cantos de vida y esperanza". Esa nota es la poesía, ya de ataque, de "La epopeya del Pacífico (a la manera yanqui)". Allí alude a la política de EE. UU. y al Canal de Panamá, que era el tema candente de la hora. En 1904 el presidente Teodoro Roosevelt garantiza a Amador Guerrero, de Panamá, que no tiene intención de crear una zona autónoma en territorio panameño. El canal se termina en 1914 y se inaugura en 1920. El poema de Chocano, muy irregular en cuanto a su calidad poética, ampuloso las más de las veces, es importante porque coincide con lo que se dió en llamar "la política del dólar", que va a detenerse con "la política del buen vecino", cuando en 1933 el segundo Roosevelt cierra un período iniciado por el primer Roosevelt.

* * *

Si bien los dictadores y los mercenarios funcionarios centro y sudamericanos, asequibles al soborno, se suceden en todo el período modernista y postmodernista y hacen avanzar el imperialismo inglés, alemán y norteamericano (la doctrina Monroe contiene la violencia de los dos primeros, pero no los suprime sino que los obliga a una política más suave), es gracias a estos dictadores que se despierta con firmeza una conciencia americanista que se refleja en la segunda época del modernismo —y aún hoy— con la aparición de figuras tan notables, en sus distintos planos, como Martí, Madero o Jesús Galíndez. El nacionalismo se acentúa precisamente en la época en que los poetas sueñan con crear cultura, y participan activamente en la vida política de sus pueblos. Los gobiernos nacionales, surgidos de movimientos de masa popular inculta, buscan en los poetas de la pseudo "torre de marfil" a sus representantes diplomáticos, hombres que honraron a los países que les otorgan esa representación: Valencia, Darío, Jaimes Freyre, Casal, Nervo (la tradición continuará luego con Reyes, Neruda, Mistral, Bernardez, y muchos otros).

Los poetas diplomáticos

* * *

Ricardo Jaimes Freyre

Ricardo Jaimes Freyre (bol. 1868-1933) fué uno de los jóvenes que rodearon a Darío cuando llegó a Buenos Aires en 1893. No le importaban las borracheras del maestro con tal de estar junto a él. Cuando Darío dejaba la casa de los "consagrados", Carlos Guido y Spano, Rafael Obligado, Calixto Oyuela, Alberto del Solar, Ernesto Quesada, que no eran modernistas —sino poetas de la Nacionalidad, insistimos—, lo esperaban en la mesa del café Roberto Julio Payró y Luis Berisso (éste tradujo "Belkiss", de Eugenio de Castro), comediógrafos, y los imberbes poetas Leopoldo Díaz, Leopoldo Lugones —cuyos versos "socialistas" ya habían escandalizado en su provincia natal— o Ricardo Jaimes Freyre.

"Castalia Bárbara" (1897) fué el libro que dió fama continental al poeta boliviano. Eran poemas wagnerianos, con reminiscencias de Leconte de Lisle y de Carducci. Hoy sus versos resonantes se han marchitado y hay que explicar la razón de la fama que tuvieron: la búsqueda wagneriana de efectos auditivos mediante la mezcla de palabras reunidas por su sonoridad o su contraste exótico con las otras palabras del poema, y a la vez la persecución de nuevos ritmos, a veces repetidos como *Leit-motiv* wagnerianos, mediante la utilización de períodos métricos distintos, deslumbró por la novedad formal. Se dijo que Jaimes Freyre ha sido uno de los grandes inventores del verso libre; pero el verso libre posterior lo superó de tal manera que casi cuesta creerlo (al poeta le preocupaba todavía la forma, y mucho, cosa que no ocurrió con la vanguardia de post guerra). La influencia de las teorías de Wagner se advierte en el preciso simbolismo de algunos de sus dioses poéticos; Odin es la sabiduría; Lok, el mal; Thor, la guerra. En 1917 publicó su segundo libro de poesías: "Los sueños son vida".

El verso "libre"

Jaimes Freyre creó un exotismo parejo al de Rubén Darío: en vez de marquesas de *blanc de chine* introdujo paisajes nórdicos, escandinavos, y en vez de a dioses griegos cantó a Odín. Es parnasiano, exquisito, refinado y frío. Como ejemplo de esta modalidad pueden leerse "Aeternum vale", "El canto del mal", "Los Elfos", "Las noches". Es el primer poeta que aplica una teoría musical al verso, cambiando las cláusulas rítmicas (prescriptas por Andrés Bello o Eduardo de la Barra en sus preceptivas) por períodos prosódicos de ocho sílabas, es decir, va más allá de las combinaciones métricas elásticas de Silva. Si los períodos prosódicos fueran más largos sonarían discordantes y se advertiría en el verso cualquier intento de mezclarlos al antojo del poeta; pero tal como lo planeó Jaimes Freyre, cumplen la función de una nota musical, que al repetirse crea una cadencia, en versos que no parecen tener ninguna. Esto ya no es wagneriano aunque la escenografía poética de Jaimes Freyre sí lo fuera. Tal vez deberíamos pensar en Debussy o Ravel. En 1912 publicó sus "Leyes de la versificación castellana".

Teoría del verso

Pero hay otro aspecto, más buscado por sus

¿Visionario del futuro? biógrafos que real en el poeta boliviano. En 1917 publica "Los sueños son vida". En este libro se han querido ver admoniciones extrañas ("Rusia"), que no son tales. Ya en 1906 los movimientos sociales fermentaban en la Rusia zarista y en 1917, cuando se publica "Rusia" Karl Marx y Engels son figuras de conocimiento de cualquier jóven culto del mundo occidental. Al grupo de Jaimes Freyre y de Rubén Darío se ha agregado un jóven socialista, Leopoldo Lugones, que habla mucho de reflujos sociales. En 1918 se producirá la Reforma Universitaria Argentina, que con la Reforma Laica mexicana, y la peruana producida en 1919, conmoverán a América. José Enrique Rodó, el gran pensador uruguayo, ha publicado "Ariel" en 1900, vogando por una América con retorno a España. En 1917 caen los Zares, Rubén Darío ha publicado ya su oda "A Roosevelt" y "Los cisnes" ¿qué tiene de extraño que Jaimes Freyre presintiera otras formas de poesía que trascienden a la "imperialista" en el terreno de la lucha de clases? Las luchas obreras en Francia, el odio al Kaiser, la república bolchevique, "la semana trágica" en Buenos Aires, Sacco y Vanzetti, el aire estaba impregnado de anarquismo. Además, hay que buscar mucho para advertir esa supuesta "visión del futuro" en los versos de Freyre.

* * *

Rufino Blanco-Fombona

Entre las figuras sumisas al modernismo, en las imágenes o en las búsquedas de nuevos metros, rimas o ritmos, podemos citar:

Rufino Blanco-Fombona (venez. 1874-1944), con sus libros "Trovadores y trovas" (1899), donde mezcla prosas y versos al estilo de Darío y "Pequeña ópera lírica" (1904), en donde publica, respectivamente, sus dos poemas más conocidos:

"Las joyas de Margarita" y "La tristeza del agua". En su segunda faz de modernista, Blanco-Fombona rehabilita el españolismo –siguiendo la teoría de Rodó– y muestra su preocupación por el avance del imperialismo. Fué un enemigo implacable y constante del dictador venezolano Juan Vicente Gómez. Estos aspectos aparecen en sus libros "Cantos de la prisión y del destierro" (1911), editado en París, y "Cancionero del amor infeliz" (1918), editado en Madrid. Como ejemplo de su poesía de esta época citemos "La protesta del pelele".

Leopoldo Díaz

Leopoldo Diaz (arg. 1862-1947), que publica "Bajo-relieves" (1895), donde se ciñe a la primera etapa del modernismo, y "Atlántida conquistada" (1904) donde seguirá a la segunda etapa adelantándose en un año a Rubén Darío.

Manuel Ugarte

Manuel Ugarte (arg. 1878-1951), socialista, tuvo su primera etapa con "Vendimias juveniles" (1907), pero renunció a la poesía, e incluso a la prosa, para dedicarse a recorrer América en lucha contra el imperialismo. En 1912, en Nueva York, en la Universidad de Columbia, expuso sus ideas contra las ocupaciones militares en el Caribe, ideas que compartían muchos de sus oyentes. Lo que dijo en aquella ocasión sigue teniendo vigencia hoy (y así lo comprendieron F. D. Roosevelt y J. F. Kennedy): "El sólo hecho de haberme presentado a gritar mis verdades desde tan enorme metrópoli indica que tengo amplia confianza y completa fe en el buen sentido y en la honradez fundamental de este admirable país que, ocupado en su labor productora benéfica, no sabe el uso que se está haciendo de su fuerza en las comarcas limítrofes, no sabe que está levantando las más agrias antipatías en el resto del Nuevo Mundo. . ." (citado por Max Henríquez Ureña en su "Breve

Historia del Modernismo", Fondo de Cultura Económica, México, 1962).

Edmundo Montagne

Otro modernista suicida y socialista fué Edmundo Montagne (1880-1941), uruguayo, innovador tipográfico al estilo de Mallarmé, que inaugura una era de audacias en la impresión de libros que no debe menospreciarse porque permitió la valoración de poemas y versos (perteneció a la época en que Apollinaire escribía su "Poema en forma de pera". Véanse sus poemas de "El bazar del Iluso" (1921) y "Letra para cuarenta cantos de música clásica". Escribió también "La poética nueva, sus fundamentos y sus primeras leyes" (1922).

Alvaro Armando Vasseur

Alvaro Armando Vasseur (urug. 1878), que uso el seudónimo de Américo Llanos, tradujo a Lafcadio Hearn, a Wilde, a Whitman. En él se destaca el preciosismo modernista en "Cantos augurales" (1904), donde el verso libre al estilo de Whitman deslumbró a muchos imitadores, y la voz nueva del "mundonovismo" en "Cantos del Nuevo Mundo" (1906). Vasseur acentúa esa nota irónica que va a dar al Modernismo último esa apariencia de burlarse de sí mismo. Véase su poema "Pts." del libro "El vino de la sombra" (1917). Merece citarse, asimismo "Ecos de América", de su libro "Hacia el gran silencio", de 1924 (aunque el poema fué escrito en 1917, según Federico de Onís).

* * *

Estos traductores-poetas inician una época que tiene sus ventajas culturales— Lugones traducirá las cuartetas del "Rubayat", de Kayham, en la recreación de Fitzgerald— pero también sus desventajas respecto al verso castellano. Porque lo va a plagar de barbarismos de construcción e incitará a la facilidad del verso libre que arrastrará a una prosa poética, sin metros, ni acentos en los versos, ni rimas, cuya cadencia poemática va a estar dada exclusivamente por la distribución de las metáforas en frases de distinto largo colocadas sucesivamente como si fueran versos. El vanguardismo exagerará todavía esta "antipoesía" suprimiendo los signos de puntuación y hasta las mayúsculas. El período de los "traductores" durará largos años; acrecerá en la década del 30 al 40 (se traducirá a Eliot en México, a Rilke en Chile, a Valery en Uruguay, a Claudel en Argentina, etc. etc.).

Prosa poética

* * *

Sin embargo es gracias a Alvaro Armando Vasseur, a Emilio Frugoni (urug. 1880) y principalmente al más genial de estos tres uruguayos, a Julio Herrera y Reissig (que con María Eugenia Vaz Ferreyra (urug. 1875-1924) y Roberto de las Carreras (urug. 1875-1905) anotan lo mejor del movimiento en su país), que el Modernismo encuentra un nuevo cauce en lo que a poco comenzará a llamarse "superrealismo". Vasseur hizo una especie de biografía entre humorística y superrealista titulada "Pts!" donde habla de las grandes figuras literarias que conoció. El poema, sin gran valor en él mismo, abre un rumbo en el vanguardismo.

Los pre-superrealistas

* * *

Julio Herrera y Reissig

De Julio Herrera y Reissig (urug. 1875-1910) hay que hablar por separado. Si alguien vivió de acuerdo con la primera estética del modernismo fué él. Su familia se arruinó pero Herrera siguió viviendo, prototipo del "señorito" o "niño bien" finisecular, a costas de los demás, un poco madrépora, un mucho exquisito, divagando en medio de una sociedad de alta burguesía que comenzaba a deshacerse y que él no veía deshacerse. Se inventó amigos estrafalarios, creó una torre (era un altillo) donde retirarse —"la torre de los Panoramas"—, fué caprichoso, decadente, maniático, menos estridente en sus extravagancias que Roberto de las Carreras, su gran amigo, que murió loco después de escandalizar a la pacata Montevideo. Hiperestético, Herrera y Reissig siguió fielmente al primer modernismo, innovando y rompiendo lanzas, escandalizando con algo de ingenuidad (en el fondo la bohemia lo asustaba), vanidoso hasta el delirio, sus libros no tuvieron una segunda etapa "mundonovista" y no quiso entrar en el tema social porque era un ser egoísta y personalista como pocos. Entró en la etapa del superrealismo, adelantándose a su generación con versos como "Fiesta popular de ultratumba" ("Las pascuas del tiempo", 1900), donde entre humorismo y superrealísmo, con algo de Poe y algo de Baudelaire, mezcla versos con originalidad real. También es superrealista "Solo verde-amarillo para flauta, llave de U", aunque quiera ser puramente simbolista y acuñar los colores de las letras al estilo de Rimbaud. Fué rubendariano, con algo de Jaimes Freyre, en "Wagnerianas" y perfectamente modernista (como en sus sonetos, al estilo de Lugones) en "Desolación absurda", del cual hay varias versiones —lo cual es índice de que su "descuido" era voluntario en muchos poemas—; en todo momento hizo tal acopio de metáforas y neologismos que esto le valió la estima de los ultraístas posteriores a su época. Herrera y Reissig fué valorado después de su muerte (padecía del corazón desde muy joven) y despertó más entusiasmo del que tal vez merecía. Hoy se lo admira menos porque la extravagancia, característica de su fantasía poética, ha sido superada junto con el superrealismo que iba a tener su máxima expre-

Estilos y modalidades: modernista, superrealista, costumbrista

sión americana en "Residencia en la tierra" de Pablo Neruda.

Paradoja final, como lo era él mismo: Herrera y Reissig da una nota de transparencia campesina, costumbrista; da esa nota antípoda que hemos señalado en nuestra introducción al Modernismo y que hacía que los poetas más encerrados en la escenografía rubendariana de pronto necesitaran aire puro. Herrera aspira aire puro en estos poemas "rurales" donde todavía hoy se mantiene su inspiración más segura: "Los éxtasis de la montaña" (1904).

Herrera y Reissig sufrió una fuerte influencia de Leopoldo Lugones. Los sonetos de "Los maitines de la noche" (1902) están inspirados en "Los doce gozos" y en otras composiciones de "Los crepúsculos del jardín" que Lugones publicó recién en 1905; pero que ya se conocían a través de revistas y lecturas.

Las obras

La obra de Herrera y Reissig fué publicada en parte en "La Revista" (1899-1900), pero hasta 1913 no hubo una edición ordenada de su confusa bibliografía. La cronología que cita Federico de Onís es la siguiente: 1900; "Pascuas del tiempo", "Aguas del Aqueronte". Traducciones en verso; 1902: "Los maitines de la noche" —libro de sonetos influenciado por Leopoldo Lugones, aunque en un primer momento se creyera lo contrario—, "Las manzanas de Amrylis"; 1903: "La vida". "Conferencia"; 1904: "Los éxtasis de la montaña"; 1905-1909: "El alma del poeta" (epistolario); 1906: "Poemas violetas", "Sonetos vascos", "Opalos"; 1907: "Atomos". "El renacimiento en España" (prosa); 1908: "Los parques abandonados", "El círculo de la muerte" (prosa), "La sombra" (teatro); 1909: "Ensayos sociológicos" (prosa);

1910: "Los éxtasis de la montaña' ' (segunda serie), "Los pianos crepusculares", "Clepsidras".

* * *

En el cono Norte de América, México fué el gran centro del modernismo. Pero de un Modernismo muy especial, con reticencias particulares propias. El fuerte nacionalismo mexicano, ya acentuado para aquellos años —del porfiriato, Nacionalidad aburguesada, a la Revolución, nacionalismo proletario— se verá representado en algunas figuras poéticas. En la "Revista Azul" (1894-96) fundada por Gutiérrez Nájera y Carlos Díaz Dufoo, y luego en la revista "Moderna" (1898) dirigida por Amado Nervo, los modernistas mexicanos encontrarán su fuente de juvencia . . . y de hartazgo.

Luis G. Urbina

Luis Gonzaga Urbina (mex. 1864-1934) fué más romántico que modernista y si no hubiera nacido tardíamente habría que colocarlo entre los precursores del movimiento. Modernista fué por el dominio en el verso y su búsqueda de sonoridades sin afectación. Fué precursor del "sencillismo".

Amado Nervo

Amado Nervo (mex. 1870-1919) —tan perjudicado por las declamadoras que le ofertaron especial devoción— tuvo más de romántico que de modernista, a pesar de sus formas (en sus libros "Perlas negras", 1898, "Poemas", 1901, "Jardines interiores", 1905). Cuando quiere ser sobrio, decantarse de elementos que ya le pesan por falsos —nunca fué vulgar pero ¡ay! a veces fué cursi— se vuelve místico e intenta una intraversión que en años posteriores seguirán muchos poetas. Esto se advierte en "Elevación" (1917) y en sus libros póstumos "La amada inmóvil" y "El arquero divino". En "Serenidad" (1904) tiene un poema significativo: "Yo no sé nada de poesía", donde anuncia el credo de escribir sin falsos oropeles retóricos, él que los había tenido en demasía. La proclamación de la sobriedad, del tono medio, aunque haya sido a veces un rebuscamiento más en su poesía a menudo llena de afectación, hace de Amado Nervo un poeta digno de ser estudiado de nuevo, con otros ojos y con otro sentido de la crítica. Quizás se revaloricen así muchos poemas que nunca fueron tenidos en cuenta. Habrá que olvidar las poesías amorosas y buscar su faz religiosa y existencial.

José Juan Tablada

Otro poeta mexicano que injustamente va quedando de costado es José Juan Tablada (1871-1945). En él habría que estudiar su originalidad mudable y es uno de los mejores ejemplos de lo que ya llevamos dicho tantas veces: en un poeta pueden darse varias tendencias y varias formas en un mismo poema. Tablada tenía miedo de repetirse, y pasó por todos los géneros hasta convertirse en un precursor del ultraísmo.

Enrique González Martínez

Finalmente es Enrique González Martínez (mex. 1871-1952) el que con un famoso soneto escrito en 1910, "Tuércele el cuello al cisne" (incluído en 1911 en "Los senderos ocultos" y en 1915 en "La muerte del cisne"), provoca la reacción postmodernista en un México propicio para escapar a las blanduras suntuosas y aburguesadas de los imitadores de Rubén Darío (que ya, con los modernistas de talento, estaba en el "mundonovismo"). González Martínez fue parnasiano puro, y aunque no rehuyó los neologismos que gustaban a los modernistas —como lo señalamos en Herrera y Reissig—, tuvo un idioma sobrio, refrenado y sin manierismos de ninguna clase. En "Preludios" 1903), "Lirismos", (1907), "Silenter" (1909) y muchos de sus libros posteriores

—su obra total comprende 17 títulos— está presente su afición por las formas que le inspiraron Leconte de Lisle, José María de Heredia y Theodore de Banville. Otras veces el impresionismo de Francis James o el simbolismo del propio Verlaine le inspiran poemas sobrios aunque no faltos de inspiración "Los senderos ocultos" (1911); "El libro de la bondad y del ensueño" (1917).

González Martínez era médico en Guadalajara y hasta su cuarto libro no llegó a México donde fue partidario de Porfirio Díaz y aceptó un cargo durante la presidencia de Victoriano Huerta, principal responsable del asesinato de Francisco Madero. De 1920 a 1931 fue diplomático. Murió a los ochenta años, en 1952 (en que se publicó su último libro "El Nuevo Narciso"). Escribió sus memorias en 1951: "La Apacible Locura".

Fue un poeta longevo y muy respetado. Su famoso soneto —más accidental que propuesto, pues sustituía el cisne por el buho, con lo cual indicaba que prefería Gautier a Verlaine— hizo que la atención de la juventud se fijara en él. Después, su sobriedad en la descripción del paisaje, su búsqueda del alma de las cosas inanimadas, indicó un sendero a la poesía intravertida de los culteranos mexicanos que se habían agrupado en el "Ateneo de la Juventud". González Martínez predicó la intraversión con el ejemplo, inició una poesía de análisis desde el exterior, más que de subjetividad personal. Iba del paisaje a las reacciones del alma, y no del alma al paisaje, como habían hecho los románticos y muchos de los modernistas. Sus "confesiones" poéticas tienden más al conocimiento del hombre en sí, que al mesianismo —el dar la propia opinión,

Un análisis nuevo

sin dar el propio sentimiento— de los poemas confesionales del modernismo. A medida que pasaban los años y abandonaba sino la forma por lo menos el espíritu parnasiano, se metía cada vez más en la poesía existencial que caracteriza a la postguerra de 1939. Es interesante seguir su pensamiento en poemas como "Mañana, los poetas" (de 1915) hasta "El mensaje incompleto" (de 1946, publicado en "Vilano al viento", libro de 1948).

* * *

Citar otros nombres de poetas considerados modernistas que debieran ser mencionados es tarea extensa y quizás confusa. A algunos que los hemos considerado como precursores del Vanguardismo y no como últimos representantes del movimiento que estamos estudiando, ¿dónde terminan los unos y comienzan los otros?, los encontraremos en el capítulo siguiente.

Un puente con el "Nuevo Mundo"

Pero hay una figura clave en este período de transición del Modernismo al posmodernismo. Fue un gran renovador y al mismo tiempo el centro de ataque de todos los renovadores. Conmovió a América con su talento poético y provocó reacciones encontradas con sus ideas políticas, mantuvo una línea coherente en su evolución, aunque muchas veces pareció retroceder, desdecirse y traicionarse a sí mismo. Nos referimos a Leopoldo Lugones, (1874-1938) el argentino suicida en los albores de un nuevo mundo. Porque depués de él, sin duda, la sociedad no solamente en América sino en el mundo cambia: ha llegado la hora de los "credos" políticos con fuerza de Dogma. "La hora de la espada" va a culminar con "la hora de la bomba atómica."

* * *

Leopoldo Lugones

Juan Ramón Jiménez recuerda que Darío dijo de Lugones: "Ese es más grande que yo." Generosidad admirable de un espíritu grande. Hoy sabemos que no hay hombres más grandes que otros, que cada uno es grande en la dimensión y en la limitación de su época. Lo que advirtió Darío fue que Lugones, el joven socialista que en 1896 se acercó a su mesa de noctámbulo de un café de Buenos Aires, iba a entrar en las regiones que él había previsto y en las que no llegaría a vivir, como Moisés en la tierra prometida. (Darío escribió una semblanza en "El Tiempo", ese mismo año, presentando a Lugones al lector de Buenos Aires.)

Pero esa tierra prometida es árida y tan mezquina y tan necesitada de brazos fuertes como aquella a la que Moisés llevó a su pueblo. La guerra de 1914-18 concluye con el mundo de la aristocracia, material y espiritualmente. Adviene el triunfo del espíritu burgués y con él el avance del maquinismo y del capitalismo. Simultáneamente, luchando contra ese capitalismo, el socialismo levanta su bandera obrera que en América se vuelve anti-imperialista. La reforma Universitaria producida en 1918, en la ciudad argentina de Córdoba, de donde era Lugones, atrae la atención del continente con su teoría de la participación estudiantil en el gobierno de las universidades. Dos revoluciones, previas a las guerras mundiales, conmoverán a América: la mexicana de 1910-1911, y la Española de 1936. La poesía se verá influenciada por ambas. Pero a Lugones solamente lo influencian las guerras: durante la de 1914-18 se embarca en una campaña en contra de la neutralidad declarada por el gobierno argentino, la de 1939 lo arrastra en sus prolegómenos: decepcionado de todos y de sí mismo se suicida en 1938.

* * *

Su vida

Tuvo una vida sin accidentes notables. En Córdoba, su provincia natal, fue socialista revoltoso, con versos un poco a lo Víctor Hugo y un poco a lo Emilio Carrere (esp. 1880-1947). Cómo éste escribe un poema "a la bandera roja" del socialismo. En Buenos Aires, Darío le da el espaldarazo que necesita su talento. Se une con José Ingenieros y Roberto J. Payró en la militancia socialista, revoltosa y apasionada. Fue empleado en Correos y Telégrafos, luego inspector de enseñanza secundaria y normal y finalmente, hasta su muerte, director de la Biblioteca del Consejo Nacional de Educación. Hizo tres viajes a Europa, uno en 1906, breve, y otro de 1911 a 1914, durante el cual fundó "La Revista Sudamericana." La guerra lo hizo regresar y su campaña en contra de la neutralidad de Argentina y a favor de los aliados, le valieron que en 1924, cuando fue a Ginebra como representante de su país ante un congreso de Cooperación Intelectual de la Liga de las Naciones, fuera recibido en París con muestras de gran aprecio. Ese mismo año fue envíado a Perú, con motivo del centenario de la batalla de Ayacucho, en representación de varias entidades de gran prestigio en Argentina. En el acto conmemorativo en Lima, luego que Guillermo Valencia disertara académicamente y que José Santos Chocano leyera un poema recordatorio de la batalla, Lugones pronunció un discurso de exaltación militarista, al que se ha llamado "La hora de la espada", que provocó un escándalo polémico en toda América (José Vasconcelos atacó duramente a Lugones, que reaccionó con violencia.

Santos Chocano mató a su compatriota Edw
more durante una disputa provocada por el
dicho.)

Al regresar a Buenos Aires, Lugones def
su posición con nuevos artículos que fuero
nidos en un libro titulado "La Patria Fuert
1930, año en que muestra simpatía por un
militar que derriba al gobierno constitucio
instaura una dictadura. (Hacía casi cincuent
que la Argentina vivía en estabilidad insti
nal.) Su cambio de militancia política le hiz
der amigos; aunque nunca abjuró abierta
del socialismo fue obvio su vuelco hacia la
ma derecha. Los jóvenes, que lo conside
mucho por alguno de sus libros —"Lunari
timental", principalmente— lo atacaban por
y, principalmente, como es natural y siemp
ocurrido, porque era el poeta más famoso
época, el consagrado oficialmente. Lugones
bía conquistar amigos sino admiradores, y
radores que lo miraban con cierta descon
porque su obra era tan mudable como su
nalidad. El resultado fue el aislamiento, la
ción, el sentimiento de frustración que lo
al suicidio. Se casó. Su hijo, notorio en 19
sus ideas de derecha, prologó la edición A
de las obras completas de Lugones.

* * *

El mundo intelectual

Para clarificar el mundo donde actuó Lu
conviene anotar: Hay un socialismo que
la bandera del Panamericanismo y del anti
rialismo. La poesía debe ser comprometida,
a un ideal político. Lugones, socialista, se va
ner, después de su primer libro, a tal pre
Hay una reacción culterana contra el mo
mo que, influenciada por las teorías de Sig

Freud, va a crear luego de un intento de vulgarización poética —de introducción de palabras vulgares en los versos—, el superrealismo o sea la poesía hermética e intravertida, que se encamina a desentrañar el alma del hombre. Ya no habrá diálogo de persona a persona como en las "confesiones" de los poetas modernistas, sino una paulatina despersonalización del poeta que culminará en la vanguardia de la postguerra. Es la "deshumanización del arte." Lugones, modernista consumado, se asomará con igual maestría a todos los ismos posteriores, abriendo rumbos y caminos, sin encerrarse en ninguno.

* * *

Las obras

Lugones comenzó —dejando de lado sus primeros poemas proclamando la revolución socialista— con un libro que aunque se ciña a los ideales modernista está marcado por su fogoso ideario político: "Las montañas de oro" (1897), donde reclama la libertad del espíritu para el hombre, la rebelión frente a Dios pero la conservación de a fe que engrandece el alma del poeta al que define como "el astro de su propio destierro" y "el gran luminoso y el gran tenebroso", calificaciones que él volvió reales en su vida. El libro produce verdadera admiración y sitúa decisivamente a Lugones. En 1905 publica "Los crepúsculos del jardín" donde los sonetos titulados "Los doce gozos" —tan admirados por Pedro Henríquez Ureña— son el paradigma de la estética modernista de la primera hora y están muy lejos de la actitud que asumirá Darío ese mismo año (Lugones se desvía del Modernismo puro pero no entra nunca en la militancia declarada del Mundonovismo. Se quedará en el nacionalismo del período de la nacionalidad.) Allí están las exquisitas palabras, la afuencia de metáforas, de imágenes originales, el exotismo y la intimidad decadente ("El solterón"). Pero Lugones, después de ese contradictorio libro que con su refinamiento burgués negaba a su prédica socialista —la de sus libros en prosa— reacciona contra el modernismo con "Lunario sentimental" (1909). Es este un libro fundamental en la historia de la poesía de América hispánica. Tal vez ahora sea difícil comprender claramente por qué. Quizás porque en 1909 anunciaba la estética que culminaría en 1924. Estaba impregnado de humorismo modernista de Avant-garde y sin él, seguramente el vanguardismo de los ultraístas no se hubiera asentado tan rápidamente. En la bibliografía de Lugones su "Lunario" admiró a muchos y desconcertó a otros: era de esperarse que un poeta socialista —la palabra era casi escandalosa en la sociedad de ese entonces en Buenos Aires, pacata y conservadora, católica y agropecuaria—, en vísperas de acontecimientos fundamentales (la llamada Semana Trágica, con huelgas y muertes de obreros), siguiera la transición del Panamericanismo al indigenismo, que ya había comenzado. Pero Lugones nunca "comprometió" su poesía, pasada su iniciación literaria, con ideas políticas. Militaba al margen de la poesía. "Lunario Sentimental" tiene mucho de modernista, pero tiene más de ultraísta al distorsionar los versos, al utilizar el verso libre, al emplear palabras del léxico vulgar e imágenes que son ya superrealistas.

Lunario Sentimental"

"Odas seculares"

Contradictorio una vez más, en 1910, año del centenario de la revolución de 1810 que dió principio de libertad a Argentina, se aparta de esa línea para retrotraerse a la majestad clásica y pulida de "Odas Seculares". Pero aquí, de una manera no comprometida pero acorde al momento que vivía su país —la gran época de la Nacionalidad, de la pujanza como Nación rica y próspera, industriosa y pacífica— hace poéticas sus ideas (que derivan hacia un encubierto conservadorismo) cantando al hombre del trabajo y a la máquina que fecunda la tierra. En esto siguió la línea que había iniciado Andrés Bello con su silva "A la agricultura de la zona tórrida" (1826), pero la culminó con una inspiración que le faltó a Bello. Léase el admirable comienzo de "Oda a los ganados y las mieses." Este libro atacado por unos por su forma métrica, alabado por otros por esa misma razón, aportaba tanto como "Lunario Sentimental" a la poesía de América: fue el canto de exaltación del trabajo del campesino y del proletario que llegaba de otras tierras (también Darío, ese mismo año, enalteció la inmigación que Argentina acogía con generosidad en su "Canto a la Argentina"). Los hijos de esos inmigrantes van a cambiar la fisonomía del país. Integran la generación disconformista de 1924, la del ultraísmo.

* * *

Lugones no se repite nunca. En 1912 publica, en París, "El libro fiel," poemas donde el canto de amor es más directo y más personal que a través del refinamiento de "Los crepúsculos del jardín". Y además, aquí aparece ese tipo de angustia metafísica, de "náusea" frente a los hechos que asedian el mundo en reposo del poeta. Ya señalamos antes en Darío, en "Lo fatal", este mundo de interrogación introspectiva que abarca a todos los individuos y no a uno en particular, vinculado al existencialismo de Kierkegaard más que con el de Sartre o Marcel. "El canto de la angustia" es el mejor ejemplo que podemos escoger.

Cultera-
nismo
vernáculo

En 1917 Lugones da al modernismo una de sus últimas grandes creaciones: "El libro de los paisajes"; pero reemplaza el exotismo de tierras lejanas con otro exotismo inesperado —aunque ya lo había cultivado Martí, con acierto—: el de la sencillez. Y en vez de jades y porcelanas, describe nidos de pájaros americanos ("El hornero") y paisajes de la pampa, con admirable precisión y rigor en la imagen; ejemplo es, tal vez su más famoso poema: "Salmo Pluvial". Lo vernáculo, pero visto a través del culteranismo, se incorpora ya definitivamente a la poesía americana.

"Las horas doradas" (1922) y "El romancero" (1924) parecen un regreso a lo antiguo —cuando todos los demás poetas trataban de estar acordes con el nacimiento de la vanguardia, que ya se afirmaba con sus innovaciones—, por su forma métrica y por el mensaje de sus versos. En el primero de esos libros, señala Luis Emilio Soto, el poema "El dorador" es equiparable a la confesión que abre "Cantos de vida y esperanza", de Darío. Es que, en el hombre tranquilo, en el socialista calmado, en el empleado púbico, en "el marido más fiel de Buenos Aires", como se confesaba él mismo, se está produciendo el cambio dramático.

Con "Poemas solariegos" (1928), realistas en la imagen, en el tema y en el vocabulario —incluyó allí poemas de la época de "Lunario Sentimental"—, pero transformados por la magia del poeta, Lugones vuelve a lo cotidiano, a lo diario, pero sin caer en el vulgarismo que para ese entonces asola la poesía americana. Vuelve al tema iniciado en "Odas Seculares" y "El libro de los paisajes", y también el sencillismo (aunque se trataba de una sencillez elaborada y muy trabajada dentro de su humor irónico). "Poemas solariegos" no es el mejor libro de Lugones, pero es el que mejor resume toda su obra.

Romances de Río Seco

Va a cambiar una vez más. En 1938 publicará su última obra después de diez años de silencio poético. Este libro se titula "Romances de Río Seco", una de las postreras y grandes manifestaciones de la poesía gauchesca. Con él quizás se haya cerrado definitivamente el ciclo poético abierto por Bartolomé Hidalgo en 1821. Despreciando el realismo barroco, al que su talento da grandeza, que había empleado en las narraciones de "La guerra gaucha" (1905) —usando un estilo que por lo detallista recuerda al Flaubert de "Salambó"—, despoja hasta la pobreza el lenguaje, demostrando así que es siempre el mismo dominador del idioma. El realismo pasa desapercibido ante la espontaneidad del vocabulario. Pareciera que con "Romances de Río Seco" Lugones quisiera, en plena crisis espiritual, aferrarse a la tradición nacional para resolver su desubicación. No lo consigue, pues se suicida el 18 de febrero de 1938.

* * *

Obras en Prosa

De sus libros en prosa merecen citarse, a más de "La guerra gaucha", "Las fuerzas extrañas" (1906), donde los cuentos titulados "Los caballos de Abdera" y "La lluvia de fuego" figuran entre los mejores de la narrativa hispanoamericana; y "El payador" (1916), porque fue uno de los ensayos que contribuyeron a ubicar definitivamente a "Martín Fierro", de José Hernández, en su verdadera dimensión de poema nacional y no político. Una "memoria e informe" sobre el territorio de Misiones, encargado por el gobierno nacional, en 1903, dió por resultado el mejor estudio sobre las misiones que los jesuítas tuvieron hasta su expulsión de América: "El imperio jesuítico" (1904), al que no invalida la posición anticatólica de Lugones en ese entonces.

Sus otras obras en prosa fueron dos de ficción, "Cuentos fatales" (1924) y la novela "El ángel de la sombra" (1926), poco afortunada en el género; tres biografías, "Historia de Sarmiento" (1911), donde aunque todavía está en la actitud socialista se advierten atisbos de divergencia frente a las tradiciones del liberalismo encarnado en el prócer, "Elogio de Ameghino" (1915) y "Roca", ensayo que dejó inconcluso sobre uno de los presidentes argentinos; completando sus "apostillas homéricas", debemos anotar "El ejército de la Ilíada" (1915) y "Las industrias de Atenas" (1919); "Piedras liminares", "Prometeo" y "Didáctica" (todas de 1910), están dedicadas al centenario de la revolución libertadora en Argentina; el tema de "la hora de la espada" se inicia con "Acción" (1923) y se continúa en "La organización de la paz" (1925), "La patria fuerte" (1930), "Política revolucionaria" (1931) y "El estado equitativo" (1932). "La grande Argentina" (1930) fue una recopilación de los artículos publicados en defensa de su tesis. En la biografía de Sarmiento tiene una frase que bien vale recordar, por cuanto podría aplicarse a él mismo: "La libertad comprende el derecho de equivocarse y hacerse daño con la libertad misma..."

Fue un helenista profundo —escribió varios libros sobre la cultura griega, entre ellos "Las industrias de Atenas" (1919) y "Estudios helénicos" (1924) y tradujo dos cantos de "La Ilíada"; fue petrarquista y por lo tanto neoplatónico —como en "Los doce gozos"— y pulsó la nota erótica en pocos poemas, es verdad, de los cuales el más conocido es "Oceánida". Estuvo en su tiempo y miró hacia atrás y hacia adelante con igual fortuna como creador.

* * *

La hora de la espada

Su discurso pronunciado en Lima en 1924 y titulado "La hora de la espada" no es el producto de una equivocación momentánea. Lugones no era hombre de pensamientos enunciados sin reflexión. Los artículos de "La patria fuerte" (1930), publicado por el Círculo Militar, ya habían aparecido en el diario "La Nación", fundado por don Bartolomé Mitre. En su discurso, decía entre otros conceptos similares: "Yo quiero arriesgar también algo que cuesta mucho decir en estos tiempos de paradoja libertaria y de fracasada, bien que audaz, ideología. Ha sonado otra vez, para bien del mundo. la hora de la espada.//Así como ésta hizo lo único enteramente logrado que tenemos hasta ahora, y es la independencia, hará el orden necesario, implantará la jerarquía indispensable que la democracia ha malogrado hasta hoy, fatalmente derivada, porque ésta es su consecuencia natural, hacia la demagogia y el socialismo//El pacifismo no es más que el culto del miedo, o una añagaza de la conquista roja, que a su vez lo define como un prejuicio burgués.//La vida completa se define por cuatro verbos de acción: amar, combatir, mandar, enseñar.//El sistema constitucional del siglo XIX está caduco. El ejército es la última aristocracia, vale decir la última posibilidad de organización jerárquica que nos resta entre la disolución demagógica."

Estos conceptos no son producto de un juicio aventurado sino el resultado de una larga crisis, de una decepción frente a la realidad de América, convulsionada por dictadores y revoluciones grandes y pequeñas, dominada por capitales extranjeros explotadores de la barbarie. Lugones, modernista con el culto por la sabiduría, creía que la cultura era el único medio para salvar a los pueblos. Pero solamente una jerarquía justa y fuerte podía imponer esa cultura:: la casta militar. Que no era por cierto la de los militarotes que avergonzaban con su venalidad a otros países de América. El Ejército Argentino estaba ennoblecido con una tradición de libertad —San Martín es el héroe nacional, símbolo del renunciamiento y de la rectitud— y se caracterizaba por su disciplina y su respeto por la democracia. En Argentina, desde 1880 —salvo una revolución populista y fracasada, la de 1890— había habido siempre gobiernos organizados y sustentados por la Constitución. Los golpes de estado militares parecían allí cosa imposible y menos aún los de tipo totalitario.) Hasta que en 1930 se produce aquel en el cual se enrola Lugones. No cabía pensar en su golpe de Estado por ambición de poder sino para asumir una actitud frente a la hora del mundo que luego se retractaron de su ideología con relación al país. Muchos opinaban lo mismo que Lugones. 1930 es un año crucial: desde 1917 Rusia es un mito detrás de una frontera cerrada. Los "camaradas de ruta" son los intelectuales, abanderados del liberalismo. Por un resabio socialista Lugones era enemigo del Marxismo. Pero en 1924 se ha declarado fuera del socialismo. Tiene que escoger. Y se deja arrastrar por la fuerza organizadora que en 1930 convertía a Italia en la potencia más temida de Europa. Tal vez pensó Lugones en la república de Platón, cuya democracia es muy discutible. Se equivocó como tantos otros (como Drieu La Rochelle, Ezra Pound.) Y pagó, ocho años más tarde, muy cara su equivocación. Es fácil admirarse ahora, que miramos hacia el pasado, de que un hombre de la inteligencia de Lugones haya podido sentirse atraído por movimientos derechistas. Es más difícil prever el resultado de esos regímenes mirando hacia el futuro.

La equivocación de Lugones nace de un convencimiento errado, y ese convencimiento —que en él fue notorio porque se trataba de una de las figuras más leídas de la literatura continental— tocaba a muchos intelectuales que salían del Modernismo y que penetraban por el terreno inseguro del Vanguardismo. Tocaba más todavía a la generación que seguía a Lugones. Al "arte por el arte" de los modernistas, que creían en la regeneración espiritual del hombre a través de la cultura, en la transformación de la sociedad por la inteligencia, se sucede la llamada "deshumanización del arte" en la postguerra de 1918. La inteligencia ha fracasado y hay que marchar a la salvación del mundo no por la razón sino por la unión de las masas, no por el razonamiento de la democracia regida por los preceptos de una doctrina intelectual, sino por la revolución de clases y por la imposición de ideologías mediante la lucha mayoritaria y violenta. El avance de la lucha del proletariado se produce en grado parejo al desencanto de la inteligencia. La reacción de la inteligencia es acompañar en parte al proletariado — o al poder que sepa administrarlo, como en el caso de Lugones— o dar la espalda a la realidad, ignorar la realidad construyendo un muro que defienda la civilización de la barbarie que la destroza y vulgariza. El resultado, como en el cuento de "La muerte roja" de Edgar Poe, es que la peste aparecerá en medio de esta ahora sí verdadera "torre de marfil" del año 30, que preside Paul Valery y ataca Julien Benda.

En 1938 la guerra civil destroza a España y Hitler y Mussolini despliegan sus banderas. Ese mismo año, silenciado poéticamente, y también en prosa, Leopoldo Lugones tomaba cianuro en una isla del Tigre bonaerense. Con él, con su frustración, concluían las últimas ramificaciones de ese Modernismo que había escogido a la cultura como arma de lucha; sobrevivía el "Mundonovismo" nacionalista, espúreo y mezclado al Vanguardismo. Había llegado la hora de la espada, la de los regímenes totalitarios; una hora muy diferente a la imaginada por Lugones en 1924.

DE LA NACION AL NACIONALISMO

> Hermano, tú que tienes la luz,
> (dame la mía.
> Soy como un ciego.
> Voy sin rumbo y ando a tientas.
> **Rubén Darío** ("Melancolía").

LA POSTGUERRA DE 1918

El final de la guerra de 1914-18 trae un cambio fundamental en la estructura del mundo occidental. No es solamente un cambio político — la caída de los gobiernos aristocráticos y su reemplazo por la clase burguesa y capitalista—, sino una mudanza de perspectiva respecto al hombre. Y, además, una inversión en la estética.

Anti-racio-nalismo

La guerra ha provocado algo así como la conciencia de que el hombre ha fracasado en su propósito de ordenar al mundo. La razón ha fracasado. El hombre está en conflicto espiritual. Para salvarlo hay que explicar su naturaleza esencial por medios no racionales, o reducir a términos inteligibles para la razón los factores ignorados del subconsciente. Las doctrinas de Sigmund

Freud y del psicoanálisis comienzan a expandirse en América en la década del 20.

Reversión de la estética

Estéticamente, también se produce una reversión de valores: la vulgaridad, lo irracional, lo feo y deforme, van a convertirse en vehículos capaces de engendrar belleza, por el camino de excitar los sentidos, sin que intervenga la razón analítica que lleva a la comprensión lógica. Un poema debe "expresar" al hombre, y explicarlo, pero la lógica cede —y el mundo entero de los "rugientes 20s" es un mundo entregado a los sentidos— a la expresión: la poesía ha de ser abstracta como la música, que se entiende sin que nadie pueda explicarla. Todo el arte finisecular se dirigía a esta culminación de posteguerra, una culminación sensorial y no espiritual.

Areas culturales

En América las Areas Culturales se han diferenciado cada vez más en cuanto al nivel de educación de las masas; aunque sus cabezas dirigentes sean excepcionales; hay zonas que se han vuelto paupérrimas en relación con su pasado. Estas masas oponen idiosincrasias cada vez más delimitadas: un acentuado nacionalismo en el cono norte de América Hipana —es el gran apogeo mexicano— y una acentuada europeización, o universalismo, en el cono Sur, donde los aportes migratorios han traído o afirmado modalidades europeas .Las dictaduras se han afirmado, se ha afirmado el Capitalismo y también el Imperialismo. Los gobiernos "fuertes", o los gobiernos pseudo constitucionales, se suceden sin que su mudanza altere la estructura "sudamericana" de sus pueblos. Será preciso que la Segunda Guerra Mundial transcurra para que estas estructuras sociales comiencen a modificarse. Será necesario que de la Doctrina Monroe y "la política dólar" se pase con Franklin Delano Roosevelt a la "política del buen vecino", en 1933. Será necesario que John F. Kennedy, en 1963, proclame "La Alianza para el Progreso." Y que nazca el primer país comunista en América: Cuba. „

Inteligentzia y militancia

Contrariamente a lo ocurrido durante el modernismo —que unifica a hombres y países en su faz estetizante y panamericana— la postguerra hace que los intelectuales hispanoamericanos asuman distintas actitudes; incluso la de llegar a crear, y esta vez sí es acertada la imagen, una "torre de marfil" donde se refugia la "inteligentzia", para protegerse del prosaísmo y prevenir la barbarie circundante. Los hay militantes políticos y prescindentes sociales, estetizantes y vulgaristas, vanguardistas y tradicionales, y hay cien corrientes para la poesía, que se cruzan y se intercambian entre sí. Pero es posible, por simplificación de elementos accesorios, seguir las líneas generales de la poética de estos años. Es necesario, como primera medida, mirar el cuadro sinóptico que hemos trazado en las primeras páginas de este libro.

* * *

Poesía Social

Ya hemos dicho que el Panamericanismo que inició Darío con "Cantos de vida y esperanza" (1905) se transforma en poesía del proletariado. El socialismo es fuerte en el mundo entero, la flamante URSS es un mito de esperanza detrás de sus fronteras cerradas, de las que corre una propaganda abundante —"los camaradas de ruta" se encargan de ella— fértil en ideales prometedores. Esta poesía de tipo social, de amor a los humildes, al proletariado oprimido, antiimperialista, nacionalista moderada, de reivindicación del indio (continúa la línea iniciada por Prada y Chocano), será casi romántica y poco peligrosa en la práctica a pesar de su alharaca.

Pero en 1930 encuentra un cauce seguro cuando se le da intención social a la poesía Negroide de las Antillas; se dirigirá, ya con fuerza de convicción, hacia la guerra de España (que cantan por igual los poetas culturanos y los poetas sociales) y culminará luego de la lucha contra el fascismo y el nazismo en la militancia proselitista de los poetas comunistas de 1945. De los románticos grupos socialistas, infantil e individualmente escandalosos, en Buenos Aires o Montevideo, se pasa a César Vallejo en Perú y se termina con los seguidores de Neruda en los días que corren.

* * *

Vulgarismo Poético

La poesía social se mezcla e intercambia formas y expresiones con la poesía vulgarista, que se inspira en el folklore y que no es, como se ha dicho con frecuencia, una reacción antimodernista. El modernismo ya había cambiado su estética. El vulgarismo es un producto más de la reacción de postguerra respecto a los conceptos tradicionales de la estética: el "feismo" es aproximativo y genérico; la belleza aisla y aleja, y pertenece a unos cuantos escogidos. La sensación estética pues, para que llegue a todos, ha de transmitirse por el camino de lo cotidiano. Tanto cuidado como pusieron los modernistas en escoger sus "gemas-palabras" se pone en el "vulgarismo" en escoger palabras de uso corriente, del acaecer diario, para introducirlas en los versos. Fernández Moreno y el mismo Lugones llegan a estos extremos. Pero "vulgarismo" no siempre quiere decir ordinariez. Ordinariez o plebeyismo intencional ponen los poetas sociales que utilizan y se placen de la tendencia del "feismo". A través del vulgarismo, *o vulgarización del vocabulario,* la poesía de la Nación, de la nacionalidad, se vuelve poesía de la ciudad, preferentemente orillera, y poesía costumbrista, con utilización de elementos autóctonos. El Nacionalismo afianza sus raíces en este tipo de poesía de la cual el sencillismo, el prosaísmo o el costumbrismo, son meros matices.

Poesía culterana

La poesía culterana encuentra tres cauces en la postguerra, tres cauces herméticos, mucho más que los legados por Góngora. En 1927 se cumple el tercer centenario de la muerte de éste, que vuelve a ser, con García Lorca y Jiménez, el poeta más leído de América hispánica. El "hermetismo" —que no siempre es metáfora incomprensible— es la característica común de estas tres tendencias culteranas: el Vanguardismo, el Culteranismo y el Hermetismo Autóctono.

El "hermetismo" y la "deshumanización del arte", provienen de la crisis en que ha entrado la inteligencia, o mejor dicho, la lógica racionalista. Los sentidos deben enseñar al hombre, hacerlo gozar como antes la razón lo hizo gozar.

Vanguardismo

Vanguardia: Los poemas ya no tienen ni "argumento", como en el Romanticismo, ni son claras expresiones de una estética comprensible o de estados espirituales atendibles, como en el Modernismo. La metáfora —cuanto más absurda mejor— sustituye a la unidad total del poema. La acumulación de metáforas extrafalarias crea otro tipo de unidad, no comprensible por la razón, pero sí captables por los sentidos y el subconsciente (el Creacionismo de Huidobro acepta la creación antirracional y el superrealismo, el automatismo.)

Esta unidad anti-lógica aporta un conocimiento acerca de la naturaleza y la conducta del hombre que la razón puede captar y declarar a medias (Amado Alonso intenta explicar el superrealismo de "Residencia en la tierra" de Pablo

Neruda). Del Creacionismo al Superrealismo, con algunos ismos paralelos de menor importancia, se extiende todo el Vanguardismo, bajo la férula de Tristán Tzara y Apollinaire. Le pone fin la guerra civil de España: Neruda cesa de ser hermético y se clarifica cuando el comunismo deja de apoyar al superrealismo, considerado hasta ese entonces como una rebelión frente a la poesía "burguesa"; incluso la poesía negroide —otra manifestación del hermetismo vanguardista—, al convertirse en social, busca elementos más comprensibles dentro de su onomatopeya.

Culteranismo

El otro hermetismo, al que hemos llamado culterano puro, el gongorino, cae bajo la férula de Mallarmé primero y de Paul Valery después, para librarse parcialmente del embrujo francés y recibir, en la post-guerra de 1945, la influencia de T. S. Eliot. Como reacción ante el vulgarismo, los poetas culteranos se encierran en una "torre de marfil", dando la espalda a la realidad, con el propósito de conservar —en "reservas" de buen gusto— el refinamiento que zozobra en el mundo sensorial que ha nacido con las transformaciones sociales de la postguerra de 1918. El escepticismo finisecular, y de principios de siglo, la crisis del liberalismo, vuelve egoistas a estos poetas que creen llegado el momento de una "universalización" de los valores de la poesía americana. Los poetas tienden hacia esa universalización, vieja aspiración del complejo de inferioridad frente a Europa: un poema ha de carecer de latitud geográfica. Luego, la actitud cambia sin que se abandone la torre de aislamiento: el hombre puede ser conocible a través de sus caracteres generales y no individuales. La poesía culterana deriva en 1945 hacia una faz universalista: vuelve a la filosofía, y escoge la "existencial" de auge en el momento, y renace la poesía religiosa, de planteos y análisis, más que de confesión, adoración o postración. Octavio Paz y Carlos Pellicer o Leopoldo Marechal y Ricardo Molinari son buenos ejemplos.

Hermetismo Autóctono

El "hermetismo autóctono", se enlaza con la poesía proletaria y con la poesía costumbrista, a la que continúa a partir del año 30, aproximadamente. Federico García Lorca y Juan Ramón Jiménez, lo rigen. La onomatopeya de un costumbrismo recreado por la imaginación del poeta es uno de sus grandes recursos: colores fuertes, imitaciones guturales, percusión. El folklore, con fuerza nacionalista, sustenta a este "hermetismo". La poesía negroide es el ejemplo mejor, pero no el único: a menudo la sencillez costumbrista deriva en complejidades vanguardistas.

Poesía religiosa

Aunque la estudiaremos dentro del Culteranismo, conviene detenernos por un momento en la Poesía Religiosa. Ya vimos cómo con el nacimiento del liberalismo a principios del siglo XIX, con la permanente acusación de regalismo a la Iglesia, la poesía religiosa prácticamente desaparece. Hay, por supuesto, poetas que escriben algunos poemas con temas religiosos; pero no hay ninguno que escriba "toda" su obra en esa tónica, o por lo menos que la preocupación religiosa sea lo fundamental de su producción. En el período finisecular hay atisbos aislados y parciales de inquietud religosa. La Guerra Mundial de 1914-18 da un golpe muy fuerte al liberalismo. El escepticismo y el mundo sensorial —inmediato, vacío— buscan una salida espiritual: la torre de marfil. Y luego, la ubicación definitiva del hombre. Con el advenimiento del fascismo, pero para oponerle una fuerza espiritual, renace la poesía religiosa. Si parte de la Iglesia pensó, por un momento, en que la extrema derecha podía significar una ayuda en su lucha contra el liberalismo, el marxismo, el socialismo, los poetas de tipo religioso se equivocaron muy excepcionalmente: prescindieron de la política y se dedicaron a interrogar, con fuerte raíz filosófica, el misterio de la fe en relación con el hombre. Al mismo tiempo, como los novelistas, mantuvieron una respetuosa independencia frente a los canones del clero.

* * *

Poesía Femenina

La transformación de postguerra incluye la aparición de la mujer como elemento activo de la sociedad. El "feminismo", y las "sufragistas", se hacen escuchar. Subleva a la razón el bárbaro y arbitrario concepto masculino del mundo que niega todavía hoy los derehos más elementales a las mujeres. En poesía, por comodidad y resabio de "machismo" se las agrupa siempre bajo el rótulo de "Poesía femenina". Craso error, en el que también nosotros caeremos —por lo menos en parte—. Se las debería estudiar por separado, asimilándolas a los grupos poéticos, según las características más sobresalientes de su libros. Por ejemplo, Alfonsina Storni tanto es romántica como modernista e incursionó en el ultraísmo. Gabriela Mistral podría entrar en el panamericanismo, en el sencillismo, en el culteranismo existencial y religioso.

Pero hay una característica común a todas las poetisas que tal vez explique el rótulo de "Poesía femenina" y que nos hará reunirlas una vez más: la mujer no aparece de una manera pasivamente romántica, sino con franca rebelión erótica, en plan de lucha, vibrante, con un sentido matriarcal y gran desprecio por el hombre que la humilla.

* * *

Y para concluir: el eterno romanticismo innato de América Hispana se manifiesta en este período en que, junto con la deshumanización del arte de unos, hay una humanización paralela de otros. (Los poetas cantan al amor, tema desdeñado por sensiblero por los modernistas que lo trataban con estetizante erotismo.) Se vuelve, como en el romanticismo puro, a la imagen casta del amor; y son, paradógicamente, las mujeres las únicas que van a discordar al cantar al amor físico y al decirle cuatro verdades a los hombres que éstos, mientras contemplaban tozudamente una simbólica rosa, no tuvieron más remedio que escuchar.

* * *

Para explicar los tópicos enunciados tendremos que detenernos en las figuras representativas de cada uno de ellos, avanzar hasta nuestros días y regresar luego a 1918, para volver a desarrollar otro tema. No olvide pues el lector que las evoluciones son paralelas, que se influencian e intercambian elementos entre sí, y que los mismos poetas pueden figurar en una u otra tendencia.

EL VULGARISMO

A principios de siglo, en plena guerra europea, el lenguaje llano y los temas prosaicos invaden el campo de la poesía. Era natural que tal cosa ocurriera: el estrecho contato con Europa y las grandes corrientes migratorias de europeos a América habían comunicado la crisis del espíritu, simbolizada en el hecho de que la "inteligentzia" —palabra muy de moda en la década del 30— no había sabido detener la guerra. Esto unido a que el Panamericanismo daba pocos resulta-

Sencillismo y prosaísmo

dos, y a que el socialismo triunfante introducía un lenguaje "proletario", dirigía a la poesía y a todas las artes hacia una necesidad renovadora que pudiera captar al hombre de la postguerra. ¿Y qué terreno mejor que el del "vulgarismo" al que todo tendía, en base a una satisfacción de los sentidos, a un no esperar al mañana porque "mañana" puede ser nunca? La introducción de nuevos vocablos en el vocabulario de postguerra tentaba a lo exótico, a lo ultraísta, a ritmos nuevos: el jazz, el arte negro —hermético y con algo de mágica adivinanza—, la maquinaria, el obrero y el lenguaje del obrero. El "Mundonovismo" había llevado a una expresión más sencilla, menos rebuscada. Del sencillismo al prosaísmo había muy poco trecho, principalmente cuando la poesía comenzaba a ser usada con fines de propaganda no poéticos.

Se origina entonces esa poesía de tipo proletario y social, muy recitada, con largas tiradas simplistas en su propaganda ingénua, más de lamento que de rebelión, más romántica —porque buscaba conmover la piedad mediante la narración de una desventura— que postmodernista, de la que volveremos a hablar, y que culminará con Pablo Neruda que la convertirá en poesía de propaganda y militancia.

Por otro lado, el vulgarismo se refugia en elementos del paisaje y en gente del paisaje. Se producen entonces dos formas de vulgarismo, que coinciden en tomar poéticamente elementos no poéticos: el canto a la ciudad, y el canto costumbrista donde la descripción del paisaje queda supeditada a un elemento narrativo, aunque a veces no haya argumento sino que aparezca un chispazo de tradicionalismo (la fijación de una danza, el tipismo de algún paisaje dado por algún elemento regional en la descripción, etc.).

* * *

Realismo vulgarista

El Vulgarismo es realista por esencia y rehuye el oscurantismo. Pero algunas veces se mezcla con la poesía culterana —en el superrealismo, admitido por la poesía social, o en la poesía negroide— y pierde su claridad narrativa e intencional. Otras veces, poetas culteranos como López Velarde, por ejemplo, toman elementos al prosaísmo popular. De nuevo los poetas y los poemas son más "de una sola cosa."

Arturo Capdevila

Renacen —con la poesía amorosa, que tanto tiene forma culterana como prosaica— los poetas románticos, como el argentino Arturo Capdevila (arg. 1889), cuya nutrida obra poética, en prosa y en verso, perjudicó a la calidad de su poesía. Su famoso Portico de "Melpómene" (1912) entusiasmó a las recitadoras del Continente, que ahuecaban la voz al decir "Melpómene, la musa de la tragedia viene...". Allí en este famoso poema, se advierte la cursilería finisecular que se introducía en la poesía que quería ser "de categoría" pero que usaba elementos pueriles del sentimentalismo popular o mujeril. Capdevila era mejor cuando hacía prosaísmo costumbrista, con bellos poemas descriptivos de las serranías de Córdoba ("El tiempo que se fue", en 1926) y de nuevo era prosaico, aunque dominara el idioma español con "galanura," una palabra de su época que bien lo califica, al entonar el canto patriótico: puso en romance la historia argentina ("Romances Argentinos", en 1938). Vale el ejemplo de Capdevila para destacar que el prosaismo, o vulgarismo —término más amplio y que admite más matices— no quiere decir "ordinariez", aunque empleara elementos y vocablos llanos, de la vida diaria. Los libros más conocidos de Capdevila, profesor por largos años, son: "El poema de Nenufar" (1915); "La fiesta del mundo" (1922); "El Apocalipsis de San Lenín" (1929). Su obra en prosa ("Córdoba del recuerdo, de 1923, o "La santa furia del padre Castañeda", en 1933) está llamada a perdurar más, por la limpidez de su estilo y de su idioma, que su teatro. "Cuando el vals y los lanceros" (1937), y gran parte de su poesía, "Otoño en flor" (1952); "Romances de las fiestas patrias", (1959).

* * *

Baldomero Fernández Moreno

Es difícil decir quién comenzó el primero con lo que se llamó el "sencillismo". Floreció con más intensidad en el cono sur del continente pero ganó adeptos en toda América. La figura más destacada y más representativa fue Baldomero Fernández Moreno, (arg. 1886-1950) poeta de gran sensibilidad y originalidad en su momento que poetizó los elementos más simples de la vida cotidiana. Tuvo dos faces —como lo señala Julio Noé en la "Historia de la Literatura Argentina" (Peuser, Bs. As., 1959) —pues "prefirió en su época de madurez la poesía más construída, como ya la había realizado con ejemplar acierto en varias composiciones de "Intermedio provinciano" (1916). Noé cita como representativos de este período a "Aldea española" (1926), "Poesía" (1929), "Dos poemas" (1936), "Romances" (1938) y "Penumbra" (1951). Pero aún en esta faz más cuidadosa de formas y metros, se mezcla esa sencillez en la expresión y en la elección de los temas del hacer cotidiano, que fué la que predominaba en sus primeros libros. Gerardo Diego lo declaró el poeta ideal hispanoamericano, con lo cual se excedió en gentileza. Roy Bartholomew dijo este juicio exacto: "El estreno poético de Fernández Moreno con "Las iniciales de misal" coincidió con el de Ricardo Güiraldes, quien publicó "El cencerro de cristal" en 1915. Güiraldes traía un descoyuntamiento impresionante en las formas, la expresión y los motivos: el camino por él abierto prosiguió en la pluma de los ultraistas y no se detuvo hasta la destrucción del poema; Fernández Moreno, en apariencia menos revolucionario, planteaba la urgencia de simplificación y exactitud, y ponía en versos preciosos y bellos, lo real, directo, tangible, de todos conocidos y al alcance de la mano, cuya fisonomía era de todos familiar y concreta." Enrique Banchs, en el discurso que pronunció cuando la muerte de Fernández Moreno, añadió: "Creo que es nuestro poeta de inspiración menos interceptada por la reminiscencia literaria... poseyó un idioma admirablemente expresivo y copioso a la vez que depurado."

Obras

Las principales obras de Baldomero Fernández aparte de sus dos hijos, César (arg. 1921) y Manrique (arg. 1923), que continúan la tradición poética son: "Las iniciales del misal" (1915); "Intermedio provinciano" (1916); "Ciudad" (1917); "Campo argentino" (1919); "Versos de Negrita" (1920); "El hogar en el campo" (1922); "Aldea española" (1925); "El hijo (1926); "Poesía" (1928); "Cuadernillos de verano" (1931): "Dos poemas"; "La tertulia de los viernes"; "Epístolas de un verano" (1935); "Romances" (1936); "Yo médico, yo catedrático" (1941); "Las azoteas", "Las tapias", "Los peones" (1943); "Parva" (1949); "Penumbra, libro de Marcela" (1951). En 1941 la colección Austral de Espasa Calpe Argentina publicó una buena antología de sus poemas. Su hijo César escribió "Introducción a Fernández Moreno" (Bs. As.

1956) con una interesante bibliografía ordenada por Roy Bartholomew.

Nacionalismo ciudadano

Dentro de la corriente prosaica hacia la que se encausó muy pronto el "sencillismo" floreció la poesía de la Ciudad. Fue un canto que restringió —principalmente en Buenos Aires— al canto de la Nacionalidad, que el Panamericanismo había derivado en poesía de militancia social y nacionalista.

Fernández Moreno, en 1917, publica "Ciudad", con un poema que se hizo famoso: "Setenta balcones y ninguna flor". Ya para ese entonces había un poeta que en la década del 20 los jóvenes reunidos alrededor de la revista "Martín Fierro" van a exaltar con entusiasmo un tanto irónico: Evaristo Carriego (arg. 1883-1912), autor de "Misas herejes" (1908) y "Los que pasan" (1912). Sus "Poesías completas" se publicaron en 1913. En 1930, Jorge Luis Borges publicará un intelectualizado estudio de este poeta que cantó con sencillez casi ramplona al arrabal de Buenos Aires y que no se alzaba mucho del lenguaje del tango, otro elemento que los "Martín-fierristas" consideraron con posibilidades estéticas. Carriego era llorón y sensiblero. Al igual que Héctor Pedro Blomberg (arg. 1890-1955), más pretensioso y original pero menos sincero, hizo poesía sencillista, romántica y narrativa. Describía bien la emoción del suburbio y los pequeños dramas cotidianos (véase "La costurerita que dió aquel mal paso").

La ciudad, con el fabuloso almácigo de los arrabales, típicos y legendarios para los jóvenes del centro, era un venero de inspiración. Todo el ultraísmo argentino se inspiró en la ciudad a la que Borges cantó en "Fundación mitológica de Buenos Aires." Era esta una forma de nacionalismo e, históricamente, era una prueba más de que la forma federal argentina era más de papel que de práctica: Buenos Aires, como en los tiempos de los ideales unitarios, seguía siendo "La cabeza de Goliath" (1940), como la llamó Ezequiel Martínez Estrada (arg. 1895), otro poeta que hizo poesía culterana sobre las huellas del Lugones de "Lunario sentimental" (véanse sus libros "Humoresca" (1929) y "Títeres de piés ligeros" (1929). Como ensayista su libro más famoso es "Radiografía de la pampa" (1933).

Martínez Estrada

EL TANGO

El tango, prosaico y popular, llegó a adquirir una categoría "poética" equiparable a la de la poesía gauchesca: se consideró que poseía una filosofía y una autenticidad que le daban un sabor único.

El tango —sus letras, que se escribieron por millares— dió testimonio de las transformaciones más íntimas de la psicología del ciudadano de Buenos Aires, al punto que quien quiera estudiar la mentalidad del porteño tendrá que recurrir a tangos que van desde "La morocha argentina", a "Buenos Aires", "Yira, Yira" o "Uno", tango existencialista, y no es broma, escrito por Enrique Santos Discepolo (arg. 1900-1954) dramaturgo de real talento. Escribieron tangos muchos otros escritores provenientes del teatro —el "sainete" costumbrista dió también la descripción de la cara íntima de Buenos Aires— como Alberto Vacarezza (arg. 1895-1959), cuyo poema "Los pregones de Buenos Aires" evoca las transformaciones de la ciudad a través de los gritos de sus vendedores ambulantes. Y fue un periodista, que escribió algunos tangos afortunados, quien intentó hacer poesía legítima, en el lenguaje lunfardo del arra-

Discepolo

Vacarezza

Carlos de la Púa

bal: Carlos Raúl Muñoz del Solar, cuyo pseudónimo fue Carlos de la Púa (arg. 1898-1950). Se plegó al ultraismo con Pedro Juan Vignale y Enrique González Tuñón —cometió las extravagancias de todos los jóvenes ultraístas: vendió grasa de víbora en una plaza—, publicó una novela "El sapo violeta", (1922) y en 1928 su libro de poemas "La crencha engrasada", reeditado en 1954. Era un hermetismo al revés, y muy curioso, pues la gente "del centro" no entendía una palabra de esos poemas en argot que la gente del arrabal comprendía sin dificultad.

El tango y la poesía gauchesca

La poesía del tango, apoyada en la sensualidad lenta de una música íntima (contraria al orgasmo de los ritmos tropicales, mantiene algunos caracteres —si bien deformándolos— nacidos en la poesía gauchesca: el fatalismo de que la mujer es cosa perdible —aunque agrega la acusación de traición que aquella no tenía—; el culto al coraje del hombre que ha de defenderse de la autoridad, que lo cerca con sus leyes —un elemento directamente heredado de la última faz de la poesía gauchesca— y la noción de la amistad como único aliativo capaz de unir a dos a los cuales aisla la misma injusticia. El resentimiento social —que estaba en el fondo de la poesía gauchesca— aflora en el vulgarismo del tango.

Creemos que únicamente los "corridos" durante la revolución testimoniaron tan de cerca como la letra de los tangos —algunas de real calidad poética— la psicología del mexicano. Si se deja de lado como en el tango, lo más exterior —el llanto en éste, el humor macabro en aquellos— se verá cómo están representados en esos corridos un sentido oriental, o indio, de la muerte, el desprecio por la vida que ha dejado de ser segura, el fatalismo frente a la tragedia, la reciprocidad en la venganza que engendra ferocidad, etc., etc.

El tango influyó en la poesía ultraísta argentina no solamente con sus palabras del argot, con giros de prosaísmo, sino en el tema y la mentalidad de los poetas. Jorge Luis Borges adopta un tono de compadrito, de bravucón orillero, para relatar algunos de sus más famosos poemas, pero se retira del argot para crear su propio lenguaje convencional: en "El general Quiroga va en coche al muere", la expresión "ya sin una sé (sed) de agua" figura en "Los trabajos de Pío Cid", de Ganivet.

* * *

Jorge Luis Borges

No es Jorge Luis Borges (arg. 1899) el mejor poeta de Argentina después de Lugones, pero sí es uno de los más originales. Su fama, internacional, descansa más en su prosa de cuentos y ensayos que en su labor poética. Su vida es simple y sin complicaciones mayores: estudia en Europa, en Ginebra, de 1914-1919 y en España, del 19 al 21, se vincula con los jóvenes del Ultraísmo. Regresa a Buenos Aires y contribuye a difundir esta tendencia en periódicos murales como "Prisma" (1921) ; en revistas que él funda, como "Proa" (1922) ; o a las cuales se agrega, como "Martín Fierro" (donde comienza a colaborar en 1924). Fundó en Emecé Editores, que ha editado sus obras completas, una colección de novelas policiales; hizo crítica de cine en la revista "Sur" (fundada en 1931) ; escribió argumentos de cine que no se filmaron nunca, aunque el más famoso director cinematográfico argentino, Leopoldo Torre Nilsson, se reveló en la versión de su cuento "Emma Zunz." Soltero decidido, escribió varios cuentos en colaboración con escritoras. Ha ido perdiendo la vista hasta quedar casi ciego. Presidió la Sociedad Argentina de Escritores, 1950-53, y la Biblioteca Nacional desde 1955. En 1961 recibe el Premio Internacional Formentor otorgado por editores de Alemania, España, Estados Unidos, Francia e Inglaterra.

Nació a la literatura en la época del ultraísmo y fue uno de los impulsores de la famosa revista "Martín Fierro" cuya importancia debe destacarse porque sistematizó la rebelión ya iniciada por otros poetas —por el mismo Lugones en "Lunario sentimental"— hacia el camino de la vulgarización poética; lo cual, insistimos una vez más, no quiere decir siempre que se haga poesía vulgar —que no sería poesía— sino que se escojan temas del ambiente cotidiano o, los más banales y simples elementos de referencia. La casi mítica erudición de Borges ha hecho que se le clasifique como poeta culterano. En el balance de su prosa y su ficción tal vez lo culterano prevalezca sobre la llaneza del tema (aunque las teorías filosóficas y los pensamientos orientales con los que "juega" no son tantos). Pero en poesía, el tema y la esencia que prevalecen son los de la ciudad, los arrabales, los personajes populares, los héroes "de un pasado inmediato" y un lenguaje aproximativo para describir la mentalidal o el paisaje de esos héroes ("la luna atorrando por el frío del alba"). Veremos qué elementos usa Borges para crear una "trampa" de apariencia culterana en su poesía.

* * *

Un lenguaje aproximativo

El "sencillismo" instaurado por Baldomero Fernández Moreno, el vocabulario pedestre del grupo militante socialista, las metáforas ultraístas de Lugones *avant la lettre* —en 1909— el tono de elegante irrespetuosidad y de costumbrismo ciudadano adoptado por una sociedad porteña, con pretensión de tradición y riqueza sino de aristocracia, es el ambiente en que Borges desarrolla su personalidad al llegar de España a los 22 años. Y, naturalmente, descubre que el ultraísmo revolucionario y payasesco que ha aprendido en la península, aquí prende ya fácilmente y que, para colmo de sorpresa, existe "Lunario sentimental" (en 1955, en colaboración con Betina Edelberg, publica un ensayo titulado "Leopoldo Lugones"). Y que existe también "El cencerro de cristal" (1915), de Ricardo Guiraldes. El batallar por imponer una "libertad" en la creación —verso libre, metáforas altisonantes y descalabradas, asuntos que no habían interesado antes— gustó a Borges (y curiosamente, el punto de ataque era el consagrado e inconmovible Lugones). Pero junto a esto, que era forma pura, estaba toda la "ciudadanía", con su sabor inconfundible: el jazz, el tango —que con los ultraístas pasa a tener elementos metafísicos—, el suburbio pintoresco, el barrio de los inmigrantes italianos de la Boca, la rivalidad entre los barrios ("embelecos fraguados en la Boca"), la entronización de poetas muy cercanos a la sensiblería, como Evaristo Carriego. (Al que dedica un ensayo, en 1930). Esta ciudadanía atrae a Borges que publica en 1923 "Fervor de Buenos Aires" donde todavía no ha encontrado un estilo definitivo pero donde apuntan los temas que harán tan inconfundible su poesía.

Turistas admirativos

Pero —y Borges no es el único caso— la característica de ese civismo enamorado de Buenos Aires (que se preciaba de ser el París de América, que ha crecido desmesuradamente con corrientes de gran inmigración), es que sus cantores descienden desde la calle Florida —centro elegante de la ciudad— a los barrios suburbanos; pero un poco como turistas admirativos y condescendientes, como una picardía más del ultraísmo, llevando consigo, instintivamente, su concepto de clase, sabiendo que aunque se mezclen con "reos" seguirán siendo siempre ellos, cultos y refinados. El grupo de la calle Boedo, el grupo de los poetas izquierdistas, atacaba a los de la revista "Martín Fierro" (el de Florida), acusándolos de falta de autenticidad. Fuera así o no, lo cierto es que de esas excursiones al suburbio, de su visión de hombre erudito e imaginativo, Borges recrea un tipo del arrabal, el compadrito —el matón orillero—, hasta hacer creer que sus retratos de malevos (bravos), cafishios (explotadores de mujeres) y compadres (bravucones), eran auténticos y no recreación total, como la que corresponde a un verdadero artista. Incluso son ficticias las reflexiones que se hacen sus personajes utilizando un lenguaje compuesto de palabras usadas en el centro de la ciudad y en el suburbio, pero ordenadas por una mente de inteligencia superior. (Véanse las distintas versiones de "Hombre de la esquina rosada", su cuento más famoso).

Gauchos y Malevos

En este sentido, tanto la prosa como la poesía de Borges continúa la tradición de la poesía gauchesca. Sus "malevos" —los bravos del bajo fondo— tienen algo del "gaucho matrero", el paisano montaráz que no aceptó la limitación del cerco alambrado del inmigrante y del criollo. Sus malevos se rigen por las mismas leyes del gaucho respecto a la bravura y a la independencia frente a la ley escrita; pero respetan las propias normas: una ética basada en el coraje, en el auto abastecerse. Son gauchos que han dejado de ser nómades. Borges les agrega un ingrediente que deriva del romanticismo: el "fatum", el sino que los conduce sin remedio a su perdición final.

* * *

Metafísica y criollismo

Lo que hace original tanto a la narrativa como a la poesía de Borges y les confiere esa extraña seducción —una y otra son más seductoras que inspiradas, admiran y extrañan más que conmueven— es la superposición inesperada de dos formas del pensamiento. Borges, en poesía, es narrativo, aunque él se cuide muy bien de desarrollar anécdotas después de evocarlas con dos o tres elementos descriptivos (batallas, momentos en la vido de los héroes, instantes del suburbio.) Al plano narrativo de ese lenguaje que él hace pasar por auténtico gracias a su talento, con sus tipismos, su aire de tango alzado de categoría, Borges agrega un tema que pareciera imposible que coexista con el otro, —no se funden, ni él intenta la fusión, sino que mantiene la balanza entre un asunto y otro—: el de la metafísica. Van incluídas ideas tomadas de religiones orientales, casi siempre relacionadas con la fatalidad y con el destino inmutable, y una imaginería propia o ajena (inventa filósofos y planteos metafísicos al punto que hay que ser dos veces erudito para saber cuáles son verdaderos, de los apenas oídos nombres que su sabiduría cita.) Por el otro lado, reúne y aplica en sus poemas teorías filosóficas, tales como la del "eterno retorno", obsesiva en él, la de que todos los hombres son un solo hombre, o que toda la naturaleza es el sueño de alguien (¿Leibnitz? ¿Lao Tse?). La teoría del "eterno retorno", y la habilidad conque mezcla los dos planos sin confundirlos —filosofía y localismo— están muy claras en "La noche cíclica" (publicado en "La Nación" de Buenos Aires el 6 de noviembre de 1940). El "fatum" sin escape lo tenemos en su más hermoso poema, quizás el más perfecto de su obra (incluye, sin discordar, un verso de Dante): "Poema conjetural" ("Cuaderno San Martín", 1929). Su especial teogonía, junto con el mito del héroe condenado, figura en su no menos famoso "El general Quiroga va en coche al muere" ("Luna de enfrente", 1925). El localismo puro, pero poetizado con la emoción del tango, con utilización de giros de lenguaje corriente en el centro ciudadano, aparece en "Fundación Mitológica de Buenos Aires ("Cuaderno San Martín", 1929).

El título de los libros de poemas de Borges es significativo de su carácter de poeta ciudadano, ultraintelectual, que juega con el vulgarismo porque está seguro de domeñarlo mediante el empleo exacto de las palabras: "Fervor de Buenos Aires", 1923; "Luna de enfrente", 1925; "Cuaderno San Martín", 1929 (el título lo tomó de unos cuadernos escolares, muy vendidos en la época, que llevaban la efigie de San Martín en su tapa azul). Hasta 1943 no vuelve a publicar ningún libro de poesía, salvo poemas esporádicos que incluyó en la "Antología" que ese año editó Losada. Casi por entero se dedica a su obra de ensayista, cuentista y antólogo. En 1958 vuelve a actualizar la misma antología, introduciendo algunas variantes en diversos poemas, como en el caso anterior. En 1960, con "El Hacedor", donde mezcla versos con prosas, hay dos poemas, menos fríos e intelectuales que los que a base de talento sin inspiración ha venido escribiendo en los últimos años: "Los espejos", juego de imágenes metafísico sobre el planteo de la realidad y la irrealidad, de la oposición entre apariencia y vida, y "La biblioteca", donde habla de su ceguera —casi total en los últimos años— con dignidad y mesura, e introduce —como en algunas de las prosas del libro— un atisbo de religiosidad, una tentación del Dios cristiano, de la cual se desdijo de inmediato, pero que está latente a pesar de él mismo. También de 1960 es una antología en prosa, representativa de su preocupación principal en esa época: "Libro del cielo y del infierno" (recopilación en colaboración con Adolfo Bioy Casares, su gran amigo.)

Influencias y gustos

Lugones le permitió afianzar su ultraísmo; Carriego le enseñó a amar el suburbio de Buenos Aires; Lucio V. Mansilla (arg. 1831-1913), autor de "Una excursión a los indios ranqueles", vigorizó en Borges la admiración por el pasado patrio (en 1931, cuando sale el primer número de la famosa revista "Sur", Borges figura con un artículo sobre el coronel Mansilla). En este aspecto, Borges continúa la Poesía Patriótica romántica, como en lo ciudadano prosigue la línea de la Poesía de la Nacionalidad.

Muy poco quedó en la poesía de Borges del ultraísmo —véanse las diferentes versiones de "Fundación Mitológica de Buenos Aires", por ejemplo—, en cambio el "adjetivo raro", la sinestesia, la palabra infrecuente de los Modernistas, lo sedujo más que las incoherentes metáforas ultraístas. Las formas adjetivadas sorprenden siempre en sus poemas: "Lo supieron los "árduos" alumnos de Pitágoras...", "La noche "lateral" de los pantanos", "Prendieron" unos ranchos "trémulos" en la costa", etc., etc.

Sería muy difícil, en este trabajo, establecer cuáles son los autores extranjeros que más han influído en la mente erudita de Borges: genéricamente, los narradores ingleses de cualquier género; la filosofía alemana, las religiones orientales. Sus libros en prosa más conocidos son "Inquisiciones", 1925; "El idioma de los argentinos", 1928; "Evaristo Carriego", 1930; "Antiguas literaturas germánicas", 1951; "El Martín Fierro", 1952, en el terreno del ensayo. En su obra de ficción hay que citar: "Historia Universal de la Infamia", 1935; "Historia de la Eternidad", 1936; "El jardín de los senderos que se bifurcan", 1941; "Ficciones", 1944; "El Aleph", 1949; "La muerte y la Brújula", 1951. Con Adolfo Bioy Casares ha escrito cuentos policiales, "Seis problemas para Isidro Parodi", en 1943 y "Un modelo para la muerte", en 1945. Ha publicado antologías de literatura fantástica, de cuentos policiales, de poesía argentina, etc., etc., en colaboración con Silvina Ocampo y Bioy Casares.

LA POESIA DEL NACIONALISMO TERRITORIAL

El Nacionalismo

Al canto a la Nacionalidad, al orgullo de la Nación en progreso y en hermandad con las otras del continente, para cumplir las ideas de Miranda, de Bolívar, a la idea del Panamericanismo propiciado por el Mundonovismo, sucede una rotura de esos ideales que no tenían unidad en la práctica. Cada Nación —exacerbado sus sentimientos nacionalistas por la mayor o menor violencia en la lucha con el imperialismo— se esfuerza en diferenciarse de las otras, se considera superior a las otras, con orgullo propio. Es el período que va de la Doctrina de Monroe a la política del Buen Vecino y a la Alianza para el Progreso, de Wilson a Roosevelt y Kennedy. Hay conflictos de fronteras, los gobiernos legales, ¡ay! siguen siendo derrocados por asonadas militares, hay dictadores "constitucionales". La poesía, a través del vulgarismo —que se alzó, en este caso, contra el Modernismo al que acusaba de burgués y antipopular, a pesar del Mundonovismo—, sirve a los poetas nacionalistas (como servirá a los socialistas) de vehículo de propaganda. En Argentina, ya vimos cómo ese nacionalismo centrista se concentra en Buenos Aires, con el grupo de poetas cantores de la ciudad, que culminará en Borges y que se con-

En Argentina

tinuará hasta nuestros días (con "Poeta al pié de Buenos Aires", y "Tango", de Fernando Guibert, de 1953 y 1962). Pero también en Argentina, la poesía comienza a separarse de la Capital, y a buscar el paisaje o el costumbrismo provinciano.

En México

En México nace un nacionalismo semejante. Se pasa de "La Suave Patria", de López Velarde a los poemas laudatorios de la Ciudad de México, casi infaltables en todos los poetas de la revolución (Justo Sierra, mex. 1848-1912, tiene uno muy hermoso.) Pero aquí el fenómeno del nacionalismo se vuelve más complicado porque así como se celebra a México, la capital, con igual pasión se alaba a otras ciudades, con preferencia a Guadalajara y a Veracruz. En México la Revolución agrarista desarrolla un nacionalismo tumultuoso con fácil explicación, ya que la propaganda revolucionaria mostraba al pueblo, tantas veces invadido y desposeído, como triunfante con ideales propios, que eran admirados e imitados en el resto de América. Los gobiernos revolucionarios, que sucedieron a los períodos trágicos de la lucha, se asientan en la década del 30 y dan gran importancia a la investigación arqueológica, a los valores de las civilizaciones precolombinas. Sus "muralistas" crearon una escuela original y el "corrido" fue tan representativo de la psicología y el pensar popular mexicano en aquel momento, como el tango argentino para los porteños.

En Chile

Gabriela Mistral recoge este "folklorismo", y siguiendo la línea de José Santos Chocano, escribe sus poemas de "indoamérica" en "Tala" (1938). (Vasconcelos la había invitado a colaborar en la reforma educacional mexicana.) El folklorismo y el costumbrismo —que recibe la influencia española de Gabriel y Galán, primero, y de García Lorca después— no tienen una misión de militancia, de ideas. Nacen naturalmente, por necesidad nacionalista de los poetas de glorificar el propio suelo y exaltar lo vernáculo, que antes había parecido desdeñable.

En Colombia

También es una necesidad espontánea de revalorar el terruño —para satisfacer al orgullo nacionalista— lo que mueve a los poetas "paisajistas" como José Eustasio Rivera (colom. 1889-1928). Tuvo una vida de relativa tranquilidad y su muerte —en Nueva York— fue una pérdida notable. Era abogado, e intervino en la investigación ordenada por el gobierno acerca de las condiciones de vida de los trabajadores petroleros del río Magdalena y en una cuestión de límites entre Colombia y Venezuela. Representó a su país en el aniversario de la independencia de México, 1921 y de Perú, 1924. Dejó una famosa novela poemática y realista, "La vorágine" (1924) y un libro de poemas: "Tierra de promisión" (1921). Se inició en la poesía con un poema "Canto a San Mateo", dedicado a un héroe de la independencia. Los sonetos de "Tierra de promisión" son de dureza parnasiana pero de sentimiento romántico (su temperamento de mestizo provinciano se oponía a la "moda" capitalina del fervor modernista por Heredia, dejado por Valencia) e impregnados del mismo nacionalismo fervoroso que animó al paisaje del romanticismo. El nacionalismo despierta y deja en libertad a muchos poetas que "se atreven" a volver ser decididamente "románticos" (como el argentino Arturo Capdevila).

José Eustasio Rivera

* * *

El paisaje nacionalista

El paisaje en los poetas del Nacionalismo se vuelve de nuevo preciso y descriptivo, como en los románticos, pero sin alcanzar la resonancia dramática que aquellos ponían en él, dejando traslucir sus sentimientos. El paisaje del Nacionalismo está, en cierto sentido, más cerca de la sequedad descriptiva de los neoclásicos, como Andrés

Bello. Queda suprimida esa instrospección que era la única que les estaba permitida a los modernistas, poetas intravertidos, pues nada decían de ellos, de sus sentimientos (a pesar de los poemas confesionales, mesiánicos más que biográficos, de aspiración y no de análisis del hombre en sí mismo.) La poesía de instrospección, que se vuelve existencial pura, pasa exclusivamente a la poesía culterana y en cambio la necesidad de mostrar, de honrar, de alzar con realismo —el realismo será su característica— al paisaje nativo por encima de los demás paisajes, convierte a los poetas nacionalistas en folklóricos, acriollados, sencillistas o costumbristas. Tanto cuando describen el paisaje como cuando se vuelven narrativos al aludir a la gente que habita en ese paisaje.

Los poetas nacionalistas

En esta línea, a más de Rivera, podemos mencionar a Alfredo R. Bufano (arg. 1895-1950), Ernesto Mario Barreda (arg. 1883-1958), a Felipe Pichardo Moya (cub. 1892-1957), a Luis Palés Matos (puert. 1898-1959), en su primera y última época, a Luis Carlos López (col. 1861-1951), a Domingo Moreno Jiménez (dom. 1894).

Miguel Angel Asturias

Quizás el más alto y completo "criollista" (resume el folklore, el paisaje, la intención independentista, la exaltación de los valores nacionalistas) sea Miguel Angel Asturias (guat. 1899), el famoso novelista de "El señor Presidente" (1946), en su libro "Poesía". Sien de alondra", de 1949. Lindando con la poesía culterana, pero sin perder su sabor guatemalteco, son sus "Ejercicios poéticos en forma de soneto sobre temas de Horacio" (1951).

Carlos Pezoa Véliz

Poeta del suburbio y de la tristeza popular, de la resignación y de lo vulgar, fue el chileno Carlos Pezoa Vélis (ch. 1879-1908), que murió tísico y vivió en la miseria. Sus "Poesías" (1927), fueron recopiladas por sus amigos y ejercieron notable influencia en la poesía chilena del proletariado, aunque él no era militante de ningún credo. Es un equivalente del argentino Evaristo Carriego, del que ya nos ocupamos. Otro ejemplo es Jorge Carrera Andrade (ecua. 1903), en sus "Boletines de mar y tierra" (1930), que lleva prólogo de Gabriela Mistral (quien, no sabiendo cómo calificar a esa poesía mezclada de vanguardismo e indigenismo, la titula "indofuturista"). Y dentro de este criollismo nacionalista, cabe mencionar a Ricardo Güiraldes y a su libro "El cencerro de cristal" —ver poesía gauchesca—, a Miguel A. Camino (arg. 1877-1956) y a Fernán Silva Valdés (urug. 1887-) con sus libros "Poemas nativos" (1925) y "Los romancesos chúcaros" (1940).

* * *

Citaremos, en grupo, a algunos poetas que aunque en muchos aspectos participaron de la Vanguardia, de la poesía Culterana pura o de la poesía Social, fueron a pesar de sus ideas y de sus formas, poetas de exaltación nacionalista, en todas las variantes que hemos enunciado: sencillismo, folklore, tipismo, etc., etc.:

José Coronel Urtecho (nic. 1906); Antonio Pablo Cuadra (nic. 1912); Tomás Hernández Franco (dom. 1904-1952); Juan Antonio Corretjer (puert. 1908); Eduardo Carranza (col. 1913); Alejandro Peralta (per. 1899); Octavio Campero Echazu (bol. 1900); Heriberto Campos Cervera (parag. 1908—1935); Alfonso Guillén Zelaya (hond. 1888—1947); Ricardo Miró (pan. 1883—1940); Agustín Acosta (cub. 1886); José Tadeo Arreaza Calatrava (venez. 1885); Andrés Eloy Blanco (venez. 1897-1955) Abraham Valdelomar (per. 1888-1919); Pedro Prados (chil. 1886-1952); Manuel Ortiz Guerrero (parag. 1897—1933); Luis Cané (arg. 1897—1957); José Joaquín Casas (colom. 1865—1951); Julio Florez (colom. 1867-1923); Víctor M. Londoño (colom. 1876—1936); Carlos Arturo Torres (col. 1867—1911); Oscar Echevarría Mejía (col. 1918); Carlos García Prada (col. 1918); Germán Pardo García (col. 1902); Oscar Castro (ch. 1910), etc. etc. Habría que agregar aquí a los poetas "independentistas" puertorriqueños, que veremos en otro lugar.

LA POESIA DE MILITANCIA SOCIAL. DEL SOCIALISMO AL COMUNISMO

Poesía Social

En gran parte va diluída en la poesía nacionalista, pero tiene sus caracteres propios por lo que vale la pena referirnos a ella, para ubicarla dentro del vulgarismo y en su faz actual.

El escepticismo infuye a gran parte de la poesía de comienzos de siglo; será característico del vanguardismo —en la postguerra de 1918— y del culteranismo puro; y derivará —en la postguerra de 1945— en el credo laico de los poetas comunistas por un lado y en la poesía culterana o católica por el otro.

Los grupos agitados por el socialismo, con vaga mística anarquista, conmovidos luego por el mito del comunismo que se gesta detrás las fronteras de la URSS, son identificables en toda América a partir de 1920. Aunque se dieran el nombre de anarquistas o comunistas no iban más allá del socialismo. Eran algo escandalosos, bullangueros y, en el fondo, individualistas, porque no tenían detrás de sí a una masa que los considerara predicadores en serio. Son militantes, pero no son activos: sueñan con la hermandad socialista del mañana, gritan, se proclaman hombres del pueblo, que se interesa en su poesía sólo como cortesía desconfiada del trabajador afiliado a la "Casa Socialista" o a la "célula". Creen ser más fieles a sus ideas e identificarse con ellas porque visten con ingenua bohemia y miran con desdén al elegante, al que sin discriminación tildan de "capitalista". Estos poetas en Argentina, pero podrían darse iguales nombres en toda América, son Mario Bravo (1882-1941), socialista; Alvaro Yunque (se llama Arístides Gandolfi Herrero, 1893), anarquista; José Portogalo (1910-?), Leónidas Barletta (1902) o Raúl González Tuñón (1905-?), comunistas. En Uruguay la línea social irá de Emilio Frugoni (1880) a Enrique Amorín (1900-1960). En Cuba habría que citar a Rubén Martínez Villena (1899-1934), que renegó de sus versos para abrazar "la lucha social".

Temas de la poesía social

Los temas hasta una fecha precisa: 1936, son casi los mismos. Continúan poéticamente la línea del Panamericanismo en que derivó el Canto a la Nacionalidad, y en su ideal de fraternidad continental se oponen al localismo de los "nacionalistas": son antiimperialistas, y atacan por igual a Alemania, a Inglaterra y a EE. UU. Aprovechan lo giros vulgares de la poesía que sucede al desencanto de la guerra de 1914-18, para tratar de llegar "a las masas proletarias" y suelen caer en lo grosero, en lo prosaico, a fuerza de populismo. Después de la revolución española —1936— la actitud cambia: ya no basta con ser militante, hay que ser agente activo, poetas "activistas".

Vanguardismo y nacionalismo

El vanguardismo fue un movimiento culterano por su preocupación de las formas, su hermetismo, cierto simbolismo en las imágenes, el planteo de problemas metafísicos o sobre la condición del hombre en el mundo. Sin embargo, como estuvo ligado a problemas sociales y étnicos así como se vinculó con la poesía nacionalista —como en el Caribe— se vinculó con la poesía social. Tal el caso de César Vallejo. Cuando después de la guerra de 1939-1945 la URSS cambia los conceptos de la estética y el superrealismo (hasta ese entonces considerado un medio libre de expresión, capaz de desmenuzar las argucias del mundo capitalista) es mirado como lo que era, una poesía hermética reservada a unos pocos elegidos, se comenzó con *la única innovación real introducida en la poesía de América después de* 1950: la propaganda comunista, ya no de militancia antiimperialista o de localismo nacionalista sino de carácter universalista. Se ofrece a los poetas de América la posibilidad de una nueva unidad ideológica. El capitalismo, la "lucha antiimperialista", los localismos nacionalistas, se dejan de lado: son problemas salvables, etapas a resolver en el camino de la revolución "proletaria". De la protesta indignada contra los atropellos del capitalismo extranjero, pero protesta pasiva o por lo menos no masiva, se pasa a la acción, y a la acción colectiva con un objetivo claro y determinado, a ganar por etapas: *La poesía y los poetas son accidentes en el camino de la conquista social y deben estar al servicio de las ideas a propagar*, formarán en la línea de las "artes comprometidas" —sometidas al servicio de una idea no estética, generalmente política— frente al culteranismo que se niega "al compromiso" y cree que es en el libre análisis de las pasiones de los hombres, y en suministrarles motivos espirituales que lo mantengan en el terreno de la ética, donde se encontrará la salvación del individuo (por esto el interés en la poesía actual de analizar los móviles de la conducta, de replantear en forma existencial la

Poesía comunista

Compromiso social y culterano

esencia humana y de proporcionar creencias espirituales de nuevo cuño o revitalizar la fe religiosa).

La poesía de militancia comunista, cada vez más intensa, se advierte claramente en la evolución de los libros de Pablo Neruda, a partir de 1950, en que publica su "Canto general". Los poetas menores son los que festejan a Fidel Castro, líder comunista de Cuba. Trataremos la faz comunista de Neruda al analizar el conjunto de su obra en relación con el superrealismo. De igual modo nos referiremos a César Vallejo.

EL VANGUARDISMO

Opinión de Anderson Imbert

"Escribían en contra. En contra de las dulces perspectivas, en contra de los cosmopolitas ensueños del modernismo. Y escribiendo en contra se dieron al verso suelto, a la idolatría de la imagen y a la manía de coleccionar luego esos ídolos metafóricos, a los cambios en las funciones gramaticales de las palabras, a los barbarismos deliberados, a la sobreproducción de neologismos". "Surgió una literatura menos visual que la de los modernistas; en cambio, se proyectaban sensaciones más táctiles, viscerales. Sintiendo que el mundo les era hostil o, al menos que se ocultaba a la comprensión humana, estos escritores fueron realistas, prefirieron lanzar esquemas abstractos donde podían distorsionar las cosas con violencia de emoción y libertad de fantasía". Estos juicios sobre el vanguardismo son de Enrique Anderson Imbert (Historia de la literatura hispanoamericana, Fondo de Cultura Económica, 1961). En parte coinciden con las opiniones que hemos formulado: no fue la vanguardia una reacción contra el preciosismo Modernista sino contra el cosmopolitismo que quería crear el Mundonovismo. La decepción de la postguerra agravó las cosas —porque Europa perdió, en parte, su faz de mito civilizador para los pueblos de América—, y el vulgarismo, la invasión de un nuevo mundo (un mundo de los sentidos, regido por elementos no espirituales) contribuyó al resto. Si la razón no bastaba para el conocimiento del hombre, había que acudir a la sinrazón, a los estratos del subconsciente. Esos de los cuales hablaba Sigmundo Freud. Si los movimientos comunitarios de origen socialista creaban vulgaridad espiritual alrededor del individuo —deformado por el concepto de subordinación a la masa—, había que regresar al individualismo; pero a condición de que el autoanálisis —sin emotividad ni personalismos— estuviera dirigido a la comunidad para ayudar a todos a través de la disección, fría y visceral, del mundo oculto —no manifestado— de cada uno. Tal vez estos juicios enfadaran a alguno de aquellos vanguardistas pues no coinciden exactamente con los postulados que se enunciaban con ritmo acelerado y dislocado a medida que un ismo sustituía a otro; pero ahora que vemos el movimiento a distancia solamente así se explica la intención social que movía a una hermenéutica para iniciados.

* * *

Las revistas vanguardistas fueron nihilistas, chacotonas, escandalosas. Estos poetas, según Anderson, no creían en la poesía. Creían en ella, pero los acomplejaba el miedo a la grandielocuencia, a la exageración, al ridículo de que se dijera de ellos que "pretendían salvar al mundo" como se dijo de aquellos que no habían podido impedir la guerra en Europa. Recién en 1930 al promediar el Vanguardismo —que se extiende en América aproximadamente de 1918 a 1945—, la reivindicación de la "inteligentzia" por el grupo culterano los obligará a una seriedad mayor en las actitudes: es el momento en que el superrealismo triunfa sobre todos los otros ismos vanguardistas.

Propósito del Vanguardismo

"La metáforas no expresaban el íntimo sentir del poeta", agrega Anderson. Creemos que sí, porque expresaban su concepción de la poesía. No la comprometían con el objetivismo confesional del modernismo o el subjetivismo del romanticismo. Al desarraigar a la poesía de su misión de expresar los sentimientos del hombre, de contribuir al engrandecimiento moral y espiritual del mundo, los vanguardistas llegaron a una "torre de marfil" menos advertible que aquella atribuída a los Modernistas. La ironía, la metáfora absurda, el ritmo dislocado, le quitaban seriedad a la "intención" de la "torre", *pero eran más sectarios que los modernistas bajo su aparente prescindencia.* Ya no buscaban ubicar al hombre en América, luchar contra el imperialismo —aunque, naturalmente, la vanguardia y sus formas también impregnaron a la poesía nacionalista —sino que, sin proclamarlo enfáticamente, y por el contrario, con aparente falta de seriedad en su afán de "epáter le bourgois" (¡pobre burguesía, siempre blanco del desprecio de los mismos que se han engendrado en ella!), lo que pretendían era explicar —a través del subconsciente, del abandono de la lógica y la razón— nada menos que la condición del hombre sobre el mundo; su naturaleza intrínseca, sus motivaciones. El Vanguardismo es un movimiento de tendencia universalista en la poesía de América. El primero de los intentos que seguirán después.

Reglas estrictas

La "deshumanización del arte" —el arte sin compromiso confesional o utilitario inmediato— era una moda, pero también respondía a una actitud física frente a la vida que mostraban esos "rugientes 20s.". Al temer el rebuscamiento Modernista, los vanguardistas crearon la exacta contrarréplica, tan prisión como lo que intentaban destruir: esteticismo-antiesteticismo; elegancia-vulgaridad; belleza apolínea-fealdad dionisíaca; sinestesia, palabras como gema-metáforas extravagantes, pedestrismo en el vocabulario; espiritualidad en el símbolo —carnalidad visceral en el emblema, etc. Fingiendo una locura y una excentricidad más, los ultraistas argentinos reivindicaron lo sensiblero, pero cargándolo de teorías intelectuales (como hemos visto al estudiar a Borges) para que no se los confundiera con humanistas lacrimógenos (lo sensiblero, lo popular lloroso, es una última forma, primaria y animal, del sentimiento de desamparo de la Humanidad, a través de la historia). Del verso experimental Modernista tomaron los vanguardistas la comodidad del verso libre, excusa de poetas perezosos que no querían trabajar demasiado —como les reprochaba Lugones— porque les parecía más elegante —"divertido" era la palabra que empleaban— la ley de menor esfuerzo en que degeneró el "automatismo" creador superrealista. Si hubo un momeno de inseguridad, de complejo de inferioridad en la poesía Hispanoamericana, fue éste. Pasada la euforia del Modernismo volvían a caer en el influjo europeo. Trataban a Europa con campechanía, de igual a igual, con irreverencia de palabra; pero con sumisión de espíritu.

* * *

Vicente Huidobro

Guillermo de Torre, en "Tres conceptos de literatura hispanoamericana" (Losada, Bs. As., 1963), cita la definición que de su poesía da Vicente Huidobro (chil. 1893-1948) en "Horizon Carré (París, 1917): "Crear un poema cogiendo a la vida sus motivos, y transformarlos para darle un nueva vida independiente. Nada de anecdótico o descriptivo. La emoción debe nacer de la mera virtud creativa. Hacer un poema como la naturaleza hace un árbol". Pierre Reverdy, el poeta francés muerto en 1961, agrega: "La realidad no motiva la obra de arte. Se parte de la vida para alcanzar otra realidad".

Guillermo de Torre recuerda la sonada polémica en 1920, entre Huidobro y Reverdv, acerca de quién inició primero el "Creacionismo". Fue una disputa agria, llena de argumentos falsos. El Vanguardismo poético, cualquiera sea el "ismo" que adopte, reúne los elementos flotantes en el aire, por el camino de una identificación de la poesía con la pintura; como el simbolismo había intentado una identificación con la música. Apollinaire avanza por el superrealismo poético con "Poema en forma de pera", y Stephane Mallarmé crea la teoría de los espacios, las formas y tamaños de las letras, los blancos, lo que se denomina "grafismo" en "Una jugada de dados no suprimirá el acaso". La teoría del Creacionismo, bajo estas influencias, era que la obra poética vale por ella misma: es una realidad dentro de la realidad circundante, pero no dependiente de ésta. El alcance expresivo no estaba en el conjunto, sino en cada una de las partes de ese conjunto (en las metáforas alucinantes) y lo que permanecía en

El Creacionismo

el espíritu del lector (a través de la lectura y de la contemplación del poema) no podía ser traducido en una explicación ordenada lógicamente por la razón. Porque se había creado algo diferente, una realidad distinta.

Algunos vanguardistas, los superrealistas, harán que esta realidad sea complementaria de la realidad captable por la razón, otros —los "creacionistas"—, los que siguen a Tristán Tzara y al "dadaísmo", se negarán a toda unión o contingencia posible. La sintaxis gramatical se distorsiona, los aportes oníricos del subconsciente van a engendrar un hermetismo, cada vez más ininteligible, buscado y admirado, y las excentricidades —Blaise Cendrars escribirá en una larga tira de papel su "Prosa del Transiberiano"— estarán al orden del día. Todo es válido.

* * *

Huidobro había cambiado su lengua española por la francesa como lo hicieron Isidoro Ducase, Jules Laforge, Jules Supervielle, uruguayos; pero el chileno volverá a escribir en castellano sin llegar a superar el complejo de inferioridad frente a Europa (los europeos no se interesan por los americanos —sino excepcionalmente— mientras que a éstos les importa obsesivamente el reconocimiento europeo).

"No se trata de imitar a la naturaleza sino de hacer como ella, no hay que imitar sus exterioridades sino su poder exteriorizador", afirma Huidobro. Y Ortega y Gasset, en "La deshumanización del arte" (1925), asienta estos principios: "El poeta empieza donde el hombre acaba. El destino de éste es vivir su itinerario humano; la misión de aquél es investigar lo que no existe". Apollinaire, en su poema "La Victoria" (1917) había proclamado: "Queremos consonantes sin vocales/ Consonantes que estallen sordamente/ Imitad el sonido del trompo/ Dejad chisporrotear un sonido nasal y continuo/ Haced chasquear vuestra lengua/ Servíos del ruido sordo del que come sin realeza/ La raspadura aspirada del esputo será una bella consonante".

Huidobro había publicado en Chile un libro titulado "Adán" (1916) y ese mismo año, en Buenos Aires, apareció otro, "El espejo del agua", en donde Antonio Undurraga ve el germen del "Creacionismo". En París, donde llega en 1916, en España y luego en Chile, a donde regresa en 1925, publica libros en francés: "Horizon Carré", "Hallali", "Tour Eiffel" (estos en 1917), "Autumne régulier" (1918-1922), "Trémblement du ciel" (1946). En 1921 había editado en París una selección titulada "Saisons choisies". En este libro figura el poema "El espejo del agua", traducido al francés, que había publicado en folleto, en Buenos Aires, en 1916. Según Guillermo de Torre, en "Literaturas europeas de vanguardia" (Madrid, 1925) la edición de 1918 del poema, hecha en Madrid, fue la "primera" presentada como "segunda" para probar la primacía de Huidobro sobre Reverdy en el "Creacionismo". La edición de Buenos Aires había sido fraguada posteriormente. ¡Oh, les poetes!

En castellano Huidobro publica "Poemas árticos" (1917-1918), donde la tipografía se distorsiona siguiendo los modelos de Apollinaire y Mallarmé ya citados, además de suprimir la puntuación. A pesar de esto, y a pesar de todas las declaraciones teóricas del Creacionismo acerca de una creación independiente de la realidad, el tema del poema se descifra y las imágenes no terminan de alcanzar un valor independiente, salvo aquellas metáforas que llegan al superrealismo

Explicación de algunos poemas

(véanse los poemas "Alerta", pacifista; "Astro", tema del amor frustrado; "Niño", la muerte de un niño (etc. etc.). El libro "Ecuatorial" es de 1918. En él se acentúa el tema de la guerra y la utilización de elementos poéticos poco habituales: aeroplanos, obuses, teléfonos, fonógrafos, afiches. Es hermoso este poema apocalíptico en que se canta la destrucción de la humanidad ("Cuántas veces la vida habrá recomenzado", dice Huidobro) y debemos reconocer que ahora, en nuestra época, ya no nos sorprenden ni su aspecto

Poeta a pesar de él

formal, que sí era original aunque no novedoso en su tiempo, excéntrico, ni sus imágenes —algunas llegan al galimatías, pero son las menos— y nos resulta un tanto ingenua su ausencia de puntuación, innecesariamente incómoda. Porque los poemas, sin estas alharacas, serían bellos de igual modo. Los otros libros en castellano de Huidobro son: "Altazor" (o "El viaje en paracaídas"), de 1919, único poema que mereció una traducción al francés por Fernand Verhesen ("La Tarasque", Bruselas, 1957). Guillermo de Torre considera a "Altazor" la obra maestra de Huidobro; "Ver y palpar" fue escrito entre 1923 y 1933 y "El ciudadano del olvido" entre 1924 y 1934. Aquí, siguiendo la moda de los poemas en prosa, figuran varios de este tipo. Los hay también en "El pasajero de su destino", escrito en 1930.

* * *

Temática de Huidobro

La temática general de Huidobro tiene algo del escéptico derrotismo que cogió a los hombres cultos de la postguerra, y del tedio que provoca el exceso de los sentidos, pero como el hombre era mesiánico, apunta algo de épico, en medio de la destrucción, y en grandes poemas, en "Altazor" principalmente, surge una fuerza, de confianza en sí, en el individuo pero no en el Hombre; en la especie de cada uno. En el fondo, Huidobro es positivo aunque impresione como disgregante de todo un mundo que parece caer en escombro frente a sus poemas que —y esto lo tomaría él como un sacrilegio a sus teorías, a su deseo de incongruencia— son descriptivos de la guerra y sus consecuencias. Antes que Vallejo y Neruda, Huidobro —en plena guerra mundial, la primera pero no la última— es pacifista y rechaza la guerra sin tomar partido por un bando ni gritar "Pax" a voz en cuello. Después casi predica la guerra santa, esta vez sí, con bandería, ante el avance fascista: "Invade los países del loco que te desprecia y te mira con la parte inferior de su alma/ Proclama tu importancia a la tribu sometida que empieza a aparecer en el fondo del cielo". "Altazor" concluye en un canto apocalíptico, pero de afirmación y de belleza admirables ("Cada árbol termina en un pájaro extasiado"). También en Huidobro reaparece esa inquietud metafísica, que ya hemos señalado varias veces, que se continúa con formas existenciales en la poesía culterana, sea hermética como la de Huidobro o Neruda, o clara como la de Pellicer o Molinari. "A dónde vas eternamente", pregunta en "El cigarro", uno de sus "Poemas árticos".

* * *

Si nos hemos detenido, tal vez demasiado —pero la importancia de los poetas no se mide por la cantidad de líneas que les dedique un antólogo—, en la figura de Huidobro, es porque este poeta ha sido un poco "cubierto" por la gloria de sus ilustres compatriotas, Neruda y Mistral, y

Del Creacionismo al Superrealismo

además porque el "Creacionismo" —que fué conocido, y más de lo que a veces se admite— es el prototipo del hermetismo culto de la vanguardia. En su otro extremo está el "Superrealismo", que va a sobrevivir hasta la postrimería de la segunda guerra mundial. En medio de ambos movimientos brotarán todas las otras tendencias de Vanguardia —cada una disputando su originalidad absoluta, pero en esencia sustentando un mismo concepto de la poesía frente a la razón. Algunos de estos movimientos vanguardistas son de carácter local y, en ocasiones, aparecen después de que el Superrealismo ha avasallado con el "creacionismo" y el "ultraísmo". Guillermo de Torre inventó el término "superrealismo" en vez de "surrealismo" o "subrrealismo", con tan buenas razones que obligó a aceptarlo, aún a los disconformes.

Ultraísmo

* * *

El ultraísmo tuvo su apogeo en Buenos Aires, que lo importó de España. Afirma que la libertad del poeta es absoluta: puede ajustarse a cualquier "ismo" para expresarse, está más allá de cualquier limitación de escuela o de estética. El "todo", la totalidad de poema, no tiene importancia. La preocupación vital es la metáfora llevada a una unidad perfecta en las "Greguerías" de Ramón Gómez de la Serna (esp. 1888-1963). Los jóvenes del Ultraísmo, escandalosos y excéntricos, se agruparon alrededor de las revistas "Proa" (1922-23) y "Martín Fierro" (1919, y luego de 1924 a 1927). Las ramificaciones ultraístas llegaron a México y se manifestaron en la revista "Horizonte" (1926-1927) y a Uruguay, donde la revista "Alfar" (cuya última entrega es de 1954) los acogió.

El Ultraísmo se pulveriza en decenas de subtítulos: Sencillismo, Estridentismo, Avancismo, Futurismo. Se ha dicho con frecuencia que el Ultraísmo dio resultados posteriores, cuando sus poetas se tranquilizaron y abandonaron la broma excéntrica. Se equivoca quien sostiene esto pues el período ultraísta en algunos de estos poetas suele ser tan interesante, o más, que el posterior: Macedonio Fernández (arg. 1874-1952) y Evar Méndez (arg. 1888-1955) no fueron grandes poetas, pero marcan a toda una generación que aprendió en ellos la libertad que necesitaba la espiritualidad de un país de prosperidad agropecuaria.

Oliverio Girondo

El más interesante de los poetas ultraístas argentinos es Oliverio Girondo (arg. 1891), redactor del manifiesto de la revista "Martín Fierro", la cual prescribía un acento nativista, argentinista; pero lo traducía a través de un culteranismo francés al que tienen acceso todos los snobismos de la vanguardia, desde "el jazz" como manifestarión de gran arte, hasta el tango mirado como intención metafísica. El libro de Girondo "Veinte poemas para ser leídos en el tranvía" (1924), incluso por la originalidad del título, tuvo un significado especial para los jóvenes de "Martín Fierro". La fama actual de Jorge Luis Borges ha hecho que aparezca como el gran impulsor del Ultraísmo. A su regreso de España trajo "nueva información", pero es exagerado el lugar que se le ha dado. Los otros poetas ultraístas hicieron más ultraísmo que Borges, que se apartó casi de inmediato y que adoptó los principios de la revista "Martín Fierro": argentinismo nativista con sabor europeizante. Girondo publicó "Calcomanías" (1923); "Espantapájaros" (1932) e "Interlunio" (1937) y en colaboración con Luis L. Franco (arg. 1898), Conrado Nalé Roxlo (1898)

Revista "Martín Fierro"

y Ernesto Palacio (1900), fundó la revista "Martín Fierro". Es interesante, para quien abrigue la intención de estudiar aquel momento en particular, saber quiénes fueron los poetas que colaboraron en "Martín Fierro": año 1924: Horacio A. Rega Molina, Carlos M. Grünberg, Andrés L. Caro, Eduardo Keller Sarmiento, Pedro Juan Vignale, Francisco López Merino, Córdova Iturburu, Roberto Ledesma, Santiago Ganduglia, Nicolás Olivari, Luis Cané, Jorge Luis Borges, Raúl González Tuñón, Eduardo González Lanuza, Brandán Garaffa, Eslavo y Argento (I. Zeitlin y A. Echegaray), Antonio Vallejo; en 1925: Sixto Pondal Ríos, Francisco Luis Bernárdez, Leopoldo Marechal, Norah Lange, Elías Carpena, Alberto Franco, Antonio Gullo, Carlos Mastronardi; en 1926: Ulises Petit de Murat, Luis F. Longhi, Roberto A. Ortelli y Lysandro Z. D. Galtier.

* * *

Otros movimientos Vanguardistas

Fueron tantos los "ismos" en que se dividió la poesía de América, que es imposible, confuso e innecesario citar a todos, ya que a veces no difieren sino en el nombre. A veces, como sucede en Puerto Rico, las tendencias se suceden con tal rapidez que los mismos que han inventado un movimiento inventan otro más o menos distinto a los pocos meses. En síntesis, la evolución es del Creacionismo —prescindencia de la realidad— al Superrealismo —complemento de la realidad—. Anotemos ahora otros movimientos Vanguardistas y a algunos de sus representantes más conspícuos:

Postumismo

Domingo Moreno Jiménez (dom. 1894) fue uno de los creadores del "Postumismo", un vanguardismo costumbrista, también cultivado por otro dominicano, Rafael Augusto Zorrilla (1892-1937).

Futurismo

El chileno Pablo de Rokha (Carlos Díaz Loyola, ch. 1893), con su visión caótica del mundo, su grandielocuencia desesperada y su automesianismo, su pretendida proclamación de "poeta social", su vulgarismo voluntario para apagar la imagen poética, fue un digno representante del "Futurismo" (creado por el italiano Giacomo Marinetti). Las principales obras de Pablo de Rokha son "Los gemidos" (1922); "Satanás" (1927); "Ecuación" (1929); "Jesucristo" (1933); "Oda a la memoria de Gorki" (1936); "Morfología del espanto" (1942). Futurista fue también Alberto Hidalgo (per. 1897), al cual apasionaron la guerra, la máquina, la velocidad, los elementos que comienzan a dominar al nuevo mundo de la postguerra. Hidalgo proclamó, con su escepticismo culterano —característico de los vanguardistas—, la inutilidad de la poesía. (Véase "Biografía de yomismo" (1953) y "Oda a Stalin" (1945).

Estridentismo

El "Estridentismo" —mezcla de ultraísmo y futurismo con tintes de poesía social— tuvo en México a Manuel Maples Arce (mex. 1900), su figura más interesante. "Andamios interiores" (1922) es el canto a la acción proletaria unida a un futuro de máquinas, arcos voltaicos, cables. Un futuro amenazador que hay que mirar serenamente. Otros "estridentistas" mexicanos fueron Germán List Arzubide (1898), Arqueles Vela (1899) y Luis Quintanilla (1900).

Una idea de la cantidad de ismos y de la inutilidad de rastrearlos en sus peculiaridades propias —en un trabajo de orden general, como éste— lo ofrece la pequeña isla de Puerto Rico, donde surgen sucesivamente o se superponen, en un

Diepalismo
Noísmo
Integralismo
Atalayismo
Trascendentalismo

anarquismo absolutamente ultraísta, el "Pancalismo" de Luis Lloréns Torres, el "Diepalismo" de José I. Diego Padró (1899) y Luis Palés Matos (1898-1959), que proponía un lenguaje puramente onomatopéyico (se da en 1921 y arranca, evidentemente, del "Creacionismo" de Huidobro); el "Euforismo" y el "Noísmo", de Vicente Palés Matos (1903); el "Integralismo" de Luis Hernández Aquino (1907) y Juan Antonio Corretjer (1908); el "Atalayismo", de Graciany Miranda Archilla (1910) y Vicente Soto Vélez (1910); el "Trascendentalismo", que florece en 1945, etc.

En Colombia, el grupo vanguardista fue el de "Piedra y Cielo" (1930) y sus figuras más interesantes Arturo Camacho Ramírez (col. 1915) y Jorge Rojas (1911).

No vale la pena continuar y es mejor ver los dos grandes movimientos que van a entrocar con la Poesía Social: el Superrealismo, a través de Pablo Neruda, y el ultraísmo social de las Antillas.

Pero antes, es necesario detenerse en una figura solitaria, clasificable entre el Creacionismo y el Superrealismo, sin pertenecer decididamente a ninguno de los dos; y clasificable también dentro de la poesía social, auque es difícil advertir su predicación comunista, tan ininteligibles llegan a ser sus versos: César Vallejo.

* * *

César
Vallejo

César Vallejo (per. -1892-1938). Era mestizo y fue destinado a ser cura. Abandonó Perú en 1923, fue comunista, padeció hambre y miseria toda su vida. Murió en París.

Se hizo comunista porque necesitaba tener un dogma que lo uniese con los otros hombres. A pesar de la ininteligibilidad de Vallejo es posible advertir, a través de la poesía, confirmarlo con el testimonio de sus amigos, que era un hombre al que le costaba hablar y por lo tanto comunicarse con los demás: la soledad y la autocompasión son sus temas frecuentes. Odiaba a la sociedad establecida que lo había encarcelado durante una revuelta popular, en 1920, por cuatro meses (prisión que él exageró y que lo llevó al resentimiento de desertar de su tierra, de exilarse para siempre). Si creyó en Rusia, en el Soviet, fue porque veía allí una esperanza de cambio total —no parcial— igual a la que él estableció en la poesía y en su gramática. La única posibilidad de que Vallejo volviera a ser feliz no era que Vallejo se adaptara al mundo, con sus errores y bellezas, sino que el mundo fuera otro. Con su poesía, trata de que el mundo sea otro.

Vallejo fue vanguardista, en la línea de Mallarmé, pero sin el refinamiento del autor de "Una jugada de dados no suprimirá el acaso" (así tradujo Casinos-Assens en 1919, en la revista madrileña "Cervantes", el famoso poema "Un coup de dés n'abolira l'azar") y muy marcado por Apollinaire (cuyos "Calligrames" lo fascinan). De Mallarmé y Apollinaire tomó Vallejo la teoría del letrismo —la disposición de las palabras y las letras expresan sensiblemente un misterio no explicable lógicamente—; y la idea de que las palabras engendran poesía por ellas mismas. Creyó que cada palabra tenía significado propio, excluído el que se le acuerda en el nexo de la frase. En vez de hacer poesía onomatopéyica, rehuyó el peligro de lo meramente percutivo y utilizó palabras dispuestas al azar, con letras arbitrariamente mayúsculas y minúsculas, incluso en la mitad de la palabra, para crear atmósferas, penetración de un mundo mediante la muleta de un lenguaje ilógico y que, a pesar de los prolijos intentos, nunca será explicable en su totalidad. Como ayuda, el lector puede consultar "César Vallejo, o la teoría poética", de Xavier Abril (Editorial Taurus, Madrid, 1963).

La evolución de Vallejo se ajusta a la evolución de las escuelas de vanguardia en París, donde él vivía: del ultraísmo con algo del Creacionismo de Huidobro (en "Los heraldos negros") al dadaísmo (en "Trilce", incoherencia absoluta, motivación de la emoción poética mediante la palabra en abstracto, como el arte abstracto) y al superrealismo razonable e interpretable (en "Poemas humanos"). La bibliografía completa de César Vallejo es como sigue: "El romanticismo en la poesía castellana", Trujillo, 1915 (tesis en prosa para optar al grado de Bachiller); "Los heraldos negros", Lima, 1918; "Trilce", Lima, 1922; "Escalas" (relatos y cuentos), Lima, 1923; "Fabla salvaje" (novela breve), Lima, 1923; "Favorables París Poema" (revista publicada en París en 1926, juntamente con Juan Larrea: dos números: publica un poema en el primero y dos poemas en el segundo); "El tungsteno" (novela), Madrid, 1931; "Rusia en 1931. Reflexiones al pie del Kremlin", Madrid, 1931; "Poemas humanos" (1923-1938), París, 1939, donde se incluyen los 15 poemas de "España, aparta de mí este cáliz" y otros 77 poemas, más 13 poemas en prosa. Esta edición fue hecha por la mujer de Vallejo y sus amigos. En 1942 Xavier Abril publicó en Buenos Aires una "Antología de César Vallejo", en la Editorial Claridad. Es excelente, "César Vallejo, vida y obra", estudio del profesor Luis Monguió (Hispanic Institute in the United States, Colum-

Obras

bia University, "Autores Modernos", No. 19 1952).

Temas

Del primero y del tercero de sus libros de poemas es posible sacar algunos datos acerca de la temática, los sentimientos y obsesiones del poeta; en ellos —como briznas sueltas—, inserta verso conductores en poemas de hermetismo acentuado. Como su obra fue breve, y escrita en un período relativamente corto, es un sistema policíaco (Vallejo experimenta sobre lo ininteligible) rastrear temas en sus libros, o en los poemas claves, y descubrir si persisten en sus versos irracionales.

En "Heraldo negros" se advierten temas que luego serán constantes en su obra: el de la compasión por el hombre golpeado ("Hay golpes en la vida tan fuertes... Yo no sé"), acompañado por una especie de indignación refrenada. Este tema cristiano se enlaza con el de la autocompasión ("Yo nací un día que Dios estuvo enfermo"). Pareciera que Vallejo se compadece de los demás porque se compadece a sí mismo. La autocompasión seguirá hasta "Poemas humanos" ("Me moriré en París con aguacero").

Otro tema es el del socialismo comunista. Vallejo se convirtió al comunismo antes que Neruda, con quien se relacionó en París (donde también conoció a Huidobro). Su definitiva toma de posesión comunista data de 1931. Pero Vallejo era un rebelde constante, y esto no se ajustaba a la exigencia del dogma soviético. Se sentía despreciado y perseguido —lo llamaban "el cholo Vallejo" con afecto que marcaba una discriminación racial que su sensibilidad debía percibir— y si soñaba con reemplazar a la sociedad que lo hacía sufrir y lo condenaba a un hambre real y nada

Comunismo de Vallejo

poética, al mismo tiempo la nueva sociedad que le ofrecía la URSS (donde viajó dos veces) solía provocarle repulsas. El hermetismo de su poesía disfraza sus altibajos ideológicos: sus poemas son militantes y a la vez contradicen su esperanzada fe comunista. Militante, por la crítica a la burguesía intelectual, y amargo respecto a la misma fe comunista, es en "Poemas humanos", aquel que comienza "Un hombre pasa con un pan al hombro..."' porque el poeta declara implícitamente la inutilidad del arte frente a la evidencia del mal no remediable con bellos versos. Militante, pero con prudencia, es "Otro poco de calma, camarada". Aquí se advierte su rebelión ante el encasillamiento a que lo forzaban los dogmas comunistas: "Es idiota/ ese método de padecimiento..." y el final, donde a las claras, muestra sus flaquezas en la fe: "Vamos a ver hombre: cuéntame lo que me pasa que yo, aunque grite, estoy a tus órdenes". Es la voluntad clara de permanecer fiel a pesar de las discrepancias. El sentido mesiánico, de amor a todos, es un tema que se mezcla con el político y el de la autocompasión: "Me viene, hay días, una gana ubérrima, política" (y el infrecuente "ubérrima" es un resabio de admiración por Darío en el panamericanismo de "Salutación optimista"). El anuncio y la esperanza del gran día comunista está en "Los desgraciados".

"Los Heraldos negros"

En "Los heraldos negros", pero no posteriormente aunque habrá algún atisbo en "Trilce", se advierte el tema del amor; pero del amor sensual de los postmodernistas aunque utiliza el lenguaje modernista. Allí están también los poemas autóctonos, de amor al terruño que, a pesar de su resentimiento y su ostracismo, serán asunto constante en Vallejo. Luis Monguió señala en "Los heraldos negros" la influencia de Leopoldo Lugones, la posibilidad de alguna admiración por Herrera y Reissig y Julián del Casal, y la coincidencia con el nacionalismo de Ramón López Velarde en "La sangre devota" (México, 1916).

Ya hemos hablado de la intención que tiene "Trilce" de crear atmósferas para suplantar lo que las palabras, en el ordenamiento estricto de de la frase, ya no expresan: "¿Qué se llama cuanto heriza nos?/ Se llama Lomismo que padece/ nombre nombre nombre nombre". El título, Trilce, es un neologismo, al estilo de los que inventó James Joyce: tal vez quiera decir, como se ha dicho, "triste-dulce".

"Trilce"

Sin embargo, a pesar de las incoherencias de este libro, el tema de la madre perdida se descubre fácilmente (ver "Las personas mayores"; "Tahona estuosa de aquellos mis biscochos", "He almorzado solo ahora, y no he tenido". La infancia perdida puede ser, freudianamente, una clave para interpretar este período de Vallejo. Lo pasaba mal en París —a donde llegó en 1923—; por hambre se vio obligado a escribir en publicaciones que hacían propaganda a Primo de Rivera, a quien él odiaba. En "Trilce" la soledad es tema obsesivo y constante, junto con la grita del desamparo y el autocompadecerse. Hay reminiscencias de su prisión en dos poemas ("Oh, las cuatro paredes de la celda", "En la celda, en lo sólido, también") y la creación de un estilo muy peculiar: el señalar exactamente el momento ("A la mesa de un buen amigo he almorzado", "Esta nohe desciendo del caballo"), incurriendo incluso en lo descriptivo ("Amanece lloviendo. Bien peinada...").

"España, aparta de mí este cáliz"

A nuestro juicio, el más alto tono militante —el reconocible tono republicano español, de la barricada, un poco olvidado a la distancia de los años y horrores transcurridos después— lo da en España, aparta de mí este cáliz" (a menudo, como resabio de aquel destino de sacerdote que no se cumplió, Vallejo utiliza las imágenes del catolicismo). Un lirismo exaltado, algo narrativo, claro dentro de la imagen riesgosa, y un gran amor, un inconfundible amor a los hombres son las características de este canto (léase el bello poema que comienza "Al fin de la batalla, y muerto el combatiente...").

Desglosando temas posibles (político: acorde y disidente a un tiempo; telúrico; complejos infantiles ligados a la madre: freudismo en la interpretación de los símbolos; autocompasión; mesianismo) es posible descifrar a este poeta sobre el cual tanto se ha escrito porque ha tenido amigos maravillosos que se encargaron de exaltarlo una y otra vez; y porque la juventud de la postguerra —la disconforme que sigue como "camarada de ruta" a los ruteros comunistas— encontró en la desubicación, en la apología de la incoherencia de César Vallejo, a un ídolo identificable como hermano.

* * *

Y es curioso que un poeta tan personalista, en primera persona siempre, en el cual es evidente que muchas de sus reacciones políticas y poéticas vienen de un resentimiento casi enfermizo, sea el ídolo de muchos jóvenes comunistas simplemente porque viajó dos veces a Rusia y escribió un poema a la guerra de España. Hoy, tendría que cambiar como Neruda cambió en la segunda postguerra. Pero Vallejo vivió en la primera postguerra y en el mito del Soviet, demasiado ocupado en devorar, o "purgar", a sus propios hombres, en ese entonces, para detenerse en el cholo peruano. Como tal, como americano, Vallejo se va de Perú, al igual que el inca Garcilaso de la Vega, que la Avellaneda, que Alarcón, se habían ido antes. Participó sí, de los movimientos estudiantiles de la reforma universitaria de 1919 y en la agitación que siguió a la fundación del partido Aprista, pero luego apenas si mira, como nostalgia sentimental, a su tierra (en "Tungsteno", que pasa en las minas peruanas, su preocupación es la de propagar los principios del comunismo antes que la reivindicación del indio peruano). Ni la Revolución Mexicana, con sus implicancias izquierdistas, lo conmueve tanto como la española, ni lo que pasa en su tierra le importa más de lo que pasa en torno a él. Si la miseria le impidió volver a Perú —por no tener dinero para los pasajes de él y su mujer— pudo volver por el camino de la poesía y no lo hizo, no más allá del toque folklórico.

Mito e individualismo de Vallejo

LA POESIA NEGROIDE

Preliminares y antecedentes

El modernismo, como lo señala Max Henríquez Ureña, había llegado tardíamente a Puerto Rico. Luis Lloréns Torres (1878-1944), escribió poemas con lenguaje autóctono de la isla —la escuela gauchesca argentina era un ejemplo que los "independentistas" de Puerto Rico conocían muy bien—, imitando el hablar del "jíbaro" o campesino, y poemas patrióticos de la corriente nacionalista (véase "La canción de las Antillas") o americanista (seguía el Panamericanismo rubendariano, de influencia tardía y fuerte en la isla, en poemas como "Bolívar", "Martí", "Maceo").

Luis Lloréns Torres

Lloréns es modernista refinado en sus "Sonetos sinfónicos" (1914) y "Voces de la campana mayor" (1935). Fundó la "Revista de las Antillas" (1913) para divulgar el modernismo y hasta creó un neomodernismo al que tituló "Pancalismo", que no hizo adeptos.

Pero para la ubicación de Lloréns Torres en el panorama poético de América interesa su poesía nacionalista, muy fuerte y de noble acento, y su folklorismo jíbaro. El nacionalismo de Lloréns, unido al negrismo de Palés Matos, darán como resultado la poesía negroide revolucionaria, de protesta social (Carpentier o Guillén). Recordemos, como antecedente, este poema de Lloréns Torres: "Llegó un jíbaro a San Juan/ y unos cuantos pitiyanquis/ lo atajaron en el parque/ queriéndolo conquistar./ Le hablaron del Tío Sam,/ de New York, de Sandykook,/ de Wilson, de Elihu Toot,/ de la Libertad y el voto,/ del dólar, del hábeas corpus.../y el jíbaro dijo: ¡Unjú!".

* * *

Luis Palés Matos

Luis Palés Matos (1898-1958) se unió al modernista José I. de Diego Padró (puert. 1896) para iniciar el "Diepalismo" (unión de los nombres de sus creadores). Es, seguramente, el primero que escribió en forma orgánica poesía afroantillana, o negroide (no olvidemos que accidentalmente Darío compuso "La negra Dominga" en La Habana, cuando visitó a del Casal en 1892). Los versos de Palés, "Pueblo negro" y "Danza negra" datan de 1926 (fueron publicados en el diario "La democracia" el 18 de marzo y el 9 de octubre de ese año); los compiló en 1937 en su libro "Tuntún de pasa y grifería".

* * *

Evaristo Rivera Chevremont

Evaristo Rivera Chevremont (puert. 1896) fue quien de verdad impulsó el vanguardismo puertorriqueño, tan rico en "ismos", con comentarios literarios en las páginas de "La vanguardia" a partir de 1924. Pero él mismo no se plegó a ningún "ismo" de los frecuentes en la isla. Ni al "Atalayismo" creado por Graciany Miranda Archilla (1910) y Clemente Soto Vélez (1910) —que en 1959 publica su hermético y muy bello "Caballo de palo"— ni al "Euforismo" o al "Noísmo" de Vicente Palés Matos (1903), hermano de Luis, en su "Viento y espuma" (1946). Chevremont llegó al verso libre en "La copa de Hebe" (1922) y a la posía social en "Tonos y formas" (1943), donde se destaca, por la temática vanguardista, "Sinfonía de los martillos".

* * *

El "negrismo" de Palés Matos

El más interesante, por lo que significa como aporte a nuestra historia de la poesía, es Luis Palés Matos, quien, desde un modernismo culterano —al cual volverá luego de su período negroide—, llega a crear siguiendo las corrientes vanguardisdistas una poesía inesperada por su originalidad: el afro-antillano.

El primer período de Palés, el de "Azaleas" (1915), y el último, el de los poemas publicados póstumamente, coinciden en muchos puntos. En el primero, todavía modernista, ya entrando al vanguardismo, busca lo exótico —que le brinda el regionalismo antillano de paisajes y tipos—; todavía está en la palabra escogida, aunque comienza a distorsionar la imagen. No advertimos en su primer período ese "nacionalismo" —como no sea el amor a su terruño— del que tanto se ha hablado. En cambio cuando siguiendo las reglas del Modernismo —exotismo, vocabulario raro— penetra en la vanguardia con "Tuntún de pasa y grifería" (1937), sí advertimos un nacionalismo no contaminado por prédica izquierdista (como lo está el negrismo de Guillén). Ese nacionalismo se muestra nítido en sus últimos poemas; menos claro, aunque los ojos interesados quieran verlo, es el "independentismo" poético de Palés (como el que sostenía en política: había nacido el año en que Puerto Rico pasó a ser dominio de los EE. UU).

Obras y comentaristas

Palés publicó muchos poemas en diarios y revistas, y anunció varios libros. La obra publicada en vida suya, en poesía, comprende "Azaleas" (1915), escrito a los 16 años y "Tuntún de pasa y grifería" con prólogo de Angel Valbuena Pratt (Biblioteca de Autores Puertorriqueños, San Juan de Puerto Rico, 1937). Hubo una nueva edición, con el agregado de tres poemas nuevos, en 1950, con prólogo de Jaime Benítez. Federico de Onís reunió toda, o casi toda, la obra de Palés y la publicó con un prólogo ilustrativo y abundante información bibliográfia, señalando especialmente a Margot Arce de Vázquez y a Tomás Blanco como a los mejores estudiosos de la obra de Palés (Ediciones de la Universidad de Puerto Rico, 1957).

Angel Valbuena Pratt sitúa a los poemas de "Tuntún de pasa y grifería", en el prólogo a la primera edición, entre los años 1925-1933. Duda Valbuena que Palés haya conocido los poemas del "negrista" americano Vachel Lindsay ("The Congo") cuando comenzó a escribir sus poesías negroides. Es difícil afirmar, sin embargo, que Palés no haya sido sensible a la influencia del jazz y de los negros spirituals, o a la moda francesa que había descubierto el arte africano ("Poe-

Antecedentes

mas afroantillanos", subtitula a "Tuntún de pasa y grifería"). Pero en vez de copiar, asimiló, incluso cuando posteriormente sufre la influencia de García Lorca y su "Romancero Gitano" (1928). Menos valederas —aunque curiosas como antecedentes— son las referencias que Balbuena cita: Lope de Vega, en "El capellán de la Virgen", Gil Vicente, Góngora, Lope de Rueda. García Lorca influyó en "Ñáñigo al cielo", "Lagarto verde" y "Elegía al duque de la mermelada", pero no en sus grandes poemas rítmicos y onomatopéyicos. No hay que exagerar esta onomatopeya porque muchas palabras vienen del africano acriollado en la isla y tienen significado preciso: "pasa y grifería" equivale a "de negros y mulatos".

Los mejores poemas

Los grandes poemas de Palés valen en la poesía de América lo mismo que el romancero de Lorca en España. Tan recreados están los gitanos del andaluz como los negros del puertorriqueño (o los "compadritos" de Borges) y los cargos, conducidos por las izquierdas, que exaltan la figura más militante del cubano Guillén, o por las derechas (incluso la de los negros) que protestan contra la imagen negroide que suponen Palés dio de Puerto Rico, son cargos banales e injustos. No se trataba de un poeta realista sino de un poeta modernista tardío, que utilizó temas realistas; y que al pasarse a la vanguardia usó de la libertad absoluta que proclamaban los "ismos" del movimiento.

* * *

Estos grandes poemas son "Canción Festiva para ser llorada", "Danza negra", "Candombe", "Majestad negra". Guillermo de Torre en "La aventura y el orden" (Losada, Bs. As. 1961) niega los nacionalismos literarios y alega, como Valbuena, que siempre tienen origen foráneo. Pero al leer las dos antologías preparadas por Emilio Ballagas, "Antología de la poesía negra hispanoamericana" (1935) y "Mapa de la poesía negra americana" (1946), donde se muestra cómo esta poesía negroide trascendió a las Antillas y llegó a casi todos los otros países del continente (en Buenos Aires, Luis Cané escribió un poema clásico: "Romance de la niña negra") se advierte cómo los antecedentes son de valor casi nulo porque carecen de la vibración esencial del momento que lleva a la nueva creación. Al fin de cuentas, Lope y los clásicos que hicieron "negrismo" se inspiraron —por ondas informativas, de segunda mano— en las fuentes que Palés, Guillén o Ballagas, encuentran como heredad, siglos más tarde. Luego de recordar a Aimé Césaire y Léopold Sedar Senghor, poetas negroides de lengua francesa, y al brasileño Jorge de Lima, de Torre cita como poemas negroides de una "antología personal" a "Danza negra", de Palés Matos; "Elegía de María Belén Chacón", de Emilio Ballagas; "Liturgia" y "Canción" de Alejo Carpentier y "Balada de los dos abuelos", de Nicolás Guillén. Y agrega Guillermo de Torre, que esta antología mínima debería incluir los nombres del cubano Regino Pedroso, del venezolano Andrés Eloy Blanco, del ecuatoriano Adalberto Ortiz, del dominicano Manuel del Cabral.

* * *

El primer poeta negroide

Está suficientemente probado que fue Palés, antes que los cubanos, quien encontró el estilo rítmico, onomatopéyico, o con utilización de palabras criollas o africanas. Citemos la opinión, siempre seria y medida, de Federico de Onís: "Cuando Robles escribió este artículo (José Robles Pazos, "Un poeta borinqueño", La gaceta literaria, Madrid, 15 de setiembre de 1927), las poesías de tema negro a que se refería eran las que Palés había escrito antes de esa fecha: la que empieza "Esta noche me obsede la remota", publicada en "La democracia" del 18 de marzo de 1926, con el título de "Africa" y después con el título de "Pueblo negro"; la que empieza "Calabó y bambú", publicada en "La democracia" el 9 de octubre de 1926 con el título "Danza negra"; la que empieza "Los negros bailan, bailan, bailan", publicada en "Poliedro" el 5 de marzo de 1927, con el título "Danza caníbal", y quizás la titulada "Kalahari", escrita en 1927.

¿Final de una disputa?

Como el libro de Palés es de 1937 y era antes un poeta de relativa difusión, se creyó en la primacía de la poesía cubana, en una polémica que tuvo lugar en 1935. Dice de Onís: "El libro de Nicolás Guillén "Motivos de son" es de 1930 y su segundo libro "Sóngoro cosongo" de 1931. Estos libros pusieron enseguida la poesía cubana en el primer plano del conocimiento general, cuando Palés no había publicado aún ningún libro ni había empezado la labor de difusión de algunas de sus poesías por obra de los recitadores. En Cuba había empezado un poco antes el cultivo de la poesía negra con poesías sueltas publicadas por el mismo Guillén y por otros antes que él. Si no estoy equivocado, éstas fueron "Grito abuelo", de José Manuel Poveda (1927), "Bailadora de rumba", de Ramón Guirao (8 de abril, 1928), "La rumba", de José Z. Tallet (agosto 1928) y los "Poemes des Antilles" de Alejo Carpentier (1929). Como ya hemos visto Palés había empezado a publicar poesías de tema negro en 1926".

Por muy aislado que estuviera Puerto Rico,

no estaba tan lejos San Juan de La Habana, para aquel entonces. "La democracia" era un diario bastante conocido, y Cuba atraía turismo en abundancia. Es raro que los poemas negros de Palés Matos no hayan llamado la atención de los cubanos, o viceversa. El nacionalismo ha procurado echar silencio sobre este punto que, por otra parte, importa dilucidar a la corriente nacionalista. Para nosotros, puesto que la poesía negroide nació casi simultáneamente en varias islas antillanas, lo que nos interesa señalar no es el día ni la fecha exacta en que tuvo lugar ese parto, sino el aporte magnífico que significó a la poesía de América.

* * *

Juicio crítico

Margot Arce de Vázquez formula el siguiente juicio: "El supremo acierto de la poesía de Palés es el ritmo... Luis Palés Matos es un poeta culto, mejor dicho, culterano. El artificio de su poesía se manifiesta en el cuidado verdaderamente gongorino que dedica a la parte formal y metafórica".

¿Cuál es el juicio final que podemos dar nosotros sobre la significación de Palés?: que fue un vanguardista, que usó herméticamente un lenguaje folklórico popular, y que fue al mismo tiempo un poeta nacionalista. Como hombre blanco que era miraba al negro o al mulato de su isla como ajeno a él, pero con amor, como cosa de su tierra que no había conseguido una independencia definitiva. No intentaba describir una condición social y realista, sino una atmósfera impresionista, que atrajera la atención no para un fin de reivindicación proletaria —como en Guillén— sino para un propósito de despertar ancestros telúricos que aportar al nacionalismo (visible en sus poemas a poco que el lector se tape los oídos para no escuchar el ritmo y se detenga a analizar el real sentido de su humorismo irónico).

* * *

Importancia y ubicación de la poesía negra

La poesía negroide está centrada, principalmente, en las Antillas, pero no es un fenómeno exclusivo de esas islas donde precipitó lo que estaba en el aire del vanguardismo con la moda del Arte Negro en Europa, comenzada con la publicación de "Decameron negro" (1910) de León Frobenius (alemán 1873-1938) y exaltada por los pintores fauvistas y cubistas. Lo que sí debe reconocerse a las Antillas es que sus poetas se dedicaron "exclusivamente" a este tipo de poesía, por lo menos durante un período de su producción, y no la utilizaron accidentalmente como los uruguayos, los argentinos o los mexicanos. Además, los poetas antillanos le dieron un fuerte sentido nacionalista, como en Palés Matos, o de ideología socializante prontamente derivada a la lucha de clases marxista, como en Guillén.

* * *

Denominación y definición

La poesía Negroide se llamó afro-cubana, afro-antillana —lo cual era más justo—, poesía negra, etc. La mejor denominación es la de Negroide, una poesía que estiliza temas negros, y no una poesía "negra", de tipo racial, escrita exclusivamente por negros, o una poesía "negrista", destinada a satisfacer el gusto de la raza negra. De manera que "negroide" no encierra sentido despectivo alguno sino que es término que delimita los alcances de una poesía conformada, tanto por blancos como negros, con elementos realistas transformados por la imaginación de los poetas.

* * *

Poéticamente, y en el sentido estricto, el

aporte de la poesía Negroide a la poesía de América es importante. Con más influencias foráneas que la poesía gauchesca —desde Lope de Vega a García Lorca (y desde la utilización metafórica vanguardista a la influencia del folklore negro de los EE. UU. y del arte negro "a la europea") —, la poesía Negroide significó un tema nuevo y legítimamente americano, original en su expresión y su colorido, como no se había dado antes en castellano, pero sí, aproximativamente, en el folklore de los pueblos africanos de los cuales descendían muchos antillanos (yorubas, bantús, fantiashanti y dahomeyanos).

Cuba

Por qué fue Cuba un centro privilegiado de poesía negroide cuando el negro era allí una minoría, había conseguido su integración y el gobierno dictatorial del general Gerardo Machado todavía no se mostraba en todo su despotismo (1924-1933) podría ser motivo de varias explicaciones. Tan arduo interrogante, para nosotros, afirma nuestra opinión de que toda esta poesía negroide nació como una forma más de la libre creación del vanguardismo; luego tomó su carácter polémico y su contenido social, ante el éxito obtenido (se pensó que era buena arma de propaganda ideológica, comunista o nacionalista). Esta afirmación es, poco más o menos, la que sostiene G. R. Goulthard en "Raza y color de la literatura antillana" (Escuela de Estudios Hispano-Americanos, Sevilla, 1958).

Un antropólogo: Fernando Ortiz

El antropólogo cubano Fernando Ortiz había estudiado en su ensayo "Negros brujos" (1916) al negro cubano y en 1924 había publicado su "Glosario del afrocubanismo", un vocabulario negroide. Es posible que Palés Matos conociera esta obra, como ya hemos dicho que es posible que los cubanos conocieran los diarios de Puerto Rico donde se publicaron los poemas de Palés antes de ser recogidos en libro. La influencia pudo haber sido mutua, pero el sentido con que está encarada la poesía es diferente, precisamente por las distintas condiciones en que se encontraban ambos países. En Cuba el imperialismo parecía haber sido derrotado y frente a la dictadura militarista que lo apañaba tratando de no herir el sentimiento nacional (demasiado vivo después de 1909, con la segunda intervención americana en base a la Enmienda Platt, derogada recién en 1934), cuajaban libremente las teorías socialistas y el romanticismo o idealismo del comunismo libresco y teórico, con el mito del Soviet ovacionado por los "camaradas de ruta", intelectuales cansados del liberalismo al que acusaban de capitalista y de la Iglesia, a la que acusaban de regalista y retrógrada (estos intelectuales disconformes por hartazgo burgués serán los primeros que "suprimirá" el comunismo de Fidel Castro a partir de 1960). Por esto no es extraño que casi de inmediato, luego de una faz onomatopéyica y colorista, pero mucho más popular, menos cultista que la puertorriqueña, la poesía negroide cubana adquiera un cariz social.

* * *

Comunismo y poesía negroide

La superstición —la doble faz religiosa de los mulatos y negros que adoraban a los antiguos dioses africanos identificándolos con nombres de santos cristianos—, la explotación mercenaria de los que ya no eran esclavos en el cañaveral, la falta de escuelas y de educación, la indolencia no combatida sino con alcohol, eran temas tentadores para entablar la lucha del proletariado y el auge de la poesía Negroide era un caldo de cultivo admirable, pues la moda hacía que —y en esto contribuyeron mucho los recitadores y recitadoras— toda América buscara y leyera esos poemas.

En 1931 se había declarado la república en España, García Lorca visita Cuba, no trayendo ideas pero sí una estética y el reflejo de una república socializante, con muchos errores políticos y muchos intelectuales geniales ¡ay!, demasiado idealistas para el realismo que exige cualquier gobierno. Guillén cambió su poesía, de tipo populista, bajo la influencia de Lorca, y la cambiará, con más razón, cuando estalle la guerra civil española y la república caiga en pedazos a la vez que en Cuba crece el poder del ex sargento Fulgencio Batista (electo presidente en 1940). Oswald Spengler, el filósofo alemán, había publicado ya un libro al que los años nuevos han devuelto actualidad: "La decadencia de Occidente", que en cierto sentido podría situarse como una réplica a "La deshumanización del arte", de Ortega y Gasset. Prevención contra el intelectualismo cerebral y deshumanizado que ponía en pligro a Occidente frente a un resurgimiento de "el peligro amarillo". Las nuevas ideas avanzaban velozmente por el mundo intelectual americano. Y las fechas ayudan a comprenderlo: 1924, muerte de Lenín. 1925: primer plan quinquenal en la URSS. 1929: comienza la depresión. 1931: República Española. 1933: advenimiento de Hitler. 1935-36: guerra italo-etíope (otro factor que favoreció la divulgación social de la poesía Negroide). 1936: comienza la guerra civil en España. 1937: guerra chino-japonesa. 1938: Alemania anexa Austria. 1939: Guerra Mundial.

La decadencia de Occidente

* * *

Nicolás Guillén (cub. 1902) tiene origen

Nicolás Guillén

mulato. Fue siempre un rebelde, como tipógrafo o estudiante de derecho. Viajó a España durante la guerra civil y luego se declaró en favor del comunismo. Su evolución apunta en "Motivos de son" (1930), donde con un lenguaje más descriptivo y popular que el de Palés Matos, sigue la misma senda que éste: vanguardismo sonorizado, ritmos imitativos de las danzas nativas, lenguaje exótico y en gran parte onomatopéyico. Pero luego de recibir la influencia de García Lorca, Guillén publica "Sóngoro cosongo" (1931) donde su estética se refina y donde encuentra su verdadero camino de inquieto social. La poesía Negroide ya no es un exotismo, o una proclama nacionalista, sino una queja de las clases oprimidas a través del ejemplo de los desheredados mulatos de la isla. Ya en "West Indies Litd" (1934) aparece el tema directamente antiimperialista (renace pues el Panamericanismo del modernismo iniciado con "A Roosevelt", de Darío) y de propaganda militante izquierdista. Izquierdismo que se agudiza a medida que cambia el panorama político y que se volverá militante y agresivo cuando en la postguerra de 1945 la URSS sale de sus fronteras para volcarse en los balcanes, en China, en la misma Cuba, en su primer intento serio de comunizar al mundo. Otras obras de Guillén son: "Cantos para soldados y sones para turistas" (1937); "España" (1937); "El son entero" (1947), recopilación de su obra anterior. En 1951 publicó "Elegía a Jesús Menéndez" y en 1958 "La paloma de vuelo popular". Los poemas más famosos de Guillén son "Negro bembón", "Sóngoro cosongo", "Tú no sabe inglé", "Yambambó", "Velorio de Papá Montero" (en el cual Valbuena Briones ve un paralelismo con "Muerte de Antoñito el Camborio", de Lorca).

Regino Pedroso (cub. 1896), mestizo también, sigue la línea social de Guillén en lo político ("Salutación fraternal al taller mecánico") y en lo negroide ("Hermano negro"). Véase "Antología poética (1939).

* * *

Recordemos otros poetas, entre los muchos que debieran citarse. En primer lugar a José Zacarías Tallet (cubano, 1893), que adquirió notoriedad con "La rumba" (1928). "La semilla estéril" (1951) es una recopilación de sus poemas de 1920 y 1930. Es poeta vulgarista, pero con complejidad culterana y poeta "negrista" por accidente ("Negro ripiera").

Emilio Ballagas

Emilio Ballagas (cub. 1910-1954), el autor de uno de los más famosos poemas negroides, "Elegía de María Belén Chacón", sigue el rumbo opuesto a Guillén, con el cual puede equipararse en importancia poética: abandona el tema negroide y llega a una religiosidad en sus últimas obras que lo acerca al catolicismo, pero sin perder nunca su medido sentido nacionalista. "Cuadernos de poesía negra" (1934), y "Nuestra señora del mar" (1943), muestran ambas variantes. En 1955 se publicó "Obra poética de Emilio Ballagas". Es autor de "Antología de la poesía negra hispanoamericana" (1935) y "Mapa de la poesía negra americana" (1946).

Otros más

Y habría que recordar a Alejo Carpentier (cub. 1904), novelista musicólogo ("Poemes des Antilles", "La pasión noire"), escribe en francés y en castellano (véase su poema "Liturgia"); a Ramón Guirao (cub. 1908-1949), con su libro "Bongó" (1934), su poema "Bailadora de rumba" (1928), sus ensayos y su antología "Orbita de la poesía afrocubana (1939); a José Manuel Poveda (cub. 1889-1926), uno de los precursores con "El grito abuelo"; a Domingo Moreno Jiménez (dom. 1894); a Tomás Hernández Franco (dom. 1904); a Luis Cané (arg. 1897-1957), etc. En Argentina, con Héctor Pedro Blomberg (arg. 1890-1955), el negrismo costumbrista se vuelve argumental para evocar a los "morenos" de Buenos Aires durante la tiranía de Rosas, con sus "candombes" famosos.

* * *

Vocabulario

Margot Arce da la siguiente orientación al hablar de Palés Matos: "El vocabulario es heterogéneo. Se compone de palabras del léxico de las Antillas: ñáñigo, baquiné, mariyandá, mandinga; de voces negras africanas: tungutú, botuco, topé, calabó; y de palabras o sonidos onomatopéyicos creados por el propio Palés: cocó, cocú, tumcutum. La geografía negra es abundante: Tombuctú, Fernando Póo, Martinica, Haití, Congo, Angola, Uganda... También alude a divinidades de la mitología africana: Ecué, Changó, Ogún Bagadrí; y a sus ritos mágicos: baquiné, balele, camdombe. Cita, en fin, una gran cantidad de nombres propios, usuales entre los africanos: Babissa, Manassa, Cumbalo, Bilongo. Hay otros inventados por Palés con intención caricaturesca visible: Madame Cafolé...".

Igual procedimiento siguen los demás poetas negroides.

* * *

Dos son las aperturas finales para el hermetismo vanguardista de la poesía Afro-antillana: por un lado, subordinarse a ser conducto de mensajes de lucha proletaria (como en Juan Marinello, cub. 1898, autor de "Liberación" en 1927 y fundador ese año de la "Revista de Avance"); por el otro, refinarse y caer, por ejemplo, en el "trascendentalismo", forma culterana a la que se adhirieron José Lezama Lima (cub. 1912), Cintio Vitier (cub. 1921) o Félix Franco Oppenheimer (puert. 1912) que quiere devolver al mundo su espontánea humanidad primitiva.

* * *

Pero antes de que la guerra de España cambie el panorama de la Vanguardia, detenga al vanguardismo comprometiéndolo en un sentido u otro, y permita la aparición de una poesía activa, debemos volver atrás para hablar del movimiento Superrealista y de la gran figura que, como Guillén, va a transformar su poesía para acordarla con el "compromiso" que le exigen sus ideas comunistas: Pablo Neruda.

EL SUPERREALISMO Y "RESIDENCIA EN LA TIERRA"

El superrealismo

En 1924 André Breton publica su ya legendario "Manifeste du surréalisme" donde define las líneas fundamentales no de un movimiento, de una tendencia, sino de una escuela formal con sus dogmas y preceptivas. Es prudente, de vez en cuando, releer las páginas de Breton para regresar a las fuentes, a menudo deformadas, en citas de citas y referencias de referencias. En 1928, el grupo de poetas españoles de la segunda República (1931-1939), Alberti, Aleixandre, Altolaguirre, han aceptado las bases del manifiesto (Apollinaire, Aragón, Eluard, serán los poetas más leídos). García Lorca, ese mismo año, da la definición española de la escuela, en una conferencia incluída en la edición Aguilar de sus Obras Completas (1957) titulada " Imaginación, inspiración, evasión". Dice Lorca: "Se trata de una realidad distinta: dar un salto a mundos de emociones vírgenes, teñir los poemas de un sentimiento planetario. Evasión de la realidad por el camino del sueño, por el camino del subconsciente, por el camino que dicte un hecho insólito que regale la inspiración".

Ese camino de libertad absoluta con imágenes extraídas del subconsciente —el llamado "automatismo psíquico"— Federico García Lorca lo va a manifestar en "Poeta en Nueva York" (1930), apartándose del vanguardismo popular y hermético del "Romancero Gitano", donde ya apuntaban imágenes más superrealistas que ultraístas puras. Es decir, más ajustadas a las reglas de interpretación mediante la equivalencia del símbolo y el objeto o estados espirituales. No olvidemos que el superrealismo se basa, esencialmente, en la creación subconsciente; cae pues en la explicación de la teoría de Sigmund Freud respecto al psicoanálisis (y más que en la interpretación de los sueños, en la "Psicopatología de la vida cotidiana").

* * *

El "Creacionismo" de Huidobro, balanceado entre el superrealismo de Apollinaire y el dadaísmo de Tristan Tzara, se había inclinado hacia el lado de éste último: crear una realidad circundante; el ultraísmo abuele toda lógica admitiendo cualquier escuela o "ismo" que supere la realidad, cayendo así en una anarquía de metáforas sensoriales inspiradas en el absurdo —ese tema tan de actualidad en la postguerra desde Camus a Ionesco y que arranca del hecho gratuíto, sin motivación lógica—; el superrealismo tiene una posibilidad de ser interpretado por la lógica, porque no es una negación de la realidad sino un complemento necesario de la realidad exterior o visible, mediante el agregado de una realidad tan valedera como la otra: la realidad interior de los procesos subconscientes que determinan la conducta visible del hombre, controlada por la razón. Por esto, el superrealismo es una escuela donde la libertad absoluta de creación va a traer a la superficie imágenes oníricas, un sentimiento planetario, una desintegración del mundo lógico del consciente; una desintegración dada, principalmente, en símbolos de materia orgánica, símbolos de sentimientos, deseos, aspiraciones: la faz "orgánica", visceral, es lo que da al superrealismo esa apariencia de escombros en ruinas, ese absurdo aparente de orejas emergiendo de torres (y la pintura de Dali, Tanguy, Ernst, De Chirico, se ha plegado a la gozosa libertad plástica de la escuela).

* * *

Pablo Neruda

El más grande y famoso de los representantes del superrealismo en América es Pablo Neruda (seudónimo de Ricardo Eliecer Neftalí Reyes, chil. 1904).

En los primeros libros Neruda busca un estilo propio, y lo consigue, sin duda, a pesar de las influencias que van acusando unos y otros de sus poemas: Leopoldo Lugones, Juan Ramón Jiménez, Rabindranath Tagore, Huidobro. Hay un poco de "creacionismo" en algunas imágenes, en algunas metáforas que campean, independientes del poema; hay audacias formales heredadas del modernismo lugoniano; hay ciertos vulgarismos expresos que continuarán en toda su obra como reacción antiaristocrática instintiva (Neruda tuvo un padre minero y una madre que murió de tisis a poco de su nacimiento). Pero la nota característica del primer período de su poesía es el romanticismo —otra vez el romanticismo renovado en la forma pero el mismo en la esencia: el amor desesperanzado, el amor no correspondido, el amor vago, la conciencia de un dolor irredimible, el fracaso como premio al inútil esfuerzo, la muerte aguardando, la finitud de la vida. Dos poemas famosos dan testimonio de este romanticismo y de esta temática: "Farewell" (en "Crepusculario" 1923) y "Poema número 20" (en "Veinte poemas de amor y una canción desesperada", 1924).

El período romántico

* * *

El período Super-realista

La melancolía y la frustración se van a asentar, luego de un libro de transición —"El hondero entusiasta", 1933— con las dos primeras "Residencia en la tierra" (la primera de 1933, contiene poemas escritos entre 1925 y 1931; la segunda, editada por "Cruz y raya" en Madrid, aparece en 1935). Al intentar expresar el escepticismo del hombre culto de la década del 30, del hombre que quiere librarse de la realidad antiespiritual y materialista degradante que lo rodea, bucea en un lenguaje superrealista, más inseguro en la primera Residencia que en la segunda. Se afirma en este camino, que desde 1930 le mostraba García Lorca, al ser nombrado cónsul de Chile en Barcelona en 1934 y entrar en contacto directo con el grupo de los poetas republicanos españoles.

En realidad, la temática no cambia: insatisfacción psíquica de una realidad perdible y de una metafísica inalcanzable; o la presencia de la mujer, menos estilizada que en los Modernistas, mirada como objeto nato de traición ("Las furias y las penas", de la tercera Residencia, que cierra el ciclo superrealista, es un feroz poema de amor, de venganza, de impotencia). Neruda emplea palabras que son claves para la comprensión de sus poemas y que Amado Alonso trató de descifrar y de traducir lógicamente ("Poesía y estilo de Pablo Neruda", Buenos Aires, Losada, 1940). La palabra "sastre" como insulto, como indicadora de todo lo mísero sin imaginación y burgués, es una de sus preferidas. Uva, paloma, pez, gatos, son símbolos continuos. Unas palabras indican gozos físicos, otras goces espirituales, algunas —búsquese equivalencias con su significado— son viscerales e informan que el hombre está sujeto a sus sentidos y que no logra vencerlos, tema éste constante en las "Residencia".

* * *

Principales temas en "Residencia en la tierra"

De la primera "Residencia en la tierra" (escrita, ya dijimos, entre 1925-31) son buenos ejemplos, más difíciles de entender a medida que el superrealismo se acentúa, los siguientes poemas: "Ausencia de Joaquín" (tema de la muerte para la que no hay escape, todavía con resabio romántico); "Colección nocturna" (tema de la soledad a la que está condenado el hombre que no puede ir, a pesar de su esfuerzo, de su cansancio, más allá de los recuerdos. Adviértase en todo momento la ausencia de redención metafísica y sí el escepticismo carnal, de esta tierra, de esta "residencia"); "Arte poética" (la inutilidad de la poesía incapaz de redimir al hombre —viejo tema vanguardista que ya vimos en Vallejo— y la imposibilidad para el poeta de escapar a su fatal destino de cantar); "Caballero sólo" (tema del cansancio del amor sexual, del triunfo de la fealdad inevitable, de lo pedestre del amor, del mundo vivo y cotidiano del cual el poeta no puede huír); "Ritual de mis piernas" (tema del cuerpo desvalido, de los convencionalismos hipócritas, de la inocencia del sexo disfrazado en las ropas).

* * *

Segunda "Residencia en la tierra"

En la segunda "Residencia en la tierra" (1931-1935) el vocabulario se hace más pedestre todavía, como es fácil advertir en algunos poemas y no en otros de la primera Residencia (lo cual hace suponer que fueron escritos después de 1930, cuando ya estaban en gestación los de la segunda "Residencia"). Sin embargo, a pesar del deliberado vulgarismo en escoger las palabras y en buscar imágenes que choquen a la sensibilidad, a pesar del hermetismo superrealista que se acentúa, aquí están algunos de los grandes poemas de Neruda: "Sólo la muerte" (otra vez el tema de la muerte"); "Walking around" (repugnancia y soledad del poeta frente al mundo visceral, prosaico, que lo rodea); "La calle destruída"; "Oda con un lamento"; "Apogeo del apio"; "Oda a Federico García Lorca"; "El reloj caído en el mar", etc. etc.

* * *

Tercera "Residencia en la tierra"

La tercera "Residencia en la tierra" (1935-1945), publicada en 1947, marca el momento en que Neruda va a encontrar ese camino que busca angustiosamente, en medio de la frustración de una generación culterana —a la cual pertenece—, vanguardista y hermética. Siente que no puede habitar en la torre de marfil que inspira "La jeune Parque" de Paul Valery y el "Cimitiere marin", los dos poemas más leídos y discutidos en el período del 30 al 40. La poesía del hombre entre las dos guerras es de frustración; de desubicación en un mundo de valores revertidos, donde ha comenzado la famosa "incomunicación" que tanta resonancia tendrá en el existencialismo de la segunda postguerra. La introspección en vano trata de resolver los conflictos de humanidad de los hombres. Freud ha revelado mucho, pero no bastante: los hombres se separan más a medida que avanzan los extremismos derechistas. El izquierdismo marxista, con su gran fuerza teórica, es una esperanza. Hay que escoger y Neruda no vacila en la elección porque en su amada España la república de los poetas vacila y se desmorona.

Conversión al comunismo

Abandonando el egoísmo de intentar el autoconocimiento a través del superrealismo, Neruda busca el camino de la acción: el compromiso social que le ofrece la fraternidad teórica propuesta por el comunismo. Y así, comienza la tercera "Residencia" en el mismo tono que las antriores, pero con la intuición de que puede hacer algo positivo por los hombres, algo que lo una a ellos: "puedo ofrecer un poco", dice en "Bruselas". Y así, después de "Las furias y las penas", reniega de su anterior temática en "Reunión bajo las nuevas banderas". Y con "España en el corazón" (1936-1937) inicia la etapa social, como Vallejo, como Guillén. La guerra civil española, el avance del fascismo en el mundo, la mitología que irradia la URSS, el resentimiento hispanoamericano despertado por el imperialismo, son motivos más que sobrados para explicar su conducta. Neruda se entrega con entusiasmo de converso al nuevo credo. Y vienen entonces el "Canto a Stalingrado", el "Canto en la muerte y resurrección de Luis Companys", el "Canto al ejército rojo a su llegada a las puertas de Prusia", con el intermedio de su poema "Un canto para Bolívar" (donde anticipa el tono americanista, más avanzado que el Panamericanismo, de la poesía antiimperialista de su "Canto general" (1950). Pero esta faz militante de Neruda, con las variantes que marcan sus versos angostados a partir de "Las uvas y el viento" (que empezó a escribir en 1952) la veremos al concluír este bosquejo.

* * *

Sintaxis de Neruda

Es interesante la opinión de Octavio Corvalán sobre la sintaxis de Neruda ("El postmodernismo", Las Américas Publishing Company, New York, 1961) : "Hay dificultades enormes para comprender a Neruda. Una de ellas es la puntuación. Un poeta hermético clásico —digamos, Góngora— puntúa escrupulosamente. Para Góngora es muy importante que cada trozo gramatical esté perfectamente destacado para que el lector, al desenredar el acertijo, no se pierda. Neruda no se cuida de puntuar; mejor dicho, parece cuidarse de *no* puntuar, como si hubiera un deliberado propósito de oscuridad cuando las frases son demasiado evidentes. Pero, a esta dificultad salvable con algún esfuerzo, se añaden otras: las sintácticas, por ejemplo. Sus versos son gramaticalmente incompletos, hay una cantidad de oraciones mutiladas. Pero ni esta falta de puntuación ni la sintaxis defectuosa son descuidos del poeta, según se ha dicho. Los puntos y comas que encierran un período producen una interrupción en el ritmo interior que trata de representar. Por eso cuando se da involuntariamente una frase rítmica, ordenada lógicamente, la disfraza con una puntuación que despista momentáneamente. De ahí que el lector debe fijarse bien en los verbos y dónde deberían estar las comas. En cuanto a la sintaxis, no es torpeza del poeta su elocución confusa. Neruda tiene momentos de consumado estilista. Su falta de integración sintáctica es un elemento estético".

* * *

Vanguardistas

Otros representantes del Vanguardismo, con sus variantes, y es difícil encasillar a sus figuras dentro de un determinado "ismo", se encuentran en todo el territorio de América Hispánica. No solamente las corrientes francesas, la influencia española (se cumple el tercer centenario —en 1927) de la muerte de Góngora y se reactualiza su culteranismo) clásica y moderna, sino una nueva conciencia americana, que a través del modernismo poético y de la novelística realista se ha afirmado ante sí misma, inspiran a los vanguardistas.

Mariano Brull (cub. 1891-1956) que siguiendo a Valery quería librar al verso de todo cuanto puede decirse en prosa con "La casa del silencio" (1916), "Canto redondo" (1934), "Poemas en menguante" (1928), "Solo de rosa" (1941), "Tiempo en pena" (1950), con sus metáforas sonoras y sus búsquedas auditivas inspiró a Alfonso Reyes las "jitanjáforas", neologismos con efectos sonoros, sobre las huellas de las "Greguerías" de Ramón Gómez de la Serna. El verso de Brull que inspiró a Reyes se titula "Verde halago". Pero la palabra "jitanjáfora" la tomó de un poema onomatopéyico que Brull escribió por broma para una de sus hijas. (Véase "La experiencia literaria", de Alfonso Reyes, Losada, Bs. As. 1942). Cintio Vitier cita el poema en "Cincuenta años de poesía cubana" (1952): "Filiflama alabe cundre/ ala olalúnea alífera/ alveolea jitanjáfora/ liris salumba salífera.// Olivia oleo olorife/ alalaicánfora sandra/ milingítara girófora/ zumbra ulalindre calandra".

También el siempre atrayente León de Greiff (colom. 1875), gongorino, arcaizante a veces, con ritmos distorsionados y onomatopeyas coloridas

("Tergiversaciones", 1925; "Farrago", 1955) y Juan Parra del Riego (per. 1894-1925) fueron expresiones interesantes de la vanguardia. Del Riego entroniza temas poco habituales, tales como el jazz, la motocicleta (ver su "Oda a la motocicleta"), el maquinismo en general, en versos polirrítmicos de gran vivacidad y originalidad. ("Himnos del cielo y de los ferrocarriles", 1925; "Tres polirritmos inéditos", 1937; "Poesía", 1943).

La gran Alfonsina Storni (suizo-arg. 1892-1938) se hizo vanguardista en "Mundo de siete pozos" (1934), pero de ella hablaremos en especial; y también lo fueron, bajo el rótulo de ultraístas, los argentinos Alfredo Brandan Caraffa (arg. 1898), Jacobo Fijman (arg. 1901), Eduardo González Lanuza (esp.-arg. 1900) o Ulises Petit de Murat (arg. 1910), que publicó en 1964 "Ultimo lugar" en la misma línea de su producción juvenil, a los cuales ya nos referimos.

Y no debemos olvidar a Luis Cardosa y Aragón (guat. 1904), con el admirable superrealismo que comienza en "Maelstrom" (1926) y culmina en "Luna Park" (1943), pasando por la "Torre de Babel" (1930), "El sonámbulo" (1937) y "Pequeña sinfonía del mundo" (1949), donde late la preocupación por el destino del hombre contemporáneo.

Algunos fueron vanguardistas temporalmente; otros fueron vanguardistas en la forma, pero llenos de inquietudes existencialistas y culteranas, lo que los aparta un tanto del hermetismo de la metáfora por ella misma; otros finalmente fueron vanguardistas pero de tipo popular, con implicancias nacionales. No debemos cerrar este capítulo sin citar algunos otros nombres orientadores de poetas parcialmente vanguardistas: Alejandro Peralta (per. 1899); Rosamel del Valle (chil. 1901); Heriberto Campos Cervera (parag. 1903-1953); Luis Vidales (colom. 1904); Emilio Adolfo Westphalen, per. 1911); César Moro (per. 1903-1956); Xavier Abril (per. 1905); Martín Adán (per. 1908); Sebastián Salazar Bondy (per. 1924); Carlos Germán Belli (per. 1930); Manuel Navarro Luna (cub. 1894); Eugenio Florit (esp.-cub. 1903); Félix Pita Rodríguez (cub. 1909); Samuel Feijoo (cub. 1914); Angel Cruchaga Santa María (ch. 1893) escribió "Los poetas de vanguardia en Chile" (1930). José Lezama Lima (cub. 1912), de quien deben leerse sus libros "Enemigo rumor" (1941), "Fijeza" (1949), y "Nuncupatoria de entrecruzados" (1952).

* * *

El otro hermetismo que entre las dos guerras se conforma en América es un hermetismo culterano —que a veces se aclara, y a veces se entronca, temporalmente, con formas vanguardistas. Son los poetas que teniendo como inspirador a Paul Valery en sus comienzos terminarán en el culto a Eliot, en la postguerra del 45. Creyeron que la cultura engendra cultura, viejo ideal modernista; se apartaron con repugnancia del vanguardismo excéntrico y del vulgarismo nivelador de los poetas socialistas. Se encerraron, esta vez sí, en una torre de marfil, al promediar la década del 30, para salir de ella en la segunda postguerra para orientar al desordenado pensamiento contemporáno y oponer nuevos credos al comunismo: su tema es de raíz existencial, muchos de ellos buscarán en la mística del catolicismo el receptáculo de la belleza. Casi todos los que hoy viven han aclarado sus versos sin popularizarlos, buscando, más que su comprensión, la unión de almas. Los nombres claves son: Alfonso Reyes, Carlos Pellicer, Octavio Paz, en México; Leopoldo Marechal, Francisco Luis Bernárdez, Ricardo Molinari en Argentina.

EL CULTERANISMO MEXICANO

El culteranismo

Podrá desconcertar el culteranismo de una generación mexicana que viene a la luz durante la revolución de 1910-11, si se olvida la profunda huella que deja en el adolescente la enseñanza primera: que era racionalista en época de Porfirio Díaz. Después del estallido de la revolución agrarista México parece nacer de nuevo. Se aviva el nacionalismo que ya existía; primero, como resabio de la reacción contra el extranjerismo austríaco y segundo, como defensa de su personalidad genotípica ante la influencia de su poderoso vecino (los EE. UU., contra los cuales había resentimientos patrióticos y económicos). De la revolución nace una línea poética que podría seguirse en los nombres de López Velarde, Villaurrutia, Reyes, Pellicer, Paz, hermética a veces, culta siempre (aún en sus manifestaciones más poulares). Se explica el aparente "internacionalismo" intelectual de estos poetas —en momentos en que se agita el más fuerte nacionalismo— si se mira a las ideas de la época sobre América y su destino.

Nacionalismo y universalismo

* * *

Teorías americanistas

La teoría del predominio americanista la había iniciado el uruguayo José Enrique Rodó (1871-1917) con su libro "Ariel" (1900) y la continuó el argentino Ricardo Rojas (1882-1957) en "Eurindia" (1924); el mexicano José Vasconcelos (1882-1959) en "La raza cósmica" (1925); el dominicano Pedro Henríquez Ureña (1884-

1946) en "Seis ensayos en busca de nuestra expresión" (1928) y Alfonso Reyes (mex. 1889-1959) en "Ultima Tule" (1942). Resumiendo en unas frases la teoría de tantos ensayos fundamentales de la prosa americana –pero que regirán también la labor poética– diremos: América continúa a España (se produce una "propaganda" a favor de lo español: la lengua castellana es una valla étnica que se opone al imperialismo) pero se independiza de ella gracias a una nueva raza que desde el trópico mexicano dominará al mundo del futuro; raza que se está formando en su seno. Pero no hay que cortar lazos con Europa, y en especial con Grecia –donde el espíritu inmortalizó a un pueblo –y con España –madre de la grandeza de la lengua–, sino asimilarlos para mayor riqueza y aprovechamiento de los países que surgen. Europeización sí, pero con valor subordinado a los nuevos elementos, no como subordinación de éstos a aquéllos (como se venía haciendo). Frente al positivismo del "self-made man" de EE. UU. ha de oponerse un idealismo controlado por la razón, que dará solidez y grandeza moral a la nueva raza.

Domingo Faustino Sarmiento (arg. 1811-1888) se había equivocado al creer en una incapacidad racial americanista ("Conflictos y armonías de las razas de América", 1883) y también Juan Bautista Alberdi (arg. 1810-1884) que en "Bases y puntos de partida para la organización política de la República Argentina" (1853) había proclamado la fórmula "Gobernar es poblar". Gobernar es poblar pero mediante una asimilación de la raza que llega a la raza que está, y no a la inversa. El indigenismo debía abrevar en una fuente de cultura universal, que lo nutriera, sin

Valor del indigenismo

dejar de ser indigenista.

De modo que *el "internacionalismo" intelectual de la generación que tratamos es, como ya dijimos, solamente aparente, pues lleva una intención de utilitarismo nacionalista.* En 1909, siendo ministro de Educación Justo Sierra, Henríquez Ureña, Alfonso Reyes, Vasconcelos y Antonio Caso, fundan el "Ateneo de la juventud", desde cuya tribuna aventan la pedagogía americanista que ha de regir los ideales de la revolución agrarista. Vasconcelos proclama entonces, en plena revolución, que del crisol de América saldrá la raza universal y fraternal de mañana. La reacción nacionalista —que no interrumpirá la línea poética que se continuará en el grupo de la revista "Contemporánea"— vendrá de los novelistas (con el admirable Martín Luis Guzmán) que se opondrá a toda universalización a través de un localismo de gran fuerza creadora, bastante semejante al fenómeno de la literatura gauchesca en la zona pampeana (incluso con una música propia: el corrido).

La novela nacionalista

* * *

Alfonso Reyes

Reyes comparte con los ateneístas el amor a la belleza clásica —traduce la Ilíada, escribe un poema dramático sobre Ifigenia— y como Henríquez Ureña preconiza la reconciliación con España (cuando México se convirtió en sede del gobierno republicano español en el exilio, se vió cuán hondo habían fructificado sus doctrinas). Afirma en "Ultima Tule" que América es, después de la Atlántida platónica, de la Tule senequista, el continente donde ha de continuarse la raza y la cultura del mundo futuro. (Cabe recordar aquí, como antecedente, "Atlántida, canto al porvenir de la raza latina en América" (1882),

Americanismo

de Olegario Víctor Andrade (arg. 1839-1882).

Universalismo Aunque universalista, viajero incansable, diplomático admirado, erudito como en su época no hubo otro en el continente, es por esencia mexicano en la manera de encarar sus temas, donde el regionalismo aflora sea en un vocablo nacional, o en una mira que solamente en su suelo puede darse. Se lo acusó de "extranjerizante" y defendió su "mexicanismo". No hay que exagerar lo uno ni lo otro. "Mi casa es la tierra. Nunca me sentí profundamente extranjero en pueblo alguno... La raíz profunda, inconsciente e involuntaria, está en mi ser americano", declaró él mismo. Era el producto de una educación, se había embanderado en una idea en la cual creía y que justificaba su vocación de erudito; nunca dejó de relacionar su cultura con las necesidades de su suelo mexicano. Su obra es tan inmensa y tan diversa —hasta el extremo que su talento desperdigado muchas veces le impidió ser genial— que termina por confundir con su variedad: la única clasificación que Reyes admite es la de erudito. Sin embargo, en su poesía —por ser más breve en número pero no en calidad— pueden rastrearse algunos de los temas que lo atrajeron. Publicada en ediciones de corto tiraje las más de las veces, y al

Obra poética correr de los años y los viajes, fue reunida en "Obra poética" en 1952. El sumario comprende: "Huellas", "Ifigenia cruel", poema dramático; "Otra vez"; "Romance del Río de Enero".

Libros y viajes Pero es posible seguir más de cerca su evolución: "Huellas" es de 1923 y está editado en México, pero Reyes representó a su país en España de 1914 a 1924. Este libro es, en parte, y a través de Góngora, una prueba del "descubrimiento" que le significó España. Se mezclan allí, con formas del modernismo que tienden a lo clásico —y entonces se vuelve casi parnasiano—, remembranzas mexicanas; algún poema sigue la corriente vulgarista del postmodernismo, pero siempre con una seguridad absoluta en el manejo del verso. No conmueve, permanece al margen emocional de su poesía, pero domina los matices del idioma con admirable maestría.

El vanguardismo no tiene secretos para él (le aportó una teoría sobre la onomatopeya con la creación de las "jitanjáforas", como ya vimos, inspirada por el poema "Verde halago", de Mariano Brull). Sin embargo, en Madrid prefiere la majestad clásica, que él hace moderna y hermética, del drama versificado o poema dramático "Ifigenia cruel", que es de 1924. Allí estaba ya presente la influencia de Mallarmé —del Mallarmé de "Herodiade" y de "La siesta de un fauno" y no el de "Una jugada de dados no suprimirá el acaso". Desde 1924 a 1927 vive en París, donde publica "Pausa", en 1926, cuando de entre la vanguardia francesa ha surgido la figura serena de Paul Valery, que en muchos aspectos continúa a Mallarmé, que en muchos aspectos continuó a Rimbaud. Naturalmente, Reyes va a seguir la línea clásica aunque parezca desviarse de ella.

Más poesía

De 1927 a 1930 representa a México en Buenos Aires; y de 1930 a 1935, en Río de Janeiro. Vuelve a su país, luego de viajes intermitentes a los EE. UU., definitivamente, en 1939. En 1931 publica "5 casi sonetos" y todavía hay en su bibliografía poética otros títulos tales como "La vega y el soto" (1946), los sonetos de apenas discreta calidad de "Homero en Cuernavaca" (1952) —siempre su amor a Grecia referido a su afán de verla renacer en su tierra— y "Constancia poética", en 1959.

Modernista en la forma es su poema "Los caballos" y modernista en la intención erótica su "Río de enero". Se vuelve costumbrista, parnasiano costumbrista, en el bello soneto "Lailye"; vulgar, pero domeñando muy bien los matices, en "Barbiponiente", siguiendo una corriente postmodernista; y adquiere tono gongorino en "Sin reposo" o "Glosa de mi tierra", para volverse mesiánico respecto al desempeño del poeta entre los hombres en "Adiós", dedicado a Gonzalez Martínez. Admirable es su poema "La señal funesta".

* * *

Onis y Reyes

Federico de Onís, en la introducción a "The position of América and other essays", seleccionados y traducidos del español por Harriet de Onis (knopt, 1950, New York) dice: "Escribió poesías desde la adolescencia y las sigue escribiendo en su vejez, y yo creo que en su poesía está la esencia de su obra y la realización más perfecta de su estilo. En ella se funden de manera indivisible lo clásico y lo moderno, lo culto y lo popular, lo personal y lo universal, y se dan en variedad sorprendente todas las vetas de su alma sencilla y compleja, abierta a la emoción".

Arquetipo americano

Fue un arquetipo del hombre americano de este siglo: el americano que pierde su complejo de inferioridad y quiere entrar en el mundo europeo no por su exotismo sino por su capacidad creadora, a la que el terruño le da una dimensión que se advierte sin él buscarla. Todo el ideario americanista citado y todo el que le sigue –de Rodó a H. G. Murena– no es más, visto hoy, que el deseo y la voluntad de dejar de admirar para provocar admiración, de dejar de imitar para ser imitados. América fue descubierta físicamente;

culturalmente, el resto del mundo apenas conoce de ella algunos islotes.

* * *

Dos argentinos entroncan con Alfonso Reyes en su culteranismo de acento clásico —latino y español— y de hermetismo postmodernista. Como Reyes, vuelven a adoptar versos regulares para sus expresiones poéticas: Enrique Banchs y Arturo Marasso.

Enrique Banchs

Enrique Banchs (arg. 1888) tiene una obra muy breve, pues interrumpió su continuidad poética apenas publicados algunos libros. Después solamente ha hecho conocer poemas espaciados en diversas publicaciones. Su bibliografía comprende: "Las barcas" (1907), "El libro de los elogios" (1908), "El cascabel del halcón" (1909) y "La urna" (1911). Este último, su libro más famoso, despertó la admiración de cuantos lo leyeron. Como Reyes, antes de Reyes, coincidentes (aunque por distintas razones) en contra del vulgarismo y el realismo que se metió en la poesía finisecular, Banchs escribió no solamente poemas de hermenéutica clásica, de torre de marfil, a la española, culteranos, sino que también se abrió ante el encanto de lo popular y a las ternuras mínimas que proponía el "sencillismo". Lo que nunca admitió fue la vulgaridad. Su gusto por el idioma, herencia modernista, le despertó el regusto del Siglo de Oro.

Arturo Marasso

Arturo Marasso (arg. 1890), erudito al estilo de Reyes, escribió poemas herméticos, de hechura gongorina, y otros de transparencia clásica, ubicados en el devoto platonismo de un espíritu puro. Su fama en la cátedra universitaria —se lo considera el mejor experto en Rubén Darío y una autoridad en Cervantes, San Juan, Santa Teresa—, ha oscurecido su prestigio como poeta. Su obra poética se extiende desde "La canción olvidada" (1914) a "Presentimientos" (1918), "Paisajes y elegías" (1921), "Poemas y coloquios" (1924), "Retorno" (1927), "Poemas" (1944), "Antología poética" (1951), "La rama intacta" (1949) y, por último, en 1963, "Poemas de integración". Venido de montañosas tierras provincianas guarda el amor y la sabiduría reveladora de la naturaleza. Ella anima las vivientes evocaciones de "La mirada en el tiempo", y el lúcido saber de las "Joyas de las islas", ambos libros de prosa escritos por un poeta, y está presente en cada uno de los versos de "Poemas de integración" (Academia Argentina de Letras, Bs. As., 1963) : verso casi vanguardista en las imágenes, exaltadamente lírico en el tono, culterano y hermético en la intención de ubicar al poeta en el mundo desintegrado por culpa del hombre.

* * *

"Nosotros"

En 1923 la revista "Nosotros" —que data de 1907 y durará todavía 20 años más— hizo una encuesta preguntando cuáles eran los tres o cuatro poetas argentinos, mayores de treinta años, que se consideraban más respetados. Se recogieron unas cuarenta respuestas y el orden, sorpresivo para el juicio de hoy, era así: Banchs y Capdevila, con 29 puntos; Lugones, 18; Fernández Moreno, 15; Arrieta, 9; Storni y Blomberg, 4; Pedro Miguel Obligado y Pedro Herreros, 3; Marasso y Allende Iragorri, 2; Chabrillón, Caminos y C. Calou, 1.

LA LINEA CULTISTA EN AMERICA

El cultismo

En la misma línea de poesía culterana —por el apego a Góngora que suele volverlos oscuros, a Garcilaso, Quevedo o Boscán, y también a Sor Juana y a Balbuena, que se revalorizan—, hay muchos poetas que seguirán el rumbo de Alfonso Reyes y del siempre digno Enrique González Martínez. Este muere en México en 1952, el mismo año en que publica "El nuevo Narciso" y ha ido del modernismo al más puro parnasianismo sin molestar a nadie y respetado por todos. Es también herencia de la generación de Reyes la aceptación por el mexicano de todas las tendencias, *siempre que sean y vengan de manos de mexicanos* (hay un poco de chauvinismo en esto, pero ¡qué hacerle!). Lo cual permitirá la paradoja ya anotada en el caso de Reyes, y creemos que explicada, de un culteranismo extranjerizante dentro de un nacionalismo agudo; y de la aparición de poetas neocatólicos en pleno auge del anticatolicismo y del laicismo revolucionario.

Veamos algunas de las figuras de este cultismo que culminará en la "torre de marfil" de 1930 al 40, aunque no todas las figuras que citamos hayan estado en ella:

Carlos Sabat Ercasty

Carlos Sabat Ercasty (urug. 1887) es un poeta mal conocido a pesar de la difusión de su nombre. La manera mesiánica, a lo Walt Whitman, prendió fuerte en América. El apóstrofe postmodernista, un poco grandielocuente, como el de Almafuerte en Argentina, tuvo en Sabat Ercasty un digno representante. Apostrofa a la naturaleza con sentimiento pánida, exaltado y vibrante ("Alegría del mar", de su libro "Poemas del hombre", 1921), y de igual manera al hombre en "Sinfonías del Río Uruguay" (1937). Elegante en sus sonetos, aunque renunció al Modernismo, "Los adioses" (1929) tendrían que clasificarse dentro de las reglas áureas del mismo. En el fondo, aunque no se embarca en el Panamericanismo sino incidentalmente, su reacción antimodernista es la del cambio que sufre el movimiento (en 1912 quema su primer libro). En 1917 publica "Pantheos", poemas afirmativos, vitales, que explican la afición que le tomó años más tarde Pablo Neruda. Más que por sus poemas, que no son desdeñables, Ercasty tuvo significado por el cambio de actitud del poeta frente a la poesía: fue positivo y entusiasta. Algunos lo han clasificado como precursor del vanguardismo. No creemos que éste sea su obligado casillero en una antología poética. Otros libros destacables son "Poemas del hombre. Libro del mar" (1922); "Eglogas y poemas marinos" (1922); "Vidas" (1923); "El vuelo de la noche" (1925); "Poemas del hombre. Libro del amor" (1930).

Jaime Torres Bodet

Jaime Torres Bodet (mex. 1902) fue el mejor superrealista mexicano (Xavier Villaurrutia también entró en el vanguardismo, pero de una manera más exterior y se inclinó hacia el culteranismo hermético, de inquietud existencial). Torres Bodet tuvo una larga vida poética. En 1926 publicó su primera antología con el título de "Poesía" y en 1950 hizo una nueva "Selección de poemas". Su último libro es "Trébol de cuatro hojas" (1958). Su época superrealista termina con su primera antología. Después, lentamente, deriva hacia el culteranismo con inquietud social (véase su poema "Exodo"), con intención existencial (véase "La noria" y "Civilización") o con interrogante religioso ("Reloj").

* * *

Bernardo Ortiz de Montellano (mex. 1899-1949), del cual póstumamente se editó "Sueño y poesía" (1952) también cabe en esta línea. Acentúa su hermetismo por el mayor deseo de ser introspectivo. Véase su bello poema "Muerte del cielo azul". El hermetismo está en el desconcierto de la época y se manifiesta en la vanguardia, que no siempre cultivan estos poetas culteranos cuya principal característica es negarse a los "ismos" destrozadores del idioma. Si a veces alguno de los representantes del "cultismo" incursionó en el otro campo, es porque las vidas tienen muchos matices y un poeta no es un casillero con un solo rótulo (por esto insistimos en clasificar los poemas y no a los poetas).

* * *

José María Eguren

José María Eguren (per. 1874-1942) está bien definido por Onis: "Romántico por el sentimiento latente, simbolista por la vaguedad y la delicadeza de los matices pictóricos, clásico por el lenguaje, es también un precursor aislado e incomprendido de los procedimientos propios del creacionismo". Su libro "Simbólicas" (1911) es considerado hoy, a 30 años del juicio de Onis, como una admirable muestra vanguardista. Pero Eguren mantuvo más el tono cultista que el vanguardista. Pasado el período de transición, cuando las dos ramas del culteranismo se diferenciaron y los poetas tomaron posiciones o por el vanguardismo o por el culteranismo puro (aunque a veces intercambiaran hermetismos y metáforas) Eguren se inclinó por éste. "La canción de las figuras" (1916) y "Sombra" (1920), juntamente con la "Antología" (1929) sirvieron para dar fisonomía definitiva a sus poemas.

* * *

Xavier Villaurrutia

Xavier Villaurrutia (mex. 1903-1950) participa del vanguardismo, los "estridentistas" mexicanos son sus compañeros, pero solamente en la forma exterior, y no siempre. En él, sin una clara definición, el culteranismo que le viene de la "deshumanización" de los poetas franceses —Mallarmé, Valery, Eluard—, se "humaniza", paradógicamente. Es interesante observar esta aparente contradicción porque da cuenta no solamente del estado espiritual de Villaurrutia sino de toda la generación que sucedió a la de Reyes —afloró entre el 30 y el 40— y que se agrupó alrededor de la revista "Contemporánea", aunque no todos colaboraron en ella. Obsérvese la trayectoria que va de "Reflejos" (1926) a "Nocturnos" (1931-36).

La introspección y la nostalgia de un inconcreto pasado lo arrastran al canto interrogante del sentido de la muerte con intención metafísica y atisbos de religiosidad. Se vuelve entonces, como es frecuente en los culteranos, de sabor español clásico. Véase su libro "Nostalgia de la muerte" (1939-46). En 1941 publicó "Décima muerte" y en 1948 "Canto a la primavera y otros poemas".

El canto a la muerte es un acuerdo tácito, implícito en todos los poetas de esta generación. Al escepticismo de principios de siglo ha sucedido una renovación espiritual, que en México adquiere especial significado, un significado vital y no negativo, como herencia revolucionaria. La muerte había llegado a ser un tema corriente y su posibilidad inmediata admisible para cualquier mexicano.

* * *

José Gorostiza

La muerte es tema de introspección acerca del destino del hombre —personalizan muy poco aunque hablen en primera persona; el tono es universalista aunque el factor desencadenante sea una causa local—, y así lo entiende José Gorostiza (mex. 1901). Gorostiza tiene únicamente dos libros y, como Banchs en Argentina, casi ha dejado de escribir poesía (absorbido por la política): "Canciones para cantar en las barcas" (1925) donde sigue el folklorismo costumbrista de tantos otros poetas de América y "Muerte sin fin" (1939), su más grande y muy extraordinario poema. En Gorostiza el hermetismo europeo entronca con el gongorismo, y se aclara para volverse lírico pero con reminiscencias a lo Gerardo Diego, Altolaguirre, o Juan Ramón Jiménez. Lo importante del largo poema de Gorostiza —que él grabó en disco para la Universidad de México— es que el tono universalista, el interrogarse y el responder sin acertar con la respuesta (hasta rozar, en el final, el tono de resignación humorística) lo coloca entre los grandes poetas existenciales de la preguerra: El hombre está solo, Dios lo acecha, pero ¿existe Dios, o estamos destinados a nosotros mismos? Esto parece ser la obsesión constante del poeta.

* * *

Poesía Religiosa

Los mexicanos, apenas aquietado su país, vuelven a contemplar la muerte de cerca en los relatos de los emigrados huídos de la guerra civil española. Como es natural, del tema de la muerte, del interrogarse sobre la muerte, al interrogarse sobre Dios, a la aceptación de Dios (que no es lo mismo que aceptar la Iglesia), hay un paso corto.

Este paso lo va a dar Carlos Pellicer a medida que declinan las terribles muertes de la Revolución, y lo había dado ya, en plena guerra europea, Ramón López Velarde, cuando el mundo escéptico y decepcionado trataba de sostenerse en algo.

Salvo como tema accidental, más de ocasión que de fondo, la poesía religiosa había desaparecido a comienzos del siglo XIX. Los románticos americanos son demasiado sensualistas y fatalista y están como lo estarán los modernistas, influídos por las ideas enciclopedistas que fundamentaron las revoluciones emancipadoras. No les interesaba como tema la fe religiosa tan ligada a la reacción anticlerical (explicable por la unión subconsciente que se hacía entre la Iglesia y la dominación española). El subjetivismo romántico hace que todas las alusiones a Dios o a Jesucristo terminen siempre referidas a los padecimientos del poeta. El "yo" es lo importante: hay un clamor continuo a la divinidad pero no una real entrega (véase, por ejemplo, los padecimientos de María en "La cautiva", de Echeverría, o "Plegaria a Dios", de Gabriel de la Concepción Valdés). Los modernistas, formados con el liberalismo de la segunda mitad del siglo, aunque por lo general no atacan a la Iglesia tampoco se sienten atraídos por los temas católicos, aparte de un vago misticismo más panteísta que cristiano. La excepción de Nájera o Nervo no invalida el aserto. Pero la postguerra del 18, junto con el escepticismo y desorientación del hombre —que deriva en la introspección culterana y luego en la interrogación existencial de la segunda postguerra— aporta una necesidad de creer y permite el renacimiento de la poesía religiosa.

* * *

Ramón López Velarde

Después de González Martínez, el poeta de más influencia en México fue un poeta neocatólico: Ramón López Velarde (1888-1921). Su producción poética fue escasa: "La sangre devota" (1916), "Zozobra" (1919) y "El son del corazón"

(1932). Este libro póstumo es el que mejor lo representa, ya maduro y logrado. Plegándose a una moda, que se acentuó hacia el 30 con el apogeo de las traducciones y el verso libre, escribió "El minutero", un libro de poemas en prosa, que se publicó en 1924. En 1952 se editaron algunas poesías inéditas. En 1961 el Diario "Novedades", de México, le rindió un homenaje ilustrativo ("México en la Cultura", suplemento dominical). Consúltese "Ramón López Velarde, el poeta y el prosista", de Allen W. Phillips (Instituto Nacional de Bellas Artes, México, 1962).

"La sangre devota" es una obra de transición. Sigue al Lugones de "Lunario Sentimental" (1909). Abrigaba por el poeta argentino una devoción tan señalada como la que tiene Carlos Pellicer, que es bastante discípulo de López Velarde. La reacción contra el modernismo envuelve a Velarde, que mira con simpatía a la libertad metafórica del ultraísmo. Su adjetivación postmodernista —que tanto sorprendió en su época— consiste en la introducción de vocablos, ni refinados ni vulgares, que no eran habituales en poesía, como lo fueron después. Habla de "encono de hormigas", "fértiles bustos", "buches de tórtolas", "soltero dolor empedernido", del "Orbe vaciado en plomo", "la eficaz y viva rosa". Estas citas aisladas pueden dar la impresión de un superrealismo que López Velarde no tuvo; su Vanguardismo —si se puede llamar tal —fue más del tipo creacionista que superrealista. En el fondo, era una nueva manera de utilizar "el adjetivo raro" de los modernistas. Pero ni los vocablos escogidos para sorprender, ni la forma que cuidó con esmero al estilo modernista, eran lo que le importaban. Le importó lo que decía y en esto sí llegó al postmodernismo con una nota hermética que no tenía el claro simbolismo preciosista o el panamericanismo del Modernismo.

* * *

Tuvo notas de vulgarismo costumbrista. Su amor a México era tan grande que le dió en herencia uno de los poemas más bellos de los que entran dentro de la clasificación de poesía de la "Nacionalidad": "La suave patria" (1921). Pero a pesar de algunos giros expresamente pedestres, de un dejo de ironía típico del primer postmodernismo, y de ese lenguaje ultraísta ocasional —pues lo olvida con suma facilidad—, su importancia y su inspiración están dadas por su posición de poeta neocatólico y culterano.

Curiosa temática religiosa

Católico y no místico; es importante marcar la diferencia. El misticismo o el ascetismo suponen la herencia española en la manera de encarar una temática de ese tipo; y a esto no se ajustó López Velarde (que conocía muy bien a sus clásicos). El verso católico plantea en inequívocas imágenes el eterno conflicto entre lo carnal y lo divino; pero con un lenguaje terrenal y sensual y no con la sublimación espiritual que cambia la dimensión de las palabras corrientes (en San Juan de la Cruz, por ejemplo). En uno de sus poemas más conocido, "Mi corazón se amerita", el poeta expresa su deseo de renunciamiento al mundo —"a las ineptitudes de la inepta cultura"— para preferir "el incendio sinfónico de la esfera celeste". Pero en otros poemas la oposición sufre un curioso vuelco: renunciará al mundo y preferirá lo eterno y lo devoto porque la belleza material que lo atrae se perderá cuando crezca la vejez. Es decir que llega a lo espiritual, porque no puede guardar lo carnal. Curioso camino de devoción.

Léanse, con esta mira, los poemas "Hormigas", "La última odalisca", con sus notas eróticas heredadas de Lugones y de Herrera y Reissig. En "Gavota" llega casi al cinismo. Afortunadamente para él se purifica en poemas de humildad cristiana como "Una lágrima".

Un curioso poema, con "una íntima tristeza reaccionaria" se titula "El retorno maléfico", casi narrativo, en que evoca con nostalgia la aldea de antes y la de ahora, con aciagos mapas que "la fusilería grabó en la cal de todas las paredes".

* * *

Carlos Pellicer

Carlos Pellicer (mex. 1899) figuraría en lo más alto si hubiera vara para medir la grandeza de los poetas. Su declarada admiración por Leopoldo Lugones influyó en su primera producción poética. Alegre como lo fué Reyes, lleno de fe y vital como pocos, al madurar —después de ultraísmos, que nunca desdeña del todo y que dan a su poesía una gracia notable— se asienta en el mismo hermetismo que se encuentra en "La joven parca" de Paul Valery. No sufre influencias de estilo ni de los franceses, ni del argentino, ni de los españoles antiguos o modernos, porque consigue rápidamente una expresión propia, legítima, cada vez más suya con los años, como gran poeta que es. Al igual que Valery en "Cementerio marino", Pellicer interroga a la naturaleza pero no con tristeza sino con placer, pánidamente, sensualmente; y al mismo tiempo con dicha mística, porque advierte en ella al Dios por el que siente amor. No sufre por no verse definitivamente unido a él; parece que esperara el momento final de la revelación, en la hora de la muerte. Hay muchos de sus poemas de los cuales puede derivarse esta observación. No es un místico ni quiere serlo, porque no es un contemplador estático y transportado —como Rilke en las "Elegías de Duino", muy leídas por la generación de Pellicer— sino un participante feliz de la vida y de la naturaleza. Sensualismo y credo religioso alternan por igual en sus poemas donde del cuerpo desnudo, imagen a veces real a veces simbólica, pasa a lo abstracto de la intuición de lo divino. Sus sonetos tienen, en cuanto a hermetismo, algo de los "Sonetos a Orfeo", de Rainer María Rilke, solamente que Pellicer deriva hacia otro camino pues no es la muerte su tema— sino ocasionalmente y nunca en forma de entrega o renunciamiento definitivo— sino el hombre vivo que sabe, alegre, que el Dios que lo mira existe; y que espera sin impaciencia la inevitable devoción final. Si siguió la corriente culterana de la "deshumanización" (anti-vulgarismo, selección del tema para lograr lo general y no lo individual, la anti-facilidad), su humanidad no puede ser vencida y suele ser "anti" todos los preceptos de la "deshumanización" (Véanse sus admirados "Sonetos para el altar de la Virgen".

Catolicismo de Pellicer

Los títulos de sus libros dan una idea, bastante clara, de las tendencias y preferencias de Pellicer: en "Colores en el mar y otros poemas" (1921) todavía es postmodernista atemperado, y sigue a Lugones, a Herrera y Reissig y a López Velarde; en "Piedra de sacrificios" (1924), en "Seis, siete poemas" (1924) y en "Hora y 20" (1927), la tentación ultraísta, mezclada con el canto a su tierra, al paisaje de México y a los nombres indígenas, no ensombrecen el nacimiento de una legítima fe religiosa que suele llegar a ser francamente militante. "Camino", en 1929, es un libro todavía de paso. Su mejor época comienza, siempre en línea de ascenso, en 1937 con "Hora de Junio", "Recinto" (1941), "Exágonos" (1941), "Discurso por las flores" (1946), "Subordinaciones" (1949), "Sonetos" (1950) y "Práctica de vuelo" (1956). De la primera época, o del resabio de la primera época son buenos ejemplos los poemas "El segador" y "Esquemas para una oda tropical". De su aproximación a Dios, en su comienzo, quedó el testimonio de "Recinto" y luego, y más modernamente, "Nocturno" (con el bello verso "el corazón con huéspedes que ignoro"). De su sensualidad pánida da razón "Flora solar" y de la espera de Dios es buen testimonio "Aria de fuego". Es un placer para cualquiera que ame la poesía y que deba estudiar la poesía de Pellicer, buscar sus temas preferidos, tratar de descifrar su hermetismo, observar sus transportes místicos y sensuales, advertir cómo escapa a las influencias, cómo observa formas de metáfora ultraísta para apoyar mejor —con una atmósfera— el sentido del verso. La Universidad Autónoma de México publicó las obras de Pellicer con el título de "Material Poético. 1918-1961", en 1962.

* * *

La inquietud religiosa

Al mismo tiempo que se conforma el grupo de militancia izquierdista, aparecen en América poetas católicos, de menor tono que los nombrados, en quienes la poesía costumbrista —al estilo de Villaespesa y Gabriel y Galán— se confunde con el culteranismo religioso que hemos estado viendo. Interesa destacar cómo la poesía religiosa vuelve a ser tema de los poetas americanos. Entre ellos merecen citarse al sacerdote Felipe Contardo (ch. 1880-1921), que sigue una línea sencillista con resabios latinistas del Canon; a Carlos Moncada (ch. 1881-1928); a Daniel de la Vega (chl. 1892); a Ismael López (1880) nacido en España pero criado en Colombia, católico y costumbrista; Francisco Donoso (ch. 1894); Roberto Brenes Mesen (cost. 1874-1947) que lentamente llega a una poesía elegante, de declarado catolicismo; José Coronel Urtecho (nicar. 1906), de lírica católica tan variada; Antonio Peñaloza (mex. 1914); Gastón Baquero (cub. 1916), más cerca de Velarde que de Pellicer (léase "Palabras escritas en la arena por un inocente" y "Saúl sobre su espada" o su libro "Poemas" (1942). Citemos aún a Silverio Díaz de la Rionda (cub. 1902); Angel Gaztelú (espa.-cub. 1914); o Angel Cruchaga Santa María (ch. 1893), que fluctúa entre la religiosidad pura y lo culterano panteísta ("Las manos juntas", 1915; "La selva prometida" (1920); "Job" (1922); "La ciudad invisible" (1929); "Paso de sombra" (1939), etc.

* * *

Rafael Arévalo Martínez

Un caso curioso, dentro de la poesía católica, son los "endemoniados", como Rafael Arévalo Martínez a quien Félix Franco Oppenheimer —el poeta puertorriqueño— da como nacido en Guatemala en 1892 y Anderson Imbert en 1884 y al que Federico de Onis no pone fecha de nacimiento pero sí de muerte (1920) citando a Cejador, aunque aclara luego que no está muerto pues para ese entonces es director de la Biblioteca Nacional... Arévalo Martínez es famoso por sus cuentos parabólicos y superrealistas de hombres-elefantes, hombres-caballos y monos de raza superior al hombre. Pero además es poeta muy nombrado y discutido. Onís lo coloca como ejemplo de una reacción hacia la ironía sentimental. Nosotros lo consideramos sencillista por inclinación natural a un lenguaje no afectado. Desde "Maya", prologado por Santos Chocano (1911), "Los atormentados" (1914), "Las rosas de Engaddi" (1927), "Por un camino así" (1947), la naturalidad en el lenguaje es su característica más notable, aunque intente refinarlo y retorcerlo como en "Los atormentados". Sencillista, y también costumbrista —en sus poemas "Ropa limpia", "Retrato de mujer"— y católico, de un catolicismo tan complicado y con tan mala sombra como su vida, bastante accidentada en su relación humana, según parece. Da la impresión de ser un creyente que no creyera en su salvación. Hay un Dios en el altar, pero el esfuerzo por salvarse es inútil, porque los pecadores —como Arévalo Martínez entiende que él es— no tienen salvación... Sin embargo en la poesía jansenista de este "condenado por desconfiado" hay devoción sincera, junto a la desesperanza del que querría amar y no puede: véanse los poemas "Oración al Señor" y "Oración", de "Las rosas de Engaddi" o "Los hombres-lobos" de "Los atormentados". Arévalo Martínez podría figurar entre "Los raros" de Rubén Darío o con los poetas malditos de Verlaine. Tal vez le faltó talento o amplitud de visión para ser un Rimbaud, pero estuvo en el camino.

Otro caso curioso fue el de Pedro Prado (ch. 1886-1952) que con su amor al universo dio una nota peculiar. No fue ni culterano puro, ni religioso puro, pero por momentos rozó ambas cosas. Véase el anticatolicismo —derivado del panteísmo de Tolstoy— de "Palabras del relato del hermano errante", donde admite a un Dios incognoscible. o el clásico soneto "La rosa desvelada". En 1949 publicó una Antología con poemas inéditos.

* * *

Dos poetas en Argentina tendrán un puesto

especial y entrarán, como la poetisa uruguaya Sara de Ibáñez, dentro del culteranismo católico aunque ya no tengan —o cada vez menos— el hermetismo que seguirá caracterizando a los continuadores no católicos de la línea: a Ricardo Molinari, argentino, liberal moderado, y a Octavio Paz, mexicano, en la senda de Neruda (pero sin comprometer su poesía hasta humillarla en un forzado sencillismo, como el chileno).

* * *

Estos dos poetas católicos de Argentina se llaman Leopoldo Marechal y Francisco Luis Bernárdez.

Leopoldo Marechal

Leopoldo Marechal (arg. 1900) se inicia en las revistas "Proa" y "Martín Fierro", como ultraísta, con esa generación del grupo de "Florida" que venía a demostrar "un desprecio definitivo por la solemnidad pontificial o la bohemia mugrienta de la literatura convencional", según lo definió años más tarde Ulyses Petit de Murat (arg. 1910), otro poeta ultraísta que continuó siéndolo a través de los años. Es decir que Marechal estaba en aquel entonces contra Lugones, culterano, y contra el socialismo declamador del grupo de Boedo. En 1926 publica su tercer libro, "Días como flechas". Había renegado del primero, "Los aguiluchos" (1922), y quemado el segundo. Buen ejemplo del ultraísmo de Marechal en "Días como flechas" es el poema "Nocturno". Hay en ese libro un presentimiento no muy definido de poesía cristiana, irrespetuoso y altanero, en "Poema sin título" e "Idolo". Marechal ha corregido los poemas de "Días como flechas" porque él mismo evolucionó hacia el clasicismo más puro, al extremo de que hoy los jóvenes lo llaman "reaccionario" y no solamente por algún desafortunado desvío en la política del país. Ya en "Odas para el hombre y la mujer" (1929) se advierte el cambio, incluso en la seriedad con que canta a su tierra en "De la patria joven", con un nacionalismo que se continuará en "Poemas australes" (1938), influído por su amistad con Ricardo Güiraldes y por la escondida admiración por Leopoldo Lugones, a quien había combatido antes. En 1931 se declaró definitivamente católico. Comenzaba una década de definiciones ideológicas.

Marechal y Valencia

En 1940 publica su largo poema "El centauro", de gran pureza clásica, solamente equiparable a "San Antonio y el centauro", de Guillermo Valencia ("Ritos", 1914), que decididamente influyó a Marechal. El tema es el mismo: la oposición del paganismo y el catolicismo, la belleza inútil si no está inspirada por la Gracia; el desconcierto del esteta, del inteligente, del poeta, en un mundo que no tiene sentido, ni es descifrable por el paganismo, hasta que no se pulsa la lira de la fe en Cristo. El poema consta de 64 octavas.

En plena línea parnasiana, como Valencia, pero también iniciado en el reencuentro de los clásicos y místicos españoles, publica sus poemas más inspirados, donde su catolicismo se vuelve sutil, hermético, porque asciende a lo místico: "Sonetos a Sophia" (1940). Véanse de ellos "Del adiós a la guerra", "Del amor navegante" y "De Sophia" y téngase buen cuidado de no confundir —como ya dijimos que pasa con muchos poemas de Sor Juana Inés de la Cruz— platonismo con amor carnal y físico. Recuérdese que Platón y Aristóteles inspiraron gran parte de la escolástica que Marechal, desde su conversión apasionada, ha absorbido con gran sed.

En 1948 Marechal publica una de las mejores novelas de la literatura argentina, "Adán Buenosayres" y continúa, casi ininterrumpidamente, su creación poética de la cual da cuenta la antología editada por la Comisión General de Cultura de Argentina, en 1963. Pero después de "La poética" (1959), prosas poemáticas y didácticas que dedica a un poeta más joven, Rafael Squirru (arg. 1925), edita "La Alegropeya" (edición "El hombre nuevo", 1962), con el subtítulo de "Invención y muerte de la alegría".

El poema es importante porque allí el poeta de 62 años —y aún más pues hay quién afirma que nació en 1898— vuelve a lo antiguo, a su primera poesía ultraísta, reniega de "El centauro" y de su forma, reniega del lirismo, aconseja rehuír el misticismo fácil y se lanza a la prédica contenida en la segunda parte, a la que titula "Didáctica de la alegría", donde afirma que no es poeta ni se acerca a Dios quien no ríe como en el primer día de la creación, con igual inocencia.

En este segundo ultraísmo de Marechal lo que cambia es la forma clásica y purista, cambia el hermetismo —reniega de la oscuridad innecesaria y simbólica —pero no muda el fondo católico del poema. Paradógicamente, incurre en oscuridad con la jitanjáfora del título: "La Alegropeya", la epopeya de la alegría.

* * *

Francisco Luis Bernárdez

Francisco Luis Bernárdez (arg. 1900) es uno de los poetas católicos más leídos en América, a juzgar por las numerosas ediciones que las editoriales Emecé y Losada han hecho de sus libros. De 1920 a 1925 vivió en España y Portugal. En Galicia publicó su primer libro, "Orto" (1922), donde seguía al postmodernismo costumbrista. El ultraísmo, y la influencia de Gerardo Diego, lo atraen muy pronto y publica tres libros llenos de metáforas vanguardistas: "Bazar" (1922), "Kindergarten" (1924) y "Alcándara" (1925). Pasan diez años antes que Bernárdez publique un libro decisivo, "El buque" (1935), donde recoge ese vago sentimiento religioso que es advertible en sus poemas de "Alcándara". "El buque", dedicado a los "Cursos de cultura católica", está compuesto por 160 liras (41 escritas en 1932 y 119 entre 1934 y 1935). Es un poema alegórico, influído por los místicos (San Juan en especial) más en su concepción que en su estilo.

Con "El buque" entra en la gran poesía teológica —el buque es el símbolo de la Gracia y de la Iglesia a un tiempo— que culminará con "Poemas elementales" (1942) y "Poemas de carne y hueso" (1943). Hay un libro de poesía amorosa, lleno de lirismo afortunado, "La ciudad sin Laura" (1938) y otro de transición "Cielo de tierra" (1937). Después, la definitiva influencia de Paul Claudel lo orienta en la parte de su poesía más discutida pero que más fama le ha dado: la conceptual. Con firmeza, sin concesiones, avanza en el tema teológico por la ruta que le mostró Claudel. No imita al poeta francés ni en el estilo ni en las imágenes pero sí en el tono ceremonioso y litúrgico. Asimismo, es de Claudel de donde toma sus grandes versos (une dos metros, sin solución de continuidad, hasta alcanzar a veces la 22 sílabas). Llega entonces a verter en formas simbólicas, casi narrativas, la teología cristiana. Por supuesto, el tono es obligadamente parsimonioso por la extensión de los versos del poema; pero ya sea por medio de los acentos, o de períodos elásticos (un poco como lo hicieron Jaimes Freyre y Darío, según vimos) logra una ligereza en la lectura, bastante inesperada. Es un poeta que trabaja mucho tanto la forma como los conceptos. No es frío, sino que sigue la teoría de Paul Valery: la inspiración es solamente materia donde el poeta debe comenzar su trabajo creador. Aunque el tema católico, teológico más que de transporte místico o de divagación religiosa, prima en su obra a partir de "El buque", Bernárdez tiene dos temas complementarios: el del amor, para el cual adopta el tono lírico y algo melancólico del cancionero tradicional español (con preferencia, el gallego); y el tema patriótico, ligado al del destino inevitable de los héroes y los países. Para Bernárdez la Patria es una forma del Paraíso; pero ese Paraíso ha sido mancillado por el hombre y ha de ser redimido por el héroe, que enseñará o ha enseñado la virtud guiadora. Iglesia y Patria, héroe y santo, son conceptos que van mezclados en el poeta. Léanse sus largos poemas "La Iglesia" y "La Patria".

En 1926 preguntaron a Bernárdez cuál era su profesión y declaró: "Globe-Trotter". En la actualidad, un puesto en la diplomacia le permite reanudar la vida nómade por España y Portugal que tanto quiere y que interrumpió una enfermedad pulmonar. Señalamos el hecho porque coincide con esos diez años de silencio poético en que, tísico, detenido, el globetrotter mudará del ultraísmo al simbolismo eucarístico de "El buque" para encaminarse luego al conceptualismo de sus libros posteriores. A un nómade detenido, por cualquier causa, sólo le queda el camino de la meditación, el tentador viaje hacia Dios.

Otros libros de Bernárdez son "El ruiseñor" (1945); "Las estrellas" (1947); "El ángel de la guarda" (1949); "Poemas nacionales" (1950);

"La flor" (1951); "El arca" (1956). En 1946 apareció una "Antología poética" y en 1956 "Los mejores versos de Francisco Luis Bernárdez". Sobre Bernárdez, aparte de Ramón Gómez de la Serna, que prologó "Bazar", han hecho buenos estudios Juan Carlos Ghiano, Xavier Abril, Julio Noé, Juan Pinto, Lizardo Zía y Alfredo A. Roggiano.

* * *

Eugenio Florit

Eugenio Florit (hispano-cubano, 1903) debe figurar dentro de la poesía culterana con aproximación religiosa. No podemos decir que Florit es un poeta católico, pero su religiosidad es tan evidente que pareciera, a través de su lectura, que rehuyera tomar partido a pesar de que la lírica iluminada, llena de color y de aire, alejada del misticismo, lo arrastra a ello. Su poema más conocido, y uno de los mejores que escribió, "El martirio de San Sebastián", tan bien valorado por Juan Ramón Jiménez, es de una sensualidad que llega al orgasmo, solamente equiparable a la de Gabriele D'Annunzio en el poema dramático del mismo nombre.

Pero no es la sensualidad, ni carnal ni mística, la característica del poeta. Florit no satisface su religiosidad por el camino de la introspección mística sino por una forma exterior lírica, unida al panteísmo de la naturaleza. Esto, debido seguramente a sus comienzos vanguardistas y a la influencia de Jiménez y Gómez de la Serna, conductora de su estética.

El vanguardismo dura poco en Florit, según puede observarse siguiendo la "Antología poética" de su obra (1956). Las formas se hacen regulares y muy cuidadas, con algún resabio de gongorismo en "Doble acento" (1937), donde incluye su "Martirio de San Sebastián"; pero ese culteranismo deriva hacia un sencillsmo encaminado al paisaje y a su persona (se utiliza como ejemplo, no porque le importe manifestarse sino porque en él muestra al poeta que se ha hecho hombre, que debe encarnarse en el hombre). Su afán de ubicar al hombre en el mundo predomina sobre la intención de situarlo frente a sí mismo. Más que vincular al hombre con su alma, lo enlaza contínuamente con la tierra, el paisaje donde se desenvuelve. En "Asonante final y otros poemas" (1956) la forma coloquial de "Conversación con mi padre" culmina en un sencillismo que parece espontáneo a fuerza de ser pulido, con toques de ternura y de fina ironía. Y con la admisión de Dios, casi sin detenerse a reconocerlo, con una naturalidad que parece acabar con su búsqueda y su indecisión anterior. Una economía de metáforas adjetivales, que antes usó con profusión, caracteriza la última faz de su obra.

* * *

Poetas en la línea culterana

Sería muy larga la lista de los poetas que del 30 al 60 llegan a la culminación de su labor poética por el terreno de la poesía culta, algo hermética, con características que enderezan en la porstguerra de 1945 de la introspección al existencialismo (con la gran influencia de Jean Paul Sartre, con enumeración de cosas en descomposición, el sentimiento de náusea ante la elección que el poeta se ve obligado a realizar frente a una necesidad de fe que lo colma y que en cierto modo enajena su infinita libertad). Esta generación se inicia con los poetas que acabamos de ver. Habría que agregar, entre los que al llegar 1939 ya han hecho parte de su obra, a Emilio Oribe (urug. 1893), traductor de Paul Valery, poeta hermético, casi parnasiano; Rafael Alberto Arrieta (arg. 1889), con su "lied" de tradición clásica inglesa y alemana y su elegancia advertida en "Alma y momento" (1910), "El espejo de la fuente" (1912); "Las noches de oro" (1917), "Fugacidad" (1921), "Estío serrano" (1927); José González Carbalho (arg. 1900-1957); Ricardo Rojas (arg. 1882-1957), más importante como ensayista que como poeta creador; Enrique Larreta (arg. 1875-1962), el famoso autor de la novela "La gloria de don Ramiro" (1908); Jorge Carrera Andrade (ecua. 1902), notable paisajista; Rosamel del Valle (ch. 1901); Angel Cruchaga Santa María (ch. 1896); Juvencio Valle (ch. 1907); Rafael Maya (col. 1897); Félix Franco Oppenheimer (puert. 1912); Humberto Díaz Casanueva (ch. 1908); Manuel Moreno Jimeno (per. 1913); Eduardo González Lanuza (arg. 1900), con sus problemas existenciales sobre la fugacidad del hombre destruído por el tiempo; Vicente Barbieri (arg. 1903-1956); Juan G. Ferreyra Basso (arg. 1910); Juan Pedro Ramos (arg. 1911-1954); Eloy Fariña Núñez (parag. 1885-1887); Enrique Molina (arg. 1910), con su superrealismo exterior y su existencialismo interior fácil de advertir en sus bellos poemas de "Las cosas y el delirio" (1941) y "La redondez de la tierra"; Osvaldo Horacio Dondo (arg. 1910-1963); Jorge Vocos Lescano (arg. 1919); Juan Rodolfo Wilcock (arg. 1919); Alberto Girri (arg. 1920); Héctor Ciocchini (arg. 1924); Nicolás Cocaro (arg. 1926); Angel Bonomini (arg. 1930); Alfredo Weiss (arg. 1916); Ricardo Peña Barrenechea (per. 1893-1938); Javier Sologuren (per. 1921); Gustavo Valcarcel (per. 1921); Jorge Eduardo Eielson (per. 1922); Washington Delgado (per. 1927); Virgilio Piñera (cub. 1914); Ramón Rubiera (cub. 1894); Andrés Núñez Olano (cub. 1900); Justo Rodríguez Santos (cub. 1915); Luis L. Franco (arg. 1898); Octavio Smith (cub. 1921); Ramón Martínez Ocaranza (mex. 1922), etc. Y nombremos, en último término, a un poeta que tanto tiene de culteranismo como de vanguardismo, dominador de todas las métricas pero aficionado al verso libre, postmodernista, tentado por el creacionismo, de metáforas audaces y de descripciones parnasianas en el paisaje: Regino E. Boti (cub. 1878), autor de "Arabescos mentales" (1913); "El mar y la montaña" (1921), "La torre del silencio" (1928), "Kodak-Ensueño" (1929), "Kindergarten" (1930). Y también a Manuel Mujica Páinez (arg. 1910); Miguel Etchebarne (arg. 1915) y Jorge E. Ramponi (arg. 1907).

Universalismo

Las enumeraciones largas solamente sirven para apaciguar la conciencia del historiador que cita acumulativamente lo que debió revisar en prolija diferenciación. Los poetas de la línea cultista se encaminan definitivamente hacia un culteranismo existencial después de 1950. Tienden hacia un universalismo del que volveremos a hablar al cerrar esta exposición con los nombres de Pablo Neruda en su última época, Ricardo Molinari y Octavio Paz.

Por ahora, una vez más, debemos regresar al pasado.

LAS MUJERES EN LA POESIA DE AMERICA

Las mujeres en la poesía de América

La mujer figuró poco en la historia de la poesía de América Hispánica. Hubo una Sor Juana Inés de la Cruz, y una problemática Amarilis peruana que respondió a Lope de Vega en una Epístola (1621) con tal sentido y estilo que si existió seguramente la plana le fue enmendada por el propio Fénix de los ingenios; hubo una Sor Francisca del Castillo y Guevara (col. 1671-1742), "la madre Castillo", y una Santa Rosa de Lima (per. 1586-1617). Después se recuerda el nombre de Gertrudis Gómez de Avellaneda (cub. 1814-1873) entre las que trascienden las fronteras del lugar natal.

El matriarcado

Pero hasta el siglo XX las mujeres no tienen cabida real en la literatura, por derecho propio, por sus valores reales con independencia de su sexo. Y entran de pronto, en grupo. Ya hemos criticado esta agrupación de las poetisas americanas cuando, en verdad, poseen tales diferencias que más valdría acomodarlas, según la época de su producción, en las otras corrientes: la Storni fue superrealista, y muy buena; la Mistral abarcó más de un género. Sin embargo, el pretexto para unirlas, aparte de la comodidad del investigador, es que todas se destacaron en la poesía amorosa agresiva y matriarcal. Se destacaron, diríamos, no solamente porque hicieron poesía con tema amoroso y batieron la audacia que en el terreno habían tenido los hombres, sino porque escribieron sobre muchos otros temas con igual inspiración. Más que al hombre, se cantaron a sí mismas e hicieron un análisis sutil del alma femenina; y llegaron a la conclusión de que eran mejores que el varón, al que miraron —como Walkirias— como un mal necesario y admirable. Es decir, prácticamente lo que hicieron las mujeres poetisas fue invertir la poesía amorosa de los hombres: de deseadas se convirtieron en deseantes, de humilladas en dominadoras, de despreciadas en imprecantes, de acusadas en acusadoras. Trataron, además, todos los otros temas frecuentados por los

Inversión de temas

hombres: desde el religioso unido al problema de la muerte, hasta el social.

Grandes y desdichadas

Tal vez el real pretexto para unirlas en grupo podría ser el de que casi sin excepción tuvieron una vida dramática, aunque no todas llegaran a la tragedia. En general fueron desdichadas y a muchas pudo Rilke incluírlas en su famosa página de los "Cuadernos de Malte Laurids Brigge" cuando habla de las grandes amantes. Tal vez allí cupiera la locura de Eugenia Vaz Ferreira, y Delmir Agustini asesinada por un marido celoso, y Alfonsina Storni atacada por el cáncer después de haber sido atacada por la sociedad donde vivía, y Julia de Burgos, quemada por el alcohol en las calles de Nueva York. Más serena parece la vida de Gabriela Mistral, y sin embargo su primer libro fue provocado por la muerte del muchacho que quiso.

Al margen de todas las otras consideraciones, creemos nosotros que la verdadera razón por la cual las mujeres pasan, en grupo, a ocupar un lugar en nuestra literatura a principios de este siglo es porque recién entonces triunfa la emancipación femenina en la sociedad donde hasta antes de la guerra vivían limitadas por prejuicios que no les permitían manifestarse libremente. En esa lucha por los derechos de la mujer actuaron, con su militancia y con su actitud moral, las poetisas de América. Ellas abrieron rumbos a pesar de que los hombres, admirándolas, les hicieron pagar un duro precio. Un precio menos duro, seguramente, que el desprecio que tuvieron que aguantar por parte de sus pacatas y asustadas compañeras de sexo.

* * *

María Eugenia Vaz Ferreira

María Eugenia Vaz Ferreira (urug. 1875-1924), más que por los hombres, que la miraban extrañados pero la respetaban, rodeaban y admiraban, sufrió por boca de las mujeres. ¡Cuántas cosas se dijeron de esta muchacha con manía de persecuciones, angustias repentinas, fobias y alucinaciones! Era excéntrica porque la locura la amenazó siempre y sus reacciones, a la luz de la psiquiatría de los últimos años, son comprensibles y explicables desde el punto médico. Quería ser notada, y su carácter adquiría una virilidad dominante. Al mismo tiempo que el exhibicionismo la atacaba en grupos de amigos, la invadía la timidez respecto a su obra: permitió que se publicaran sus poemas solamente con la promesa de que el libro no se exhibiría en los escaparates. "La isla de los cánticos", del cual expurgó sus poemas juveniles, era el libro que no quería mostrar. Finalmente, se editó; pero la desdichada María Eugenia ya había muerto. La locura la arrojó a las calles de Montevideo donde como un fantasma erraba esta Grumnilda derrotada, envidiosa de las demás mujeres, de Juana de Ibarbourú, la bella, y de Delmira Agustini, la ninfa constante, que ya atraían más interés que ella, la virgen ajada que seguía soñando con el hombre lejano, con el idealizado Teseo que nunca llegó... Ese que hubiera sido el único que ella hubiera aceptado, el de su poema "Holocausto".

Sus primeros poemas son románticos puros, un poco a lo Heine, un poco a lo Musset. Sin gran mérito, pero bonitos por la gracia conque están escritos (la misma gracia conque María Eugenia los recitaba, con voz de soprano, en los salones elegantes de su hermano, Carlos Vaz Ferreira, filósofo eminente). Después, el estilo se hace más seguro y modernista. Admiró entonces a Díaz Mirón y a Alvaro Armando Vasseur; y también a Herrera y Reissig, a Lugones y a Darío. A veces los admiraba, a veces los odiaba. Siempre la dualidad de manifestación y huída, de temor y riesgo, de arrogancia y timidez. Esta fue una característica advertible en muchos de sus poemas. Entre los mejores figuran "Holocausto", "Yo sola", "Heroica", "Los desterrados", "El regreso".

* * *

Delmira Agustini

La Vaz Ferreira no fue una modernista ni una postmodernista pura sino que siguiendo los impulsos del momento volvía de una forma a la otra. Del mismo modo Delmira Agustini (urug. 1886-1914) fue postmodernista indecisa: fluctuó del romanticismo al erotismo, del planteo filosófico del hombre redimido por el superhombre —Nietszche fue una de sus grandes influencias— a ese intangible aporte femenino a la poesía y a la vida, con su gozosa esclavitud al amor físico y su rabia ante la obligada sumisión espiritual. Rara vez Delmira fue imprecante y rara vez disputó al hombre su supremacía, como hicieron varias poetisas. A ella le gustaban los hombres tal como se le motraban.

La eterna ninfa y Nietszche

Dijimos que Delmira era "la eterna ninfa". Una ninfa soñadora, imaginativa, voluntariosa, impulsiva. Mimada por los padres, de alta burguesía, intolerante ante lo vulgar, llena de ideas extremadas. Nietszche puede hacer mucho daño a una adolescente que lo interpreta de acuerdo a sus instintos y que forja un ideal de hombre de acuerdo con lo que sinceramente cree haber entendido que es el "superhombre" del filósofo. Montevideo era entonces un centro intelectual donde los jóvenes como Herrera y Reissig pontificaban con toques superrealistas y se complacían en escandalizar a los burgueses. Eso era lo gracioso, el signo del talento, lo espiritual. Los que vivían prejuiciados eran pobres de espíritu capaces de creer que la inmortalidad era menos importante que el dinero. Con esos ejemplos intelectuales creció Delmira, mimada en su hogar, dominando a padres débiles y vanidosos del talento y la belleza de la niña prodigio que, tan joven, tan seria —se tomaban sus arranques de melancolía adolescente, cuando se iba a pasear sola por los parques y playas, como seriedad y madurez de carácter—, era buscada y alabada por los hombres más inteligentes de la época. Delmira era caprichosa, impulsiva, aunque también menos audaz y segura de lo que sus ardientes y encendidos versos lo dejan entrever y de lo que su leyenda imagina. La sensualidad de sus primeros versos "El libro blanco-frágil" (1907) era más interior e impuesta por el modelo modernista, que practicada. La inseguridad que seguía a sus impulsos era tan notable que, a punto de firmar su acta matrimonial con Enrique Reyes, preguntó a José Zorrilla de San Martín, su testigo: "¿Me caso?". Al mes estaba separada acusando de ser "vulgar" al superhombre que había imaginado tozudamente. Reyes, con prejuicios burgueses, locamente enamorado de ella, aceptó la separación; pero entonces la eterna ninfa accede a las entrevistas que él le propone. Así, el matrimonio es "menos vulgar" (están ya legalmente separados). Hasta que él la mata y se suicida. ¿Celos? ¿Le anunció ella que ya no lo vería más? ¿Provocó ella misma la tragedia, enloqueciendo al "hombre vulgar" para que tuviera figura de "superhombre"? Es inútil hacer conjeturas.

Los libros de Delmira Agustini son "El libro blanco-Frágil" (1907), "Cantos de la mañana" (1910) y "Los cálices vacíos" (1913), donde recopila poemas de los libros anteriores y añade algunos nuevos. En 1924 se publicaron en Montevideo sus "Obras completas" en dos partes tituladas "Los astros del abismo" y "El rosario de Eros".

Las obras

En su primer libro la rima es fácil, con influencias parnasianas más que modernistas y gran abundancia de alejandrinos. Utiliza palabras con mayúscula para cargarlas de significado, procedimiento postmodernista. "Cantos de la mañana" significó para ella a liberación de la forma, la utilización del verso libre, mientras que el tercer libro contiene una nota que a fuerza de insistir sobre lo onírico roza el superrealismo aunque no llega a lo ultraísta. La audacia erótica de "Los cálices vacíos" no ha sido todavía igualada por hombre o mujer en la poesía de América. Cuando más, ha sido imitada. Podría decirse que el tono se vuelve más riesgoso e inspirado a medida que la fuerza de la sensualidad deja de ser mental para volverse carnal, a medida que las influencias de su vida literaria pasan de Rubén Darío a Herrera y Reissig.

Como González Martínez, Delmira le retuerce el cuello al cisne; pero el buho es para ella más que el símbolo de la sabiduría el de la frustración y la muerte. Declaró que el libro en el cual trabajaba antes de morir sería su obra máxima ("Los astros del abismo"). ¿Qué pasó en su espíritu? La fe ciega en el hombre más fuerte, más bello, más inteligente, se iba derrumbando. Llegaban las horas de desolación, de interrogarse, de ponderar con las armas que Nietzsche le había enseñado, combinadas con las de Schopenhauer, los valores de la vida y de la muerte, la realidad de ese superhombre. Junto al cerrar los ojos y exclamar que el amor era tal como ella lo quería, aumentan los temas de intraversión que ya se presentaron antes en una de sus poesías más famosas: "Lo inefable". El mal del siglo, la desazón, la desilusión, el derrotismo, hacían presa en ella.

Si es obvia la nota de relieve erótico, la lectura ordenada de los poemas de Delmira Agustini deja una imagen distante a la de bacante loca que la leyenda, acrecida por su final trágico, ha bordado alrededor de su figura.

Delmira estaba encantada de ser mujer y de que hubiera hombres a los cuales someterse, con tal de que fueran "superhombres". Cuando quiso trasladar esto mismo a la vida, fracasó: descubrió que todos los hombres idealizados por las mujeres tienen las alas de Icaro.

* * *

Juana de Ibarbouru

Juana de Ibarbouru (urug. 1895) aparece ubicada, por lo general, después de Alfonsina Storni y la Mistral, pero nosotros seguimos una línea espiritual y no cronológica para delinear caracteres. Las cronologías comparadas difieren muy poco y las variaciones poéticas de la Mistral y la Storni, justifican nuestro criterio.

Feminidad sutil

María Eugenia Vaz Ferreira había sido el amor teórico y lejano, Delmira Agustini había significado la entrega ansiosa y gozosa de la mujer al hombre, con toda la gama erótica, Juana de Ibarbouru (Juana Fernández, su marido era vasco) representará esencialmente el amor romántico, en un tono menos exaltado, más "coqueto", de intimidad. Esto sin cursilería, con inspiración de mujer y sin gazmoñería mujeril: tiene conciencia clara y serena del valor de su cuerpo, sabe que con él ha de conquistar al hombre (lo adula, lo llama audazmente, se aleja) aunque el hombre crea que la conquista a ella.

En 1929 la legislatura de su país la consagró "Juana de América", a iniciativa de José Santos Chocano. ¿Por qué? ¿Por qué se llamó Juana de América a una poetisa que hacía versos de amor y a la que solamente de paso, por vivir y amar el paisaje campesino, le interesaban los problemas del continente? Misterios de nacionalismos sudamericanos, rivalidades nacientes entre países —cuál tenía la más grande poetisa— o simplemente esa popularidad que el acento llano de Juana alcanzó entre el gran público. Las mujeres la admiraban en alta voz porque la entendían bien: no tenía los arrebatos escandalizantes de Delmira, la complejidad que iba adquiriendo Alfonsina Storni —ni el amargo tono de ésta— ni el sencillismo ascético de Gabriela Mistral, a la que los hombres alzaron hasta el Premio Nóbel.

Es fama que la Ibarbouru no era entonces mujer de mucha cultura ni de inteligencia superior; pero en cambio era muy hermosa y femenina. Se hizo perdonar incorrecciones en sus sonetos, hasta que de verdad aprendió a versificar. Las formas le preocuparon mucho más que a las otras. En ella no hay más tema que el del amor y el de la relación entre el hombre y la mujer. Su feminidad es, aunque menos intensa, más sutil y astuta que la de Delmira. Las lenguas de diamante" (1919); "El cántaro fresco" (prosa, 1920); "Raíz salvaje" (1922); "La rosa de los vientos" (1930). "Las canciones de Natacha" (1930) son poemas infantiles: siempre hubo en ella una

Obras

maternidad algo "obligada" por la moda que impuso la sinceridad de Gabriela Mistral en "Ternura" (1924). En 1934, con "Loores a Nuestra Señora" y "Estampas de la Biblia", y en 1935 con "San Francisco de Asís", Juana de Ibarbourou inicia la nota católica en la poesía femenina, que ampliarán sus compatriotas Sara de Ibáñez y Clara Silva. En 1950 publica un libro de título simbólico: "Perdida"; pero en 1953, con "Azor", donde vuelve a la forma métrica regular, la fe la ha amparado definitivamente y la ha preparado para entrar en la resistida vejez. Cuando su "hora" de notoriedad pasa, se recoge en su casa a la penumbra de lámparas y recuerdos, rodeada del respeto, la curiosidad y ¡ay! el desinterés de las generaciones posteriores.

Narcisista, con temor a perder su belleza y con horror a la vejez, Juana es complicada pero no tortuosa. La ciudad atemoriza a la muchacha que adora a su paisaje provinciano —sus versos lo recuerdan una y otra vez— y la vuelve misógina. La nota sensual no logra ocultar una espontánea sencillez en los sentimientos, aunque de manera muy femenina e instintiva calcule hasta dónde puede arriesgarse y dónde detenerse en la "caza" del hombre.

Espejo de burguesía

Frente a las vidas de sus contemporáneas, trágicas y determinadas, la de Juana de Ibarbourou ofrece un tranquilo espejo de burguesía. Esta burguesía la volvía segura de sí e hizo que aunque sus versos fueran atrevidos (pero sin morosidad equívoca), las mujeres de su época la convirtieran en un ídolo, por las razones anotadas. Fueron las mujeres sus mejores propagandistas. Ellas se apoderaron de "Dulce milagro", su poema romántico y lo recitaron en salones, o a media luz.

Otras poemas famosos son "Vida Garfio", "Cementerio campesino", "Cansancio", de "Las lenguas de diamante" (con su inquietud por la muerte), "El vendedor de naranjas", de "Raíz salvaje" (donde figuran muchos de sus poemas a la naturaleza y a las cosas del campo) y famoso es su soneto "Rebelde" ("Caronte, yo seré un escándalo en tu barca...").

No fue pues la nota de estruendo, el grito de entrega, lo que caracteriza a su poesía, que amplió la brecha dejada por Delmira al conquistar al mundo femenino que había resistido a aquélla, desconfiado de la Storni e ignorado a Gabriela. Tal vez el adjetivo para caracterizarla, sería "sutil", fue sutilmente femenina. "Raíz salvaje" la libera un poco de la tiranía de la métrica y en "La rosa de los vientos" se pone a tono, inútilmente, con un vanguardismo que no sentía en su interior.

* * *

Alfonsina Storni

Alfonsina Storni (suiza 1892-1938) llegó a Argentina — a la provincia de San Juan— siendo muy niña; muchos argentinos se ofenderían si se les dijera que su "poetisa" no nació en aquel suelo. Experimentarían la misma sorpresa de un francés al que un uruguayo les reclamara al pseudo "conde de Lautréamont" (Isidoro Ducasse), a Laforgue, a Supervielle.

Alfonsina Storni sí tuvo que sufrir mucho del prejuicio de las demás mujeres —que luego la admiraron tanto—, y de los hombres que la consideraron fácil porque confundieron a una mujer independiente con una mujer libre (ver en "La inquietud del rosal" el poema: "Yo tengo un hijo, fruto del amor sin ley").

Más que cualquiera de las otras, Alfonsina

hizo una militancia de la independencia de su sexo y toda su vida se propuso, a costa de dolorosos vejámenes por parte de una sociedad que la miraba alarmada, ser un ejemplo vivo de lo que ella creía que debía ser una mujer. Trabajó en compañías de teatro ambulante —su familia era muy pobre—, estudió en Rosario para maestra y llegó a Buenos Aires con un libro y con un hijo... Afortunadamente, el medio intelectual de la capital era de alto nivel y Alfonsina tuvo pronta cabida en él: de Lugones a Horacio Quiroga, su gran amigo, los hombres admiraron su temple.

Obras

Sus libros son: "La inquietud del rosal" (1917); "El dulce daño" (1918); "Irremediablemente" (1919); "Languidez" (1920); "Ocre" (1925); "Poemas de amor" (1926, prosa poética); "Mundo de siete pozos (1934); "Mascarilla y trébol" (1938). En 1946 se publicó su "Obra poética", reeditada en 1952. En 1950 su "Teatro infantil".

Modalidades y temas

"Ocre" se considera, casi con unanimidad, su mejor momento poético. Luego, con "Mundo de siete pozos", viene una época semejante a la que ha tenido Juana de Ibarbouru: un intento de ultraísmo, de no quedarse atrás, de encontrar un nuevo sendero en donde desembarazarse del hombre que la obsede. La sensualidad de Alfonsina es más mental que erótica (ver "Uno", en "Mundo de siete pozos"). Ha sido humillada demasiadas veces y ha engendrado rencor irónico hacia el hombre. Cree, sinceramente, que la mujer es superior al hombre y la indigna sentirse esclava de éste, que ama sin permanencia, con urgencia física. En toda su poesía hay cierto desprecio hacia el varón que le es imprescindible. Vuelve como Sor Juana, y tal vez haya habido algún resabio de ella en su subconsciente, a "poner las cosas en su sitio": del famoso "Hombres necios..." de las "Redondillas" a "Tú me quieres blanca" hay poca distancia espiritual y un deseo explicable de fijar posiciones. Sufrió mucho Alfonsina por esa necesaria esclavitud física; son conocidas sus opiniones: "Soy superior al término medio de los hombres que me rodean, y físicamente, soy su esclava, su molde, su arcilla. No puedo amarlo libremente; hay demasiado orgullo en mí para someterme. Me faltan medios físicos para someterlo". Y agrega una frase clave en su vida y en su poesía: "El dolor de mi drama es en mí superior al deseo de cantar..." Para Delmira no había habido conflicto porque creía que el hombre era un Superhombre, para Juana de Ibarbourou el escape —como para otras poetisas uruguayas— fue la religiosidad, la espiritualización del deseo carnal, en Alfonsina solamente cabe la amargura.

Su último poema, dirigido a un hombre, marca su decepción, su derrota: "Ah, un encargo:/ Si él me llama nuevamente por teléfono/ Le dices que no insista, que he salido...". El poema se llama "Voy a dormir" y fue enviado a "La Nación" de Buenos Aires el día antes de su muerte. Ya en 1919, en "Irremediablemente", su decepción, su descreimiento, estuvo marcada en el poema "Hombre pequeñito". Es el mismo resentimiento, y el mismo sentimiento de angustiosa soledad, que le hace decir en 1934, en "Mundo de siete pozos": "En la ciudad, erizada de dos millones de hombres,/ no tengo un ser amado..." Se suicidó porque tenía cáncer: una mujer de su temple hubiera seguido luchando. La idea del suicidio era muy antigua ("Epitafio para mi tumba", de "Ocre") pero floreció en 1938 con el suicidio de Leopoldo Lugones y de Horacio Quiroga, que le mostraron un camino. El poema que le dedicó a Quiroga indica ya un propósito de no ver declinar su inteligencia por la enfermedad: "Morir, como tú, Horacio, en tus cabales" ("Antología poética", 1940). Una placa, y uno de sus poemas ("Quisiera esta tarde divina de octubre..."), recuerdan el lugar donde se arrojó al mar.

La rebeldía, el desafío a la sociedad prejuiciada, cierto humor irónico y despectivo frente al hombre, la urgencia física, el desconsuelo, la humillación, la soledad, la tentación de la muerte como puerto de descanso, la insatisfacción de una vida no colmada, son los temas de Alfonsina. Su poesía trasciende a la poesía amorosa en general; su tono híspido es el anverso de la actitud de Juana de Ibarbouru frente al hombre. En realidad, su poesía trata más de la condición de la mujer, de lo que es ser mujer en un mundo masculino, que del amor mismo. Es casi la única poetisa de todo este gran grupo que nunca siente la tentación de Dios, como refugio y salvación. Su actitud en general es de indiferencia religiosa. Su necesidad de ternura tuvo en los niños un escape: escribió obras teatrales para ellos.

* * *

Poesía religiosa femenina

Hay un grupo de poetisas cuya principal característica es la nota religiosa, y no por declinación física, sino por una transformación espiritual acorde con la crisis del mundo de la postguerra de 1945. María Raquel Adler (arg. 1915-?) estuvo desde sus primeros libros de preguerra en la línea católica. Otras, como la cubana Dulce María Loynaz (1902), fluctúan entre lo culterano y lo católico. La piedad por los humildes la conmueve cristianamente (véase su poema "Sé un poco más humilde"). Sus libros principales son "Versos" (1938) y "Juegos de agua" (1947). Clara Silva (urug. 1920?) con su libro "La cabellera oscura" (1945) pareció seguir una línea audaz ya marcada en al poesía por sus tres grandes compatriotas (María Eugenia, Delmira y Juana) pero su conversión, tan decidida y sorprendente, llena de honda inspiración, la hace derivar hacia una poesía mística de más alta calidad en "Bodas", (1960).

* * *

Sara de Ibañez

Otro nombre de mujer que va creciendo en la poesía de América es el de Sara Ibáñez (urug. 1918?). Neruda prologó su primer libro, "Canto" (1940) y dijo de ella que recogía "de Sor Juana Inés de la Cruz un depósito hasta ahora perdido: el de un arrebato sometido al rigor". Y la llama "grande, excepcional y cruel poeta". Raros epítetos pero justos. En aquel entonces Neruda no era tan comunista ni Sara de Ibáñez tan dogmática. Su poesía demostraba ya atisbos místicos y llamaba la atención por lo resuelta, lo decidida y firme. El tono es tan seguro que admira (ver "Isla en el mar", soneto). Pero luego, después de "Hora ciega" (1943) Sara de Ibáñez deriva hacia un cristianismo más fuerte. De la influencia de Garcilaso pasa a los místicos.

Una mística moderna

En "Canto" es apenas un despertar. La vida, la muerte, el hombre y Dios, y la naturaleza pánida, andan muy mezcladas en algunas de las admirables liras del libro. Sin embargo, una tendencia innata al misticismo marca el camino hacia una depuración que no llega del todo en "Hora Ciega". Allí los "Soliloquios del soldado" marcan la oposición entre el errar humano, condenado a la destrucción, y el gran amor que a todos une con su presencia y permanencia, naciendo en lo más mínimo y en lo más terreno. Otro poema, "Situación", marca la elección definitiva.

En "Pastoral", publicado en 1948 en Ediciones Cuadernos Americanos, en México, la depuración llega hasta una simbólica mística, con raíces en Garcilaso y en Fray Luis de León; versos pulidos como prosa cuidada, herméticos y algo fríos, pero impregnados por una aceptación de lo divino muy alta y refinada. No hay tono de protesta, no hay resistencia, como le ocurre a Clara Silva, ni hay sorpresas: la condición divina se da por sentada, como en los místicos. La supremacía de Dios no es tema en el cual detenerse, por su obviedad, de modo que el alma no interroga a Dios sobre su destino, sino que, en canto gozoso y sin rubor se entrega al cosmos y goza en el cosmos por pertenecer a Dios en medio de las cosas que por derecho son suyas. No hay exclamaciones de fe, ni alusiones virginales; el lenguaje es directo en la intención y no necesita identificar al destinatario. La diferencia entre Clara Silva y Sara de Ibáñez es que aquélla entra al mundo de Dios, sobresaltada, como temerosa de ser arrojada de allí —y en muchos de sus poemas se advierte esta duda, este temor a que la fe que se le ha despertado se apague tan repentinamente como llegó, de que no sea fe, en una palabra— mientras que en Sara de Ibáñez la sensación es de que no hay elementos cristianos visibles en sus poemas porque todo está visto desde una situación que mira desde el jardín del Paraíso al jardín terrenal. Hay seguridad y ninguna vacilación en su fe. Por esto no la proclama sino que, en místico transporte, se exalta en los goces presentidos.

En 1952 Sara de Ibáñez publica su poema "Artigas". Extraño giro el de la poetisa. Canta, en versos parnasianos, fríos, al héroe de su patria, evocándolo niño y luego convertido en estatua y en el momento en que inicia la gesta hasta llegar al combate de Las piedras. El verso se va animando a medida que gana en sencillez aunque pierda en originaidad. Se vueve patriótico, recitativo y cantado; y concluye en poesía de cantar folklórico, en la última parte, con un sencillismo costumbrista que sorprende en la compleja poetisa.

* * *

Julia de Burgos

Una poetisa en la cual debemos detenernos es Julia de Burgos (Julia Constancia Burgos García, puert. 1916-1953). Después de su muerte su nombre ha ido creciendo lentamente y no hay dudas de que la valoración es justa. Hace poesía amorosa, muy intensa y llena de dolor; porque los hombres la hicieron desdichada, la explotaron miserablemente. Su gran nota lírica es la del desgarrado deseo de que la muerte la libre de una vida que ama a pesar de todo. Ama a los hombres y no consiente en perderlos: por esto no se suicida. Vive enferma de esperanza, hambrienta de que su amor sea correspondido. No tiene la rebeldía de Alfonsina Storni, pero sí su misma desesperación ante la impotencia de enfrentar la vida. La suya fue trágica hasta en su muerte. Nació en una familia de siete hermanos junto a la montaña y el río de Loíza. Quiso cursar en la Universidad pero su pobreza sólo le permitió estudiar en la escuela normal. En 1937 editó un libro escrito a máquina, en mimeógrafo, "Poemas exactos a mí misma"; y en 1938, "Poemas en 20 surcos". En 1939 "Canción de la verdad sencilla", libro que atrajo la atención sobre ella. Era inteligente, intuitiva más que culta. Fue a La Habana y estudió en la Universidad por poco tiempo. Cuando desembarcó en Nueva York en 1940 llegaba llena de vida y de alegría, pero se llevaba consigo. La decepción amorosa la arrastró a la bebida. Murió a consecuencia de una cirrosis, en una calle de Nueva York. Fue enterrada en la fosa común, con un número de identificación que permitió luego a sus amigos, cuando notaron su desaparición, rescatar su cuerpo, que fue llevado a San Juan. Curiosa premonición: escribió un poema titulado "Dadme mi número". En los últimos años, cercada por la miseria, por su desesperación ante un hombre sobre el cual no se llamaba a engaño, orgullosa ante los amigos que pudieron ayudarla, trabajaba en una fábrica.

La gran desdichada

Otro tema, poco frecuente en las mujeres poetisas, aunque no es Julia de Burgos la única en cultivarlo —si bien su talento transforma a estos poemas "comprometidos"— es la poesía nacionalista que escribe recordando momentos dramáticos para América (el poema "23 de septiembre" y el "Himno de sangre a Trujillo"). Versos muy bellos son: "Poema de la íntima agonía", "Entre mi voz y el tiempo" (donde exclama: "¡Debe ser tan profunda la lealtad de la muerte!"), "Víctima de la luz", "Presencia de amor en la isla" y "Río grande de Loíza".

* * *

La mejor estudiosa que tiene Julia de Burgos es otra poetisa de la que tampoco está ausente el canto nacionalista: Diana Ramírez de Arellano (puert. 1919?), autora de "Angeles de ceniza" (1958) y "Un vuelo casi humano" (1960). La nota interesante de su poesía, un poco fría, expresamente parnasiana (véase "Huerto de las estatuas") es la nostalgia por su isla de Puerto Rico, al que algún día volverán todos los que la dejaron con el corazón dolorido, según lo expresa en un arranque lírico ("Salmo penitencial del desterrado" y "Oda al regreso").

* * *

Clara Lair

Y si estamos en Puerto Rico, hablemos de Clara Lair (Mercedes Negrón Muñoz, puert. 1900?). Tres libros, reunidos tardíamente en un solo volumen, en 1950, marcan su trayectoria: "Trópico amargo", "Arras de cristal" y "Más allá del poniente". "Arras" fué publicado en 1937. Es ahora una misógina y antes fue una enamorada, de una audacia casi brutal. No es erótica: es realista, directa, atrevida, confesional sin recato. Se la considera la mejor poetisa viva de Puerto Rico. Algunos de sus poemas suenan hoy un poco a destiempo, y es visible en ellos la influencia de Alfonsina Storni. Sin embargo, su franqueza violenta, que no desprecia el prosaísmo, le da una autenticidad que nadie puede rehusarle. Ninguna influencia reconocible podría desmerecer sus poemas. Consideramos sus mejores aciertos "A veces soy tan lejos...", donde el prosaísmo del hombre que le mira los senos se convierte en grito de bacante; lo mismo ocurre en "Por dos pupilas verdes...", donde el paisaje de su isla la aparta y la consuela de su sensualidad siempre insatisfecha. En "Carta a Ada Elena", describe su convicción de que el amor es únicamente carnal y en "Pardo Adonis", que lleva el irónico sub-título de "In memorian", descubre la relación de una mujer blanca entregada a un negro. Otros poemas destacables son "Petronio", "Lullaby mayor" y "Trazos del vivir sombrío".

Y en Puerto Rico, debemos nombrar aún a Carmelina Vizcarrondo (1906); a Carmen Alicia Cadilla (1908); Marigloria Palma (1910?); Nimia Vicens (1914); Laura Gallego (1924) y Ana Inés Bonnín Armstrong (1924?).

* * *

Poetisas Argentinas

La nómina de poetisas argentinas que continúan a Alfonsina Storni es muy extensa. Citemos algunas y dense las otras por nombradas, que no es exclusión ni desmérito, ni preferencia, el no citarlas: Margarita Abella Caprille (arg. 1901-1960), autora de "Perfiles en la niebla" (1923) y de "Sombras en el mar" (1930); María Alicia Domínguez (arg. 1908), una de las mejores, y con abundante producción: "La rueca" (1925), "Crepúsculos de Oro" (1926), "Música de siglos" (1927), "El hermano ausente" (1929), "Las alas de metal" (1930), "El hombre inefable" (1931), "Canciones de la niña de Andersen" (1933), "Rosas en la Nieve" (1940), "Libro de poemas" (1949). Temáticamente, la Domínguez es permeable a los influjos de la época y del grupo en el que actuaba: es lírica, pulsa la nota nacionalista y patriótica, y sus poemas encierran problemas religiosos, mezclando cristianismo tradicional con induísmo adquirido. Es autora de novelas de tipo romántico.

Nora Lange (arg. 1906?), autora de "La calle de la tarde" (1925), "Los días y las noches" (1926) y "El rumbo de la rosa" (1930), después de sufrir la influencia ultraísta de su marido, Oliverio Girondo, se dedicó a la novela, donde sí alcanzó una situación de privilegio. María de Villarino (arg. 1909?) y Silvina Ocampo (arg. 1909?), ambas de línea clásica; pero mientras aquélla se deja sorprender por la "trampa" de la reacción contra el ultraísmo y versifica en sonetos, décimas y octavas reales ("Calle apartada" (1930), "Junco sin sueño" (1935), "Tiempo de angustia" (1937), "Elegía del recuerdo" (1940), Silvina Ocampo endereza hacia los clásicos ingleses que le sirven de modelo y hacia un sentido más moderno en los conceptos. Sus libros principales son "Enumeración de la patria" (1942), "Espacios métricos" (1945), "Lo amargo por dulce" (1962). Y nos quedan por mencionar a Hortensia Margarita Raffo, Emilia Bertolé y Wally Zenner, contemporáneas de Alfonsina Storni, y a María Elena Walsh, Olga de Orosco, María Granata, Ana Emilia Lahitte, nacidas, sospechamos, allá por el año 30...

* * *

Poetisas Mexicanas

Tendríamos que detenernos en María Enriqueta Camarillo de Pereyra (mexic. 1895) y en el grupo de poetisas mexicanas cuyo talento culmina con Guadalupe Amor (mex. 1920). Es curiosa la nota que da sobre ella Max Aub en su "Poesía mexicana", 1950-1960": "Representa el éxito. Cierto afán natural de exhibir sus gracias y su facilidad le ha proporcionado público, no sólo lector: hizo teatro, aparece en la televisión, usa de la radio y de los discos para dar a conocer su poesía, la mejor vendida en los últimos años. Los moldes más tradicionales no se le resisten, sin importarle mucho de Dios o el diablo". Las obras citadas por Max Aub son "Poesías completas" (1951), "Décimas a Dios" (1953), "Sirviéndole a Dios de hoguera" (1958), "Todos los siglos del mundo" (1959).

Margarita Michelena (mex. 1917), muy interesante por sus poemas existenciales —un tanto bajo la influencia de Octavio Paz—; Enma Godoy (mex. 1920); Rosario Castellanos (mex. 1925?), la de más conocido prestigio, con sus libros "De la vigilia estéril" (1950), "El rescate del mundo" (1952), "Poemas" (1957), "Al pie de la letra"; Margarita Paredes (mex. 1922); Esperanza Zambrano (mex. 1917?); Dolores Castro (mex. 1923)...

* * *

Algunos ejemplos

Y habría que analizar, prolijamente, a muchas admirables poetisas de América tales como, las citamos para dar ejemplos no excluyentes de las otras —no convirtamos en Euménides a las Erimnes—: Luisa Pérez de Zambrana (cub. 1835-1922), Mercedes Matamoros (cub. 1858-1906), Juana Borrero (cub. 1877-1896), María Villar Buceta (cub. 1898); Mirta Aguirre (cub. 1912), Josefina García Marruz (cub. 1923), Maruja Vieira (colom. 1922); Meira Delmar (colom. 1922), Margo Silva (bol. 1930), Yolanda Bedregal (bol. 1918), Rafaela Chacón Nardi (cub. 1926), María Monvel (ch. 1897-1936), Julia Rodríguez Tormeu (cub. 1913), Mercedes Torrens (cub. 1886), Emilia Bernal (cub. 1885), Serafina Núñez (cub. 1913), Blanca Varela (per. 1926).

Y a las panameñas María Olimpia de Obaldía (pan. 1891) y Ester María Osses (1916); y a Ana Enriqueta Terán (ven. 1920) y a Josefina Pla (parg. 1909).

Y a Claudia Lars, pseudónimo de Carmen Brannon (salv. 1899), que reclama nuestra atención con sus libros "Estrellas en el pozo" (1934); "Romances de Norte y Sur" (1946) y los sonetos "Donde llegan los pasos" (1953); "Escuela de pájaros (1955); "Canciones" (1960); "Sobre el ángel y el hombre" (1962). Y... ¿Cuántas más?...

* * *

Gabriela Mistral

Y Gabriela Mistral

Gabriela Mistral (pseudónimo de Lucila Godoy Alcayaga, chil. 1889-1957) desborda a todas las demás poetisas de América —que en inspiración y talento podrían disputarle terreno— en la proyección que su personalidad adquirió. Su personalidad contribuyó tanto como su obra a que le otorgaran el Premio Nóbel en 1945. Trascendió las fronteras de su patria cuando la admiración que despertó su primer libro —en Arturo Torres-Ríoseco, y en Federico de Onís, que lo editó en Nueva York— la llevó a colaborar con José de Vasconcelos (en 1922) en la reforma educacional de la triunfante y apasionada Revolución Mexicana (la única que, por tener un contenido intelectual, podría parangonarse con la Revolución de la República Española que ya estaba en marcha y que culminaría en 1931). Gabriela fue maestra rural, y también lo fue su padre que abandonó a su madre cuando ella era niña, lo mismo que su madre y la hermanastra de su madre, que la criaron. Llegó a Santiago, la capital de Chile, como directora de un Liceo y allí continuó su labor docente, paralela a su labor intelectual creadora. Fue nombrada cónsul de Chile en Brasil. Su prestigio iba en aumento. Puede decirse que es la única poetisa hispanoamericana conocida en Europa desde los tiempos de Gertrudis Gómez de Avellaneda.

Origen, Magisterio, feminismo y carácter

No tuvo una vida alborotada. Por el contrario, su firmeza de carácter hizo que detestara el escándalo. Su experiencia docente ayudó a que no necesitara del grito para hacerse oír. Adquirió cierto tono maternal y matriarcal característico de las directoras de escuela después de largos años de magisterio, cierto reposo exterior, una autoridad por presencia. En sus comienzos, en una época en que las mujeres audazmente instauran un matriarcado en la poesía amorosa, con el pretexto de su fragilidad, Gabriela Mistral rehusa el matriarcado —hablamos de su iniciación literaria— y la protesta, y canta a su amor muerto (a ese novio que la dejó para siempre virgen y que se suicidó porque había desfalcado a la compañía ferrocarrilera donde trabajaba). "Los sonetos de la muerte" contienen dolor sin erotismo ni complacencia en el sufrimiento. Por el contrario, abandona el tema cuanto antes, con pudor de sí misma. Detesta el exhibicionismo y aún respetando mucho a sus congéneres las contradice en la actitud de matriarcado agresivo. Ella es feminista, e hizo mucho en este sentido, e independentista: pero tenía algo de provinciano siempre, pues la disgustaba que pudieran confundirse términos como "independencia femenina" y "libertinaje". Fue feminista de verdad, sabía que el feminismo era una actitud a ganar, lentamente, después de que las feministas estridentes, las sufragistas, abrieran la brecha y fueran arrastradas por el aluvión. Al feminismo legítimo, al que no hace perder la feminidad, dedicó hábilmente gran parte del peso de sus lauros intelectuales. Bien es cierto que como a toda feminista, le gustaba muy poco la compañía de las mujeres... Pero esta paradoja podía explicarse por el hecho de que la mujer ya libertada se irrita fácilmente ante la manera cómo la mujer no independizada conduce su vida moral.

* * *

Su primer libro fue "Desolación" (1922), dedicado en gran parte a Rogelio Ureta, su novio suicida; "Los sonetos de la muerte" ya le habían valido el primer premio en el torneo poético de

Freud y Gabriela

Santiago, en 1915. Aquí debemos introducir una tesis un tanto freudiana (al fin de cuentas Freud influyó a toda la época de Gabriela y aunque se han exagerado y mistificado sus teorías, nadie puede negarle importancia): Gabriela es la "directora de escuela solterona", mantuvo su doncellez civil (se habló mucho de sus amores, ¿a quién constan? ¿Quién se atreve a dar nombres, a publicar cartas, testimonios valederos?) y es la gran camarada de los hombres, a quienes trata sin esfuerzo de igual a igual, sin dejar por esto de ser exquisitamente femenina, con su suavidad bonachona e irónica capaz del enojo de una walkiria llegado el momento. Esto puede tener la explicación freudiana a que aludimos: su padre, el maestro rural del cual ella recordaba algún verso recreado en su memoria, abandonó a su madre cuando Gabriela tenía tres años. El único amor de su vida juvenil, se suicidó. En el momento en que va a realizarse como mujer, tenía 16 años, y está ansiosa de ello —no era torturada sino sana y sencilla en hábitos y costumbres—, vuelve a perder el sostén, vuelve a perder al hombre. Las derivaciones freudianas pueden ser múltiples y esperemos que si alguien las intenta —o las ha intentado ya, como es probable— no exagere la nota patológica y cargue sobre la complexión psicológica. Si la Mistral no tenía tortuosidades y desequilibrios interiores era capaz de una intraversión total —siempre afable exteriormente—, dominada por su voluntad, en su vida de relación. La voluntad es uno de los rasgos más salientes de su personalidad. Su psicología, su mentalidad, era densa y difícil de desentrañar. Recibía a todos, con todos era abierta, franca y amigable, pero se confiaba en muy pocos, por lo menos en cuanto

Carácter a su vida íntima se refiere. No en vano gustaba decir de sí misma que era "una maestra vasca". Aunque con los años se volvió un tanto narcisista, siempre primó en ella la generosidad —más que la bondad—, una generosidad voluntaria, de maestra que debe alentar a los discípulos con condiciones elogiándolos hasta más allá del talento que han demostrado en el momento en que el elogio se formula.

Perdida y desolada —pero no destruída, y hay un matiz psicológico en el título de su primer libro, que no es lamento sino asombro de que lo que ha pasado pueda pasar— Gabriela se repone. Los hombres —que fueron más que las mujeres sus grandes admiradores, los propagadores de su prestigio— le brindaron una amistad leal que ella correspondió con igual devoción. Tal vez el amor se haya mezclado alguna vez, pero en el balance siempre primó la amistad que fue una de las virtudes de Gabriela, la que estimaba más. Y le gustaba más, por menos matizada, la amistad del hombre que la imaginativa y volátil amistad de las mujeres.

Obras Se ha dicho que de la primera etapa, "Desolación" (1922) —libro dedicado al que luego sería presidente, Pedro Aguirre Cerda, que había conseguido que la nombraran profesora en un Liceo— Gabriela pasó a volcar su ternura en los niños: "Ternura" (1924) fue en gran parte producto de los dos años de su estada en México aunque es posible que algunos poemas sean experiencias anteriores y muchos hayan sido dictados por la nostalgia de sus niños del Norte de Chile, donde estaba su pueblo natal (Vicuña). Aquí, según los comentarios autorizados, Gabriela vuelca su pérdida del hombre en los hombres no contaminados, en los niños. Su maternidad encuentra un cauce y la maestra se satisface. La explicación es sencilla, pero habría que analizar un poco más la temática del libro. Por lo pronto aunque sean poemas "con niños", algunos solamente son "para niños" o "sobre niños". El niño es, por lo general, el punto de referencia de una experiencia de Gabriela, de la poetisa, de la mujer; o de un estado mental o espiritual, referido a sí mismo o a la sociedad. Que no se deje engañar el lector por la sencillez y la luminosa claridad aparente de "Ternura". El sencillismo —que Gabriela adopta naturalmente, sin rebusques ni propósitos fijos— suele ser más complejo que la complejidad visible a simple vista. Y no es que queramos buscar cuatro pies al gato. Analícense con esta mira los versos de "Ternura" (la mayoría publicados ya en "Desolación") y tal vez sorprenda cuántas "sencillas" implicancias puede alcanzar un poema, en apariencia factible de ser interpretado en su forma más exterior sin perder su hondura poética.

Los niños

"Tala"

"Tala" (1938) fue publicado a pedido de Victoria Ocampo por la editorial "Sur" de Buenos Aires y su venta se destinó al fondo para los refugiados de la guerra civil española. Los años volvían cada vez más compleja a Gabriela, a la que su fama halagaba e irritaba a la vez. "Tala" es su libro más difícil de captar poéticamente, el más metafísico y el más analítico.

Es el libro de la madurez y del despojo de cuanto innecesariamente pesa sobre el espíritu y la carne. Es un libro de versos tan sin oropeles, tan sin abjetivación, tan sobrio, que por momentos la extrema simpleza desconcierta al lector, que enfrenta una nueva clase de hermetismo. El lector tiene que poner en "Tala" algo más que sus ojos, si quiere captar el libro en su intención última.

* * *

Pedro Aguirre Cerda la nombró cónsul de Chile en Petrópolis, Brasil (en 1938), donde vivió siete años. Viajó por Perú, México —que fue su segunda patria— y Argentina. Murió en EE. UU. de una pneumonía, cuando recorría universidades en una gira de conferencias. En Europa y en América representó a su país. Su vida de relación con la política fue tranquila, pues nunca hizo política en su carrera (salvo, por supuesto, en su sincero Indoamericanismo y en su declarado anti-fascismo). Siempre hizo de Gabriela Mistral. Y esto es más que una frase ingeniosa. Porque era muy difícil ser Gabriela Mistral, vigilada, observada, admirada por todos. Y Gabriela, bajo su humorismo que era sólo rubor, se tomaba muy en serio a sí misma.

Temas

Veamos algunos de sus temas:

Ya anotamos su relación con la poesía amorosa y volveremos a decir algo sobre cómo encausa su frustración en ese terreno, o mejor dicho: cómo se salva de la frustración. En la línea de poesía "con niños" —distinta a la de las argentinas Alfonsina Storni y María Elena Walsh, que escriben teatro poético "para niños"—, la Mistral es una continuadora de "Ismaelillo", el bello libro de José Martí, también poesía "con niños" y no "para niños".

Cuando Aguirre Cerda logra que la nombren profesora en el Liceo, en el sur de Chile, califican a Gabriela de tener "ideas liberales" (estas ideas influirán, seguramente, en el llamado de Vasconcelos para que colabore con él). Sin embargo, en "Desolación" uno de los temas más frecuentes es Dios, y su catolicismo no presenta aristas de insurgencia. Creemos que nadie puede dudar de la sinceridad religiosa de Gabriela (la Biblia era uno de sus libros de cabecera), cualquiera fuese la posición que en las distintas circunstancias de su vida adoptó frente a la Iglesia (le disgustaba el regalismo de algunos sacerdotes de jerarquía mayor, pero simpatizaba con la simpleza de los curas rurales). Entendía mejor a Bernanos que a Claudel, más a San Juan —que le dió un ejemplo espiritual— que al "divino" Herrera, con su artificioso neoplatonismo.

El amor perdido; el Cristo lacerado con el cual se conversa serenamente, pidiéndole ayuda con la sencillez de una campesina; la maternidad de ningún modo frustrada, ya que se derrama viva en el magisterio; la ubicación de la mujer en el mundo ambiente, con señalados detalles de relación, de confrontación; la naturaleza como una nostalgia permanente, manifestada a través de la mención de las cosas mínimas de la vida rural y no a través de exclamaciones de deslumbramiento ante el paisaje; y finalmente, uno de los temas de la poesía de "Tala" y de muchas páginas en prosa de Gabriela —que rehuía el culteranismo pues quería ser entendida por los que eran como ella había sido, una maestra rural ansiosa de saber—, el tema del Panamericanismo, de Indoamérica, conglomerado mestizo por fusión de razas, influído por las ideas de José Vasconcelos (Véanse las secciones "América" y "Recados").

Gabriela Mistral fue, en su vida y en su obra, una cristiana. Su cristianismo, anti dogmático y conventual, se volcó serenamente en el amor hacia los otros y más la preocupó la misión de Cristo, que Cristo mismo como Dios intangible (por esto, tal vez, habla más de Jesús que de la Virgen y cuando dice "Dios" es al Cristo hecho hombre al que se refiere). Su misticismo se volcó en la humanidad, sin alharaca de sacristía. Practicó espontáneamente las tres virtudes teologales: fe, esperanza y caridad. Fe en los hombres, esperanza en el destino de Iberoamérica, caridad por un mundo sin amparo. Arturo Torres-Ríoseco tiene sobre ella un interesante estudio: "Gabriela Mistral" (Editorial Castalia. Valencia. 1962).

* * *

Los hombres y el amor

No podríamos cerrar este capítulo en que tanto hemos hablado de amor sin mencionar a algunos de los hombres que en el postmodernismo hicieron poesía amorosa. Nunca tuvieron ellos la audacia de las mujeres, que tomaron de los modernistas el acento erótico y lo desarrollaron como ningún hombre se atrevió a hacerlo. En los hombres, aunque con formas y lenguaje de su época, prevaleció un renacimiento del espíritu romántico: entronizamiento e idealización de la mujer. Salvo en la poesía popular, donde aparece como sinónimo de traición (reiteramos el ejemplo de los tangos y corridos), en los poetas "cultos" la mujer fue la "hembra adorable" más que la "hembra conquistable", mientras que a la inversa, como hemos visto, en las mujeres el hombre fue "conquistable" y "miserable", juzgado a los ojos de ese peculiar matriarcado que instauraron las poetisas, marcadas por la esclavitud del sexo.

* * *

Poesía con temas de amor, pero también con inquietud existencial sobre la condición del hombre (ya señalamos al hablar de poesía culterana su paradógica faz religiosa) escribió Pedro Prado (ch. 1886-1952); y, naturalmente, Pablo Neruda en "20 poemas de Amor y una Canción Desesperada". Son muchos los que podrían citarse, desde Pedro Miguel Obligado (arg. 1888) a Francisco Luis Bernárdez en "La ciudad sin Laura" o Angel Bonomini (arg. 1930) en "Poemas con Angel". En México ¿cuánta poesía amorosa siguió al "Nocturno" de Manuel Acuña (mex. 1849-1873) y a los poemas de Amado Nervo? ¿A cuántos deberíamos citar? En Colombia deberíamos nombrar a Ismael Enrique Arciniegas (col. 1865-1938); a Porfirio Barba Jacob (cuyo verdadero nombre era Miguel Angel Osorio Benítez, col. 1883-1942); Néstor Madrid Malo (col. 1918) y a Ricardo Nieto (col. 1878); a Carlos Prendez Saldías (ch. 1892); Manuel Magallanes Moure (ch. 1878-1924), con "¿Qué es el amor?", 1916 ó "Florilegio", 1941; Guilermo Villarronda (cub. 1912). Véase la referencia que hicimos del argentino Arturo Capdevila. Podría seguir una larga mención a través de los países, pero no vale la pena hacerlo. No hay entre ellos —salvo los ya mencionados— ninguno que se destaque continentalmente en este terreno. Por lo general, el tema amoroso es incidental y no constituye la labor principal de su poética. Indudablemente, las mujeres se llevaron esa palma.

DESPUES DEL CULTERANISMO Y EL SUPERREALISMO

Hacia nuestros días

La postguerra de 1945 no marcó la aparición de grandes poetas. No hay en América un gran poeta, de importancia continental, que deba señalarse con especial cuidado por algún nuevo aporte a la poesía. Tal vez todavía no estemos en condiciones de advertirlo, si existe.

Pero la postguerra marca, como hemos señalado, un cambio espiritual en varios de los poetas que ya son famosos antes de 1939. Por lo pronto repetimos lo que dijimos antes: *la poesía social de pasiva se vuelve militante,* con Pablo Neruda.*Esta quizás sea la única originalidad advertible en los últimos años.* Los poetas culteranos, en busca de un universalismo que explique la conducta del hombre, regresan a la poesía religiosa —como Francisco Luis Bernárdez—, al que ya estudiamos, o ingresan a una filosofía poética de tipo existencial, sin apartarse del nacionalismo que sustituyó al Panamericanismo, como Ricardo Molinari y Octavio Paz.

Con prescindencia exenta de desdén, y con el propósito de ser más claros al cerrar este panorama de la Poesía en América Hispánica, dejaremos de lado a algunos poetas dignos de mención y nos limitaremos al análisis de la última época de Neruda, y de la personalidad y obra de Molinari y Paz.

* * *

Evolución de Pablo Neruda

El primer libro de Pablo Neruda fue "La canción de la fiesta" (1921) que el poeta incluye parcialmente —en el apéndice— en sus Obras Completas. (Losada, Buenos Aires, 1962). En 1923 publica "Crepusculario", donde a pesar de las influencias modernistas ya, en dos poemas ("Farewell" y en el final de "Peleas y Melisanda"), da un tono que le es propio, de romántica melancolía, de amores destinados a ser perdidos, de frustración. Los "Veinte poemas de amor y una canción desesperada" (1924) —su libro más conocido, precisamente por el tono de poesía romántica y amorosa que prima sobre las audacias modernistas y sobre alguna metáfora tal vez "creacionista"— amplía el panorama temático que tiene dos culminaciones: "Poema número 20" (el tema de la pérdida del amor, del amor que pertenece a la tierra porque es humano, del amor sustituíble que deja una amarga nostalgia y nada más) y "La canción desesperada" (tema de la frustración, esperanza de la acción, certeza de que todo esfuerzo es inútil). Luego de "Tentativa del hombre infinito" (1926), poema con pocos aciertos y con un intento metafísico que no logra plasmar, de su novela poemática "El habitante y su esperanza" y de las prosas de "Anillos", éstas en colaboración con Tomás Lago (ambos de 1926), aparece "El hondero entusiasta" (1933) donde Neruda reconoce la influencia de Carlos Sabat Ercasty, y debería reconocer también —hasta esa etapa—, las influencias sucesivas de Lugones, Huidobro, Juan Ramón Jiménez. Aquí se afirma su estilo, el estilo nerudiano de melancolía pausada, sin estridencias, de ritmo sordo, de vencimiento. Aquí está, también, el germen de las "Residencias" (en el poema 1: "Hago girar mis brazos como dos aspas locas...") , con reminiscencias del "Canto a mí mismo" de Walt Whitman que León Felipe tradujo admirablemente y que ya circulaba en ediciones clandestinas chilenas, cuyas editoriales "piratas" fueron famosas para aquella época). En el poema 1 se da el antecedente del más bello y perfecto "Ritual de mis piernas" de la "Primera Residencia". Lo que va a cambiar después de este libro es el lenguaje, no la temática ni las preocupaciones del poeta que quiere una metafísica terrenal y que se niega a la mística trascendente. En "El hondero entusiasta", junto a la nota de amor semejante a la de los "20 poemas de amor" (3 "Eres toda de espumas...") habrá temas que resurgirán, aunque nunca se pierden, en "Residencia" (8: "Llénate de mí...") y que al mismo tiempo aclaran la necesidad de entregarse a sus semejantes que tan bellamente confiesa Neruda en el Prólogo a sus Obras Completas para explicar, sin decir que su intención es ésa, su "conversión" al comunismo:

"Conocer la fraternidad de nuestros hermanos es una maravillosa acción de la vida. Conocer el amor de los que amamos es el fuego que alimenta la vida. Pero sentir el cariño de los que no conocemos, de los desconocidos que están velando nuestro sueño y nuestra soledad, nuestros peligros o nuestros desfallecimientos, es una sensación aún más grande y más bella porque extiende nuestro ser y abarca todas las vidas... He dejado en la puerta de muchos desconocidos, de muchos prisioneros, de muchos solitarios, de muchos perseguidos, mis palabras".

"Cansado de ser hombre" ("Walking around"), de sentir esa responsabilidad que no sabe cumplir, fatigado de la incomunicación entre los seres, del intelectualismo del cual va a renegar como de su superrealismo en el poema "Las oligarquías" de su "Canto General" (1950), luego de la experiencia última de las "Residencia en la tierra", Neruda se inclina al comunismo.

* * *

El "Canto General"

Como lo hicieron los copistas de las viejas "Crónicas" medioevales, Neruda pone fecha al "Canto General": "Hoy 5 de febrero, en este año/ de 1949, en Chile, en "Godomar/ de Chena", algunos meses antes/ de los cuarenta y cinco años de mi edad". Fue compuesto en XV Cantos, antes y después de las "Residencia en la tierra". Comienza a escribir el "Canto General a Chile" en 1940 y lo termina en 1946. En 1941, en México

—donde fue cónsul, y a donde regresó en 1943 y 1949—, la Universidad Autónoma edita "Un canto para Bolívar"; y en 1942 el "Canto de Amor a Stalingrado" es pegado en afiches en las paredes de la ciudad de México. Estos dos poemas son los que mejor marcan la transformación de "Tercera Residencia" y pudieron figurar en "Canto General", cuyos poemas "América, no invoco tu nombre en vano" son de 1942. En 1945, cuando es elegido senador en Chile y entra al partido comunista, escribe "Alturas de Macchu-Picchu". En 1948, a raíz de su desafuero como senador por desacato al presidente G. González Videla, permanece oculto y termina el "Canto General" (en 1949 visita por primera vez a la URSS). En 1950 aparece, con el auspicio de intelectuales de 22 países, la edición mexicana de "Canto General". Esta edición, fuera del alcance de los proletarios a los que iba destinada (al año siguiente se hace una edición clandestina en Chile) fue ilustrada por Diego Rivera y David Alfaro Siqueiros, quienes, junto con José Clemente Orosco, son los tres grandes muralistas mexicanos que influencian la poesía de Neruda. Valbuena Briones indica: Canto III: Frescos del Palacio de Cortés, por Diego Rivera, en Cuernavaca; Cantos V y IX: Frescos del Ministerio de Educación, también de Rivera, y los frescos del Dartmouth College, de Orosco. Canto IV: Cuauhtemoc contra el mito, de Siqueiros.

Al dar datos sobre el nacimiento de "Canto General" lo hacemos para indicar las paulatinas faces de la conversión de Neruda al comunismo. La ordenación posterior puede crear algún confusionismo: pero al reordenar cronológicamente las distintas partes se advierte su indecisión, su afán por la paz, que lo arrastra a los famosos congresos auspiciados por los comunistas; su decidido amor por América —por México en especial luego de Chile—; y su poesía más nacionalista que universalista en contra de lo que exige el dogma comunista. "Canto General" es, sin dudas, una obra de transición espiritual.

Poesía nacionalista

Ya vimos cómo Neruda, después del estallido de la guerra de España, el choque emocional del fusilamiento de García Lorca (1936), su actividad con César Vallejo al organizar la ayuda a los refugiados que se encaminan a Chile, México, y Argentina, llega al comunismo. Pero una cosa es afiliarse, como lo hace en 1945 (8 de julio), y otra "ser" comunista. El "Canto General" es, y no nos llamamos a engaño, la continuación del "Panamericanismo" proclamado por Darío en "Cantos de Vida y Esperanza" (1905): es un poema fuertemente nacionalista que se vuelve ineficaz cuando pretende hacer una militancia que Neruda todavía no siente. El nacionalismo es visible en la atención que presta a Chile, en proporción a los demás países de América; pero se advierte también en el esfuerzo por tocar las fibras sensibles de las otras naciones del continente. Todo el "Canto General" está perjudicado por un intento de hacer poesía narrativa —el comunismo ya había abominado del superrealismo— y Neruda siempre ha sido antianecdótico. Y para peor, siguiendo esas nuevas obligaciones que ha abrazado todavía con indecisión interior aunque con su actitud exterior se esfuerce en demostrar lo contrario (pero para un lector atento los poemas son como impresiones digitales: no engañan nunca), obtiene un pobre resultado al separar ingenuamente los buenos de los malos, éstos aquí, los otros allá. Los fragmentos del Canto General que permanecen en la memoria son aquellos, como el canto inicial a América (¡oh manes de Chocano, de Darío, de Lugones!) o "Alturas de Macchu Picchu" (ciudad sagrada, de sacerdotisas, cuya existencia nunca sospecharon los españoles; según la leyenda se extingue apaciblemente, o tal vez por hambre, al quedar interrumpida la comunicación con el llano) nacionales o existenciales.

No es difícil seguir el ordenamiento de temas en "Canto General" Ensayemos una pequeña introducción:

Temas, aciertos, ingenuidades

Canto I: Comienza con un poema lírico, de gran belleza: "Amor América" y luego de la enumeración de la naturaleza no mancillada concluye con otro bello fragmento: "Los hombres".

Canto II: "Alturas de Macchu Picchu", poema cuyo tema es la muerte, a través de la serena majestad de las ruinas, con todo su significado de eternidad y permanencia, en contraposición con la fugacidad y la vulgaridad de la vida del hombre corriente. Recuérdese que el poema es de 1945 y escrito a poco de la entrada de Neruda al partido comunista. Habría que comparar las distintas versiones. El tono de "Macchu Picchu" está más en la primera parte de "Tercera Residencia" que en la intención de "Canto General".

Canto III: Una de las partes más débiles y de más ingenua militancia nacionalista. Se destacan los cantos a "Guatemala", "Duerme un soldado", "Elegía".

Canto IV: Aquí, luego del elogio a Fray Bartolomé de las Casas, para balancear la alabanza a un "cura", palabra terrible para el incipiente comunista, habla de los "sindicatos". El tema es el de los grandes jefes de América, y reviven los nombres de Caupolicán y Lautaro que ya habían cantado Ercilla y Hojeda (a éstos Neruda los conoce tan bien que creemos bastante necesaria una confrontación paciente). Son hermosos los cantos a O'Higgins y a San Martín (libertadores de Chile) y el dedicado a José Miguel Carrera (que llevó la primera imprenta a Chile). Es pobre en cambio el canto a "Lincoln", donde ya se advierte el esfuerzo de una posición dogmática. Dogmatismo que aflora, de nuevo, en los poemas a "Sandino" y a "Prestes".

Canto V: Dedicado a los tiranos de América, de bajo vuelo inspirador. Es interesante el canto a "Las oligarquías" por su intención vulgarista en el lenguaje y como documento de los argumentos y la terminología usados contra el "capitalismo" por las "izquierdas" de ese entonces; y el titulado "Los poetas celestes", donde renuncia al superrealismo y al intelectualismo de la "torre de marfil", atacando a Gide y a Rilke. De paso —¿y por qué no? ya lo había hecho Dante...— Neruda coloca aquí a todos sus enemigos intelectuales. Otra vez el nacionalismo antiimperialista aparece —y nuevamente se documenta el léxico o jerga utilizado para anatematizar al "capitalismo yanqui"— en "Los abogados del dólar". Lo mismo ocurre con los poemas dedicados a las grandes compañían extranjeras que explotan las riquezas del suelo americano: "Standard Oil", "Anaconda Copper Mining Co.", "United Fruit".

El Canto VI lleva por título "América, no invoco tu nombre en vano" y data de 1942. Es una de las partes más regulares y donde el lirismo de Neruda —que todavía no estaba en el "compromiso" comunista— alza la voz sin perder la dignidad en el poema "América". Hay dejos superrealistas. Habría que comparar los poemas de la edición definitiva de 1950 con los de 1942.

Canto VII: "Canto General a Chile", apareció por primera vez en 1943, en una edición privada, en México, y fue comenzado en 1940. Aquí el nacionalismo de Neruda se explaya sin el yugo que luego le impuso la prédica comunista.

Canto VIII: "La tierra se llama Juan". Recuerda a los obreros mártires, en las luchas de clases. Se vuelve anecdótico. Siempre conmueven las muertes de los hombres humildes, aunque no sea muy grande el vuelo poético de quien las cante. Conmueve el episodio, no la manera como está expuesto.

Canto IX: "Que despierte el leñador". Contiene la gran alabanza a la URSS. El entusiasmo sincero de Neruda por su credo recién adoptado y asimilado le permite alcanzar un alto nivel. Luego de un ataque a los Estados Unidos, el canto a la Unión Soviética tiene imágenes hermosas. Cualquiera sea la posición ideológica, es lealtad admitir la inspiración del poeta. Desgraciadamente, el arranque lírico dura poco y el Canto termina tan pedestremente como ha comenzado, con enumeración de nombres y protestas partidistas poco y nada convincentes.

En los cantos restantes ya ha tomado partido: deseoso de mostrar su fidelidad a la causa abrazada continúa en su temática de ataque y de alabanza, con mayor o menor fortuna.

Juicio crítico

No podemos detenernos más en esta obra fundamental, por su repercusión, en la poesía de América. Son más los desaciertos que los aciertos, pero la ambición fue grande y grandes los fragmentos que se salvan cuando el poeta triunfa sobre la militancia política. En todo caso Neruda está en la verdad: América es ésto. Hombres apasionados por sus ideas, ideas excluyentes de cualquier otra posición ideológica, pueblos explotados y mártires asesinados. Falta al cuadro de Neruda la faz contraria: el trabajo creador, el progreso, los ideales serenos, el espíritu religioso del hombre americano, el aporte de un honesto capital inversor, las manos de los millones de extranjeros que vinieron a poblar estas tierras sin asesinar indios ni mostrar ferocidad capitalista. Neruda da la imagen opuesta a la ofrecida por Leopoldo Lugones en "Odas seculares" (1910).

Falta el reconocimiento de lo que la burguesía culta y la Iglesia no mercenaria han hecho por América. Pero esto sería demasiado pedir a un poeta que al abrazar el comunismo, el subordinado comunismo stalinista a las directivas rusas, dejó de creer —obviamente— que América puede engendrar sus propia salvación a través de hombres que tienen abono más que sobrado para sus ideas, en lo que han sufrido. Sin ir a buscar una bandería engañosamente universalista y una nueva sumisión al más fuerte. América para los americanos podrá ser un concepto actualmente tergiversado, pero no es errado a menos que se quiera contradecir la idiosincrasia de todo un continente: esa que arrastra a un nacionalismo extremo, del cual el propio Neruda no pudo escapar, para defender la fisonomía de los pueblos.

* * *

Más datos biográficos

Vamos a dar algunas fechas de la política rusa para que el lector las compare con las ediciones de los libros de Neruda y saque conclusiones respecto a los matices de su obra poética posterior al "Canto General": 1953, marzo, anuncio de la muerte de Stalin; destitución de Beria. Hasta febrero de 1955, advenimiento de George Malenkov. 1955 a 1957: interinato de Bulganin con el informe de Nikita Krushchev contra Stalin, en febrero de 1956. Insurrección húngara (23 de octubre). Desembarco de Castro en Cuba. 1958: Nikita Kruschev llega al poder. 1961: lanzamiento de Gagarin. Muro de Berlín.

Heptasílabos disfrazados

Heptasílabos y endecasílabos abundan (disfrazados por la distribución tipográfica) en los versos posteriores de Neruda. Angostos, claros en su prédica sencilla para mentes elementales de obreros (y hay en el consenso soviético de arte comprensible "a las masas" una menor valía respecto al juicio que merece la inteligencia receptiva del proletariado).

Escribe una "Oda a Lenín" en "Navegaciones y regresos" (1960) y ha escrito en "Que despierta el leñador" el elogio de Stalin, de Molotov y Voroshilov. El tiempo le enseña a ser prudente: no escribe ningún poema a Nikita ni a Fidel Castro. Es preferible el héroe innominado o el héroe ya muerto y conjugado. Cada vez se hace más comunista. A veces usa un lenguaje satírico, en la línea del Caviedes peruano. Al ser poeta "comprometido" es poeta de ataque, intransigente, y escribe mucho según las circunstancias —una medalla a Madame Sun Yat Sen, un desfile frente a Mao Tse Tung— y los viajes. En 1953 recibe el Premio Mundial Lenín por la Paz y publica la edición original de "Las uvas y el viento", que comenzó a escribir en Capri, en 1952, cuando está a punto de ser expulsado de Italia por sus lecturas de poemas pro comunistas y su actividad partidaria. En 1949 había ido por primera vez a la URSS, en 1950 visita Rumanía, Hungría, Italia, India, Polonia (donde recibe el

"Premio Internacional de la Paz"). 1951, año de actividad política intensa, viaja a Pekín, a Moscú, a Berlín oriental. 1952 en Moscú inicia sus "Odas elementales". 1953 viaja a Argentina, donde escribe el poema de homenaje a J. Stalin. "En su muerte" (que no encontramos en sus "Obras completas", en la edición preparada por el propio Neruda). Viaja a Polonia y Checoeslovaquia. Recibe el Premio Mundial Lenín por la Paz. En 1954 dona a la Universidad de Chile su biblioteca y "otros bienes" (?). Aparece en Chile "Las uvas y el viento". Este es el libro de plena aceptación comunista. Lo escribe, ya vimos, en un año, y un poco a prisa escribirá los que siguen que duplican lo que hasta entonces ha escrito. Pocas veces se desvía en arranques líricos del sencillismo narrativo. Sin embargo, las variantes y matices son muy interesantes. Publica "Versos del capitán" (1952), en Buenos Aires, anónimamente. Todos sabían quién era el autor. Sorpresa: un largo poema de amor, sensual, no muy inspirado; pero el poeta vive un momento feliz. El anónimo, después de "Las uvas y el viento", se justificaba: el amor en una isla, el individualismo de dos seres, no interesan a la labor de militancia para con el proletariado.

"Odas elementales"

Vienen luego "Odas elementales" (1954) iniciadas en 1952 en Moscú, según declaraciones del poeta. El lugar de redacción inicial, y un pequeño e impersonal poema a Stalingrado le permiten seguir en la línea lírica. El tono es fresco, ligero, casi burlón, o melancólico. La prédica, en "El hombre invisible", "El hombre sencillo", es en tono menor, amable. Es un libro con alegría simple, escrito con rebuscado sencillismo, donde a veces regresa cierta reminiscencia superrealista. Se quiere mostrar contento de ser quien es, de dar el paso que ha dado, pero al mismo tiempo no quiere comprometerse demasiado.

Tampoco con "Nuevas Odas Elementales" (1956) lo hace. ¿Están ocurriendo cambios en la política del partido? Prudentemente, el poeta guarda su producción "comprometida" y deja libre expresión al lirismo. Vuelve casi a ser superrealista al cantar a tantas cosas de la vida diaria ("Oda a la tipografía", "Oda al trigo de los indios") y atisba su constante amor, su necesidad de entrega, más que su militancia, en otros poemas tales como "Oda a la solidaridad". En "Tercer libro de Odas" (1959) la primera es significativa: "Odas de todo el mundo", pero aquí ya hay más asomo activista (en "Oda a la calle San Diego", por ejemplo). Estas Odas están escritas, en su mayor parte, en 1956.

"Extravagario"

"Extravagario" (1958) es un libro especial. Neruda casi se cansa de la prisión estética del Partico —es fácil rastrear su depresión a través de los versos—: "Pido silencio" es un poema singular, una protesta real de su yo poético ante el materialismo en el cual se ha hundido. En "Soliloquio en las tinieblas" el desasosiego es claro: " quiero hablar sin que nadie escuche,/ sin que estén susurrando siempre,/ sin que se transformen las cosas/ en las orejas del camino" o cuando dice: "en alguna parte me esperan/ para acusarme de algo".

En "Navegaciones y regresos" (1960) todo cambia. Allí está la "Oda a Lenín" y su recuerdo de China, envueltos en los intermedios líricos de "Oda a las papas fritas" y "Oda a la sandía". En "Cien sonetos de amor" (1959), con nuevas formas de un superrealismo que se convierte en nostalgia por su antiguo estilo, intenta —y a veces consigue gran altura— volver a la pasión egoísta de dos seres que dialogan porque se aman. Nada hay allí de prédica, solamente amor.

Hay un cambio bastante notable en la posición de Neruda en "Las piedras de Chile" (1961), en cuya nota liminar dice: "Deber de los poetas es cantar con sus pueblos y dar al hombre lo que es del hombre". Es decir, se produce una reacción nacionalista después de tanto despersonalizado universalismo comunizante. La reacción se acentuará en "Cantos ceremoniales".

"Cantos ceremoniales"

"Cantos ceremoniales" (1961) es, en la intención evidente, una continuación de "Canto General"; pero es también la vuelta a cierto hermetismo muy poco socialista en su estética; un libro confesional, para leerlo entre líneas (véase el poema XVI "Exilios"). Se mezclan aquí los viejos amores —"Toro", "Cádiz" —con el tono tanto más americano cuando no recurre a ninguna enumeración para proclamar el amor a su tierra ("El gran verano"). El tono de "Cantos ceremoniales" ya no es de ataque, no tiene virulencia militante. ¿Ha cambiado Neruda? Es simbólicamente confesional en "Fin de fiesta", el largo poema que cierra el libro: "¡Pero no hay paso atrás! Nosotros escogimos,/ nadie pesó en las alas de la balanza/ sino nuestra razón abrumadora/ y este camino se abrió con nuestra luz: pasan los hombres sobre lo que hicimos". No creemos ya en un cambio definitivo, sino más bien en un apagarse del brío que atacó al converso que creyó encontrar en el comunismo un puerto de amistad, de comunicación, para su necesidad de amor y un remedio para la incomunicación que tanto le hizo sufrir. Neruda entra en la vejez. Pero mezclando recuerdos y presentes, con exaltaciones líricas, con campanadas que no por repetidas dejan de ser bellas de oír, termina dignamente su inmensa y fructífera obra. Aunque es justicia decirlo: desde "Canto General" ha escrito dos veces más que cuanto escribió antes sin superar su calidad poética ni su prístina originalidad creadora.

LA POESIA EXISTENCIAL

La poesía existencial

La actitud de Pablo Neruda fue imitada por muchos otros poetas que encausaron la fuerza convincente de la poesía y la subordinaron a un ideal nacionalista agresivo encaminado al proselitismo comunista, como los poetas que cantan al régimen de Fidel Castro dentro y fuera de Cuba.

El culteranismo, en su última evolución hasta hoy en día, también utiliza a la poesía de manera distinta. Ya no es la belleza en sí lo que buscan estos poetas, ni las experiencias extrañas para hallar nuevas sensaciones estéticas en base a resonancias o distorsiones del verso o la metáfora. La poesía, en cierto sentido, también se convierte en instrumento subordinado a otro propósito: el de explicar la conducta del hombre y la de plantear, como la filosofía, el conocimiento del hombre con relación a sí, a los demás y al cosmos. Hay como una especie de "superación" del problema de Dios, que es sustituída por una religiosidad sin creador. O por un Dios que no actúa.

La posición de los poetas culteranos es menos declarada que la de los poetas comunistas; aunque hay teóricos de esta intención existencial en la poética, tales como Octavio Paz. La filosofía, como muchas veces antes, va a buscar ejemplos en la poesía (Heidegger escribe dos ensayos, sobre Holderlin y Trakl) . Pero ahora la poesía deja su papel pasivo y asume una decisión de bastarse a sí misma: coincide con la filosofía existencial sin que sus poetas pretendan ejemplarizar un determinado tipo de filosofía. Por el contrario, creen que la poesía aporta con su misteriosa inspiración un conocimiento irracional que complementa a las palabras encaminadas a la razón. El culteranismo, pues, va hacia el universalismo en busca de lo absoluto. Pero ya no trata de encontrar una fórmula poética universalmente valedera —el viejo sueño de lo que se suponía que era un "gran poeta"—, sino una verdad universal expresada a través de la poesía.

Esta necesidad de conocimiento final fue consecuencia de la desubicación, de la "incomunicación", de la soledad que creció y separó a los hombres. El más grande poeta argentino actual, Ricardo Molinari, es un producto de esa incomunicación. Su poesía no es el canto desesperado del hombre que se siente aislado de los demás y que no logra entenderse con ellos. No, por el contrario: es la poesía de la incomunicación misma. Del desasosiego, de la infelicidad, pero también de la aceptación de la incomunicación, necesaria como único refugio del poeta frente a un mundo donde los demás no existen, vegetan, o son adversos. No es una postura egoísta y prescindente: es el regreso al origen solitario de la Creación. Hay que comenzar de nuevo. Hay que salvarse una vez más.

* * *

Ricardo Molinari

Ricardo E. Molinari (arg. 1898) figura como "empleado del Congreso Nacional" en la "Exposición de la actual poesía argentina" que Pedro Juan Vignale y César Tiempo editaron en 1927. Era la primera vez que Molinari integraba una selección poética. Aquella Antología del ultraísmo

—aunque figuraban los poetas "anti" el grupo de Florida— es hoy uno de los más interesantes documentos para estudiar el punto de partida de la época más notoria de la poesía argentina. Molinari, joven empleado del Congreso, siguió ocupando cargos anodinos en la administración pública. Salvo un breve paréntesis como diplomático sin destino —renunció muy pronto— se jubiló en puestos mal rentados. En 1933 fue a España y compartió la amistad de la gran generación republicana: Lorca, Diego, Altolaguirre, Alberti. Hasta 1943, en que Losada publica una antología de su obra ("Mundos de la madrugada") es prácticamente el poeta más leído en los "petit" cenáculos y el más desconocido por el gran público. Sus poemas aparecían en "plaquettes" de gran lujo, de reducido tiraje, costeadas por el bibliófilo Furst, un estanciero y mecenas argentino. ¿Cómo llegó este poeta hermético, de tiraje reducido, de vida voluntariamente oscura, a ser el poeta más admirado de su generación y, lo que es más importante, el más buscado y solicitado por las generaciones que sucedieron a la suya? Este es el misterio de la poesía. Se "corrió la voz" del gran poeta. Tuvo detractores y discípulos. Los sigue teniendo: y no son pasivos imitadores sino continuadores de su obra: Jorge Vocos Lescano (arg. 1924); Alfonso Solá González (arg. 1917); Narciso Pousa (arg. 1923).

* * *

Descomposición de un hermetismo

Molinari comienza a ser estudiado seriamente cuando José María Alonso Gamo, en Madrid, en 1951, publica "Tres poetas argentinos: Marechal, Bernárdez, Molinari" (Ediciones Cultura Hispánica), después vino el ensayo escrito por Narciso Pousa para la selección de su obra poética, hecha por él mismo para la Dirección General de Cultura (Ministerio de Educación de Argentina, 1959) y los comentarios de Alfredo Roggiano (Diccionario de Literatura Latinoamericana, Argentina, tomo II, Unión Panamericana, Washington, 1961) y de Juan Carlos Ghiano ("Poesía Argentina del Siglo XX", México, 1957). J. M. Cohen, en un artículo de la revista "Visión" (15 de enero de 1960), lo coloca entre los cuatro grandes poetas del siglo en hispanoamérica: Vallejo, Neruda, Paz y Molinari.

Nos detenemos más de lo habitual en este punto porque durante años la crítica había chocado contra el hermetismo o el lirismo cristalino —que ambas faces tiene— de Molinari y se había volcado en palabras y más palabras. José González Carbalho (arg. 1901-1957), el fino poeta y compilador de un "Indice de la poesía contemporánea argentina" (1937), al hablar de la dificultad para entender el significado de muchos poemas de Molinari, insinuó que no era necesario descifrarlos pues el poeta creaba "atmósferas" por las que el lector penetraba en el conocimiento. Atmósferas, en vez de explicación por palabra y razón. No está mal, pero no es bastante. Tampoco vamos nosotros a descifrar el hermetismo de Molinari, "el poeta de mayor introspectiva, el de más vida interior y el de personalidad más acusada entre los tres o cuatro poetas argentinos más destacados de hoy día", según Gamo. Pero sí intentaremos desglosar algunos elementos de su poesía, descomponiéndola en partes:

Molinari proviene del grupo ultraísta argentino, en 1927 publica su primer libro "El imaginero", y de la teoría superrealista conservó siempre esas "atmósferas" de las que habla González

Carbalho: un lenguaje por equivalencias, metáforas explicables —por lo menos en parte— y que son complementarias de lo que la razón capta directamente. Hay palabras claves que a veces tienen un valor simbólico, el valor de una idea no de un sinónimo. Aparte de esta faz superrealista, Molinari hereda dos formas españolas: el gongorismo amplio que caracterizó a la última parte del Barroco hispanoamericano y el folklorismo autóctono y hermético de la generación de García Lorca: véase "Cancionero del Príncipe de Vergara", sus poemas con influencias gallegas y portuguesas. Finalmente, emplea un criollismo que estriba en acumulación de nombres indígenas —con preferencia del sonoro y dulce idioma de los indios guaraníes— y en temas y atmósferas típicamente argentinos ("Oda a la pampa", "Oda al mes de noviembre junto al Río La Plata"). Habría que agregar un último elemento, intangible, imponderable: el de la inspiración poética que trasciende la razón mediante imágenes de tipo "creacionista". El libro que mejor representa a cada una y a todas estas partes del hermetismo de Molinari es "El huésped y la melancolía" (1946), seguramente el más inspirado de cuantos escribió

* * *

Temática

Un paisaje visto a través de la introspección, aún cuando emplea un lenguaje preciso y descriptivo, es el punto de partida de Molinari: la llanura, el viento, el cielo, el espacio. Gamo habla del mundo físico de Molinari. Nosotros, por supuesto, aceptamos la descripción física del paisaje, pero acompañada de una posibilidad de equivalencia en que el paisaje y sus elementos se convierten —con frecuencia— en símbolos interpretables. ¿Qué quiere decir con esta imagen típicamente superrealista?: "que no quede una flor en la calle con su broche de luto en la frente,/ ni el viento sobre las piedras podridas". Tal vez no sea demasiado arriesgado que la palabra "viento" signifique una idea de tiempo en transcurso sobre la culminación de las cosas arrasables por la muerte (la flor de luto) o sobre las cosas estériles e inútiles que permanecen (las piedras podridas). Igual equivalencia podría ensayarse con otras palabras claves, contínuamente empleadas por Molinari en su poesía: "cielo" como sinónimo de un Dios que mira sin intervenir, que es siempre testigo frío, que no responde a los interrogantes; el "Sur" es la imagen del Paraíso perdido al cual se volverá, pero un paraíso desintegrado y con mucho de infierno: "En el Sur melancólico se abre tu muerte. El Sur es un largo destino/ con sus viejos cielos silenciosos de concha de caracol,/ con sus nubes, con su mar que desde Dios golpea con su espantosa lengua;/ con su espejo donde alguna vez se hablaron, aturdidos,/ inmensas manadas de caballos, donde la espuma se tiñe con la arena sin saciar su ternura". Las "nubes" son el elemento espiritual que fluye sin más destino que la muerte, los "caballos" —y los demás animales— significan el elemento físico que, libre como el elemento espiritual, deambula en lo inmenso del destino —el paisaje: la llanura, el mar— sin "saciar su ternura", sin encontrar comunicación con los demás. Y aquí aparece otra palabra frecuente o tácita en la temática de Molinari: "soledad", el hombre solo, sin nadie, "sin nada" dice frecuentemente el poeta. Soledad e incomunicación son muchas veces sinónimos en su poesía.

El Paraíso Perdido

El cosmo desintegrado —Molinari recurre a menudo a las enumeraciones para dar esta sensa-

El cosmos desintegrado

ción— y el hombre perdido en un mundo no interpretable porque la relación entre los objetos ha perdido su ordenación lógica (el "absurdo" como diría Albert Camus, ha separado a los hombres). Esta es la atmósfera donde el poeta eleva su canto. Dice Gamo: "El hombre en soledad, el habitante de la llanura que, abandonado sobre la superficie plena de la tierra, ha de padecer también las crecientes de los ríos y ha de sentir contínuamente sobre sus hombros el peso de todo el cielo que se desploma sobre la pampa". Gamo insiste sobre lo físico al decir ésto, nosotros sobre lo simbólico: la soledad es la de Adán, desconcertado por un mundo no interpretado. Los "ríos", como las nubes, como todo lo fluyente, es el destino que huye sin que hagamos más que contemplarlo, apenas nuestra libertad física —los caballos— intenta apoderarse de él: "En el verano florido he visto/ un caballo azulado/ y un toro transparente/ beber en el pecho de los ríos".

* * *

El problema existencial

Avancemos un poco más, aún a riesgo de equivocarnos. El poeta, persona, desubicado, quiere su lugar, pide ayuda al Viento, quiere ser Viento, existir. Si viento y tiempo son uno, esto tendría sentido: el deseo de existir en la temporalidad, hoy y aquí. Y este sí es un tema profundo pero advertible en Molinari: los elementos físicos del hombre: la piel, la lengua, los cabellos, a los que tanto alude, y el fracaso de la comunicación con los demás —la soledad aceptada y buscada para poder manifesatrse más claramente ante sí mismo— lo llevan a la certeza de que el Viento, el tiempo, nada sabe del poeta físico, pasa sobre él sin considerarlo: y el poeta no quiere extinguirse físicamente de igual modo que quiere sobrevivir espiritualmente. "Sí; dentro de la tierra alegre, ¿quién vió mi cabeza dulcísima tropezar suntuosa?/ ¿quién se acordará ya de mí, de mis manos,/ en los dichosos días; de mi espacio asentado en el destierro?// "Ni olvidado ni efímero —faz lúcida del vacío—/ dí ¿qué cielo interminable empieza a mirar mis cabellos y mi boca cansada/ sobre los días indiferentes. Entre las personas?".

La incomunicación

La incomunicación ha dejado de importarle. El amor es incomunicación existencial, no salva, desune: "¡Amor! ¡Amor! ¿qué es el amor sino quedarse más solo en el corazón?". El amor es pasado fluyente que el Viento, el tiempo, borrará con el olvido. El "olvido" es equivalente de la idea de "muerte". Luego, amar es borrarse, morir. "La única salida posible, para escapar del olvido es el recuerdo, y recordar, ya lo dijo Unamuno, no es más que soñar el pasado", acota Gamo. El "aire", siempre alabado por Molinari, es el recuerdo, lo que regresa, lo que trae aquello perdido por la separación, el que interrumpe la incomunicación. Pero el poeta ya no lo acepta: el recuerdo no tiene sentido ("perdido andaba el aire por la casa del cielo"). En un soneto del libro "Días donde la tarde es un pájaro" (1954), dedicado a Osvaldo H. Dondo, esta idea se expresa claramente: el poeta y su alma perecedera esperan la eternidad ofrecida en el recuerdo infinito, pero es "leve quimera", nada de lo físico vuelve, sino solamente la memoria del espíritu. Lo único que desciende sobre el hombre, puro y desconcertado, es el tiempo. Nada permanece de verdad. "Sí: nada vuelve sino el sueño puro con los ojos abiertos y la frente sumisa, por el aire, transparente".

¿No hay salvación? Los días llevan al polvo. En ese mundo físico, lo único que permanece es lo que el poeta amó. Y el amor es muerte que separa, que aisla: "No, no quiero que nadie/ me olvide: ni los pastos, ni el viento dulce de las llanuras".

Al llegar a este punto, el poeta acepta su destino de estar sólo, de recuperar el Paraíso perdido, al Dios inmutable, su libertad sin sentido —física y espiritual— e intenta existir, permanecer, separado de los otros. O aniquilarse con todo, como en el verso superrealista que citamos en un comienzo.

"Ellos están con sus cuerpos floridos, moviendo/ las entreabiertas ramas de los árboles; yo, dentro de la vida— no oigo ni miro nada—/ camino, alto y áspero, hacia las grandes planicies/ o a orillas del mar, sin nadie. Con mi niñez acabada con unas flores".

* * *

Versos e ideas

1933: "Hostería de la rosa y el clavel". Dice "No sé, cantando se seca el viento". Tema del canto del poeta, aunque inútil. Quiere amar lo de aquí; no sabe si le gustará el más allá: "Y yo no sé si seré feliz". Y para defenderse tiene el deseo de "ser otra persona". Tema que Molinari heredó de Borges, o viceversa. El "querer ser otro" es apenas una ansiedad, es buscar la imagen en un imposible espejo. Escapar a sí mismo. En el poema IV escribe: "Yo quisiera ser feliz". Allí se advierte el tema del cielo, símbolo de Dios, que mira al hombre sin hacer: "Se cansa de mirar los pastos; con un cielo que vuelve hacia/ sí la mirada/ de piedra y nieve/ que llevo colgada de los dientes./ Yo sé que él consuela a algunos...".

1934: "Libro de la Paloma". Se abre con una invocación en Prosa a Dios para que dé paz a las almas que andan por el vacío oscuro y cuyos cuerpos se consumen hoy encima y debajo de la tierra. Y dice: "Nada. Mi sed va detrás del agua contenida del cielo,/ como una amante seca, por el desierto". "Cuando aborrezco a la gente, a los hombres,/ cuando me inunda el odio y me empapa la lengua,/ salgo a buscarte por las anchas calles". "Pero tú no estás en ninguna parte". Dios, como ya hemos visto, es negativo, no responde, y el poeta, perdido en su afán de resolver su permanencia y su yo en esta extraña ontología de Molinari, odia a los demás.

1938: "In finem Carminibus". Allí dice en un largo poema de amor: "Mi piel desea ser la ausencia adolescente/ de tu cuello, la vida de otro día; tenerte en mi, soñada, recóndita... (A veces levemente quiero ser otro hombre,/ dejar abandonada tu memoria,/ pero me da vergüenza —el amor es destrucción, delirio profundo, nunca—, y debo honrarte, ay, igual que a la muerte". Es decir, cada vez más claro, que el amor separa en vez de unir, y que hay que rehuírlo, huírle, o aceptarlo como a la muerte.

En un poema de amor de "Mundos de la Madrugada" ("Quisiera apartar mi voz de la muerte de los hombres...") dice: "Su cuerpo así apartado ya, junto al mío, con sus ángeles/ separando los colores para que no se unan todavía". Otra vez la incomunicación: cada ser vivo está condenado a su mundo.

En "Odas a orillas de un viejo río" (1940) el tema de la aceptación total del aislamiento de los demás, naturalmente, como necesidad ineludible para el autoconocimiento, se muestra una y otra vez: "Oda a mi voz melancólica en el Sur"; "Oda a la sangre", "Oda al amor"; "Oda a la nostalgia".

* * *

Obras

La Bibliografía de Molinari es como sigue: "El imaginero" (1927); "El pez y la manzana" (1929); "Panegírico de Nuestra Señora de Luján" (1930); "Delta" (1932); "Cancionero del Príncipe Vergara" (1933); Elegía" (1933); "Hostería de la rosa y el clavel" (1933); "Nunca", (1933); "El desdichado" (1934); "Libro de la paloma" (1934); "Una rosa para Stefen George" (1934); "El tabernáculo" (1934); "Epístola satisfactoria" (1935); "La tierra y el héroe" (1936); "Casida de la bailarina" (1936); "Dos sonetos" (1937); "Elegías de las altas torres" (1937); "La muerte en la llanura" (1937); "Nada" (1937); *"In finem carminibus"* (1938); "La corona" (1939); "Elegía a Garcilaso" (1939); "Cuaderno de la madrugada" (1939); "Libro de las soledades del poniente" (1939); "Oda de amor" (1940); "Odas a orillas de un viejo río" (1940); "Seis cantares de la memoria" (1941); "El alejado" (1943); "Mundos de la madrugada" (antología, 1943); "El huésped y la melancolía" (1946); "Sonetos a una camelia cortada" (1949); "Esta rosa oscura del aire" (1949); "Días donde la tarde es un pájaro" (1954); "Unida noche" (1957); "Poemas a un ramo de la tierra purpúrea" (1959); "El cielo de las alondras y las gaviotas" (1964).

* * *

Conclusión

¿Cuál es la conclusión, en síntesis, que extraemos de la difusa ontología de Molinari? Hemos creído ver en su poesía al poeta que rechaza y es rechazado por un mundo desordenado, ilógico, absurdo. En este mundo, los elementos físicos y espirituales al ejercerse sin un sentido preciso, engendran la incomunicación. El poeta, el hombre, quiere sobrevivir a esa incomunicación. Renuncia al amor, a comunicarse con los otros, a los que solamente vuelve en el recuerdo, que es abstracción. Desea sobrevivir y para ello intenta descifrar su yo interior a través de su permanencia exterior. Solamente si logra lo eterno física y espiritualmente está salvado. Pero el Paraíso perdido se le muestra árido, aunque apetecible por el valor de la nostalgia. Tal vez lo mejor sea el aniquilamiento total.

* * *

La otra faz de Molinari

Este aspecto existencial de la poesía de Molinari, profundo, pero captable, contribuyó al hermetismo del poeta; pero no es el único elemento que lo complica. Las formas españolas, barrocas, guiadas por versos que coloca como epígrafes a sus poemas (versos de autores clásicos, exquisitamente escogidos), con su gongorismo y su tácito Garcilaso (se reconoce a Garcilaso en el sabor especial de muchos de sus versos), también contribuyen al difícil entendimiento de su poesía. En este caso, ha de buscarse la explicación por el lado de los ideales del Barroco en América, que ya vimos en el capítulo correspondiente. A veces, los versos y Molinari se vuelven transparentes, fácilmente inteligibles, pero a poco que se los mire se advierte que esa claridad es engañosa, como en la obra de García Lorca. Esta especie de folklorismo autóctono, español, se da frecuentemente en "las canciones" de Molinari: "Nubes del cielo frío, dónde váis calladas..."; "Dormir, todos duermen solos..."; "Al alba, a la alborada,/ se menea la hoja/ con luz clara"

* * *

Octavio Paz

Frente a la aceptación de la incomunicación de Molinari se alza el intento de "integración existencial", a través de la poesía, de Octavio Paz.

Octavio Paz (mex. 1914) nació a la poesía juntamente con la revista "Taller" (1938) que agrupó a la nueva generación (la cual, aunque continuó el superrealismo, y el nacionalismo mexicano al estilo de Reyes, lo amplió hacia un universalismo del cual es Paz la culminación mejor). Los largos años en la diplomacia, en París y en la India, dieron al poeta una visión distinta acerca de la poesía. Continuó siendo nacionalista, mexicano de pura cepa, y esto se advierte en las antologías de poesía mexicana, con notas, que editó en francés, con prólogo de Paul Claudel (1952), y en inglés, con prólogo de Samuel Beckett (1958); pero el hecho mismo de elegir a dos figuras de tal prestigio internacional para "apoyar" a la difusión de los poetas de su país ya indica su actitud diferente. Igual cosa sucede con su "izquierdismo". Lentamente, de seguir a Neruda poética e ideológicamente, se libera y llega a una religiosidad sin Dios desde la cual critica tanto al cristianismo como al marxismo y propone una solución conciliatoria —que no difiere mucho del misticismo laico de los románticos— para el problema del hombre en el mundo. Sus ideas sobre poesía están expuestas en "El laberinto de la soledad" ("Cuadernos Americanos", México, 1950) y ampliadas en "El arco y la lira" (Fondo de Cultura Económica, México, 1956).

* * *

Obras Las obras de Octavio Paz son: "Luna silvestre" (1933); "Raíz del hombre" (1937); "Bajo tu clara sombra" (1937); "Entre la piedra y la flor" (1941); "A orilla de mundo" (1942); "Libertad bajo palabra" (1949); "¿Aguila o sol?" (1951); "Semillas para un himno" (1954); "Piedra de Sol" (1957); "La estación violenta"

(1958); "La Salamandra" (1962); "Magia de la risa" (1962). En prosa, otro ensayo, "Las peras del olmo", es de 1958 y su traducción de Matsuo Basho, "Sendas de Oku" (en colaboración con E. Hayshiya), de 1957.

Su obra de 1935 a 1958 ha sido presentada en una edición preparada por el mismo Paz, con el título de "Libertad bajo palabra", en diciembre de 1960. Aparecen algunos poemas corregidos, otros nuevos y se han suprimido versos de juventud. La ordenación es temática y no sigue, ni la cronología ni el título de las obras originales (aunque emplea alguno). Al mismo tiempo, esta antología muestra las prosas poemáticas, y los cuentos poéticos —llenos de fino humorismo— que ayudan a mejor interpretar la obra de Paz.

Ramón Xirau, en "Tres poetas de la soledad: Gorostiza, Paz, Villaurrutia" (Antigua librería Robredo, México, 1955), ha dado una inteligente interpretación sobre la poética de Paz.

* * *

Evolución y teoría poética

Como en Ricardo Molinari, la preocupación ontológica es el principal fin de la poesía de Octavio Paz. Como en Molinari, una faz superrealista —sostenida firmemente a través de los años— y un criollismo mexicano con nombres y alusiones precolombinas a las antiguas culturas autóctonas, podría incitarnos a intentar un método de traslación de algunas de sus palabras claves ("orilla", "límite", "frontera", "espejo", "río", "instantánea", son las que cita Anderson Imbert). Pero como él mismo explica su concepción de la poesía, creemos mejor seguirlo en el último capítulo de "El arco y la lira" (1956): puesto que "Libertad bajo palabra" (la antología, no el libro primero de ese título) es dos años posterior y escogida por el mismo Paz, lo que dice en prosa ha de verse reflejado poéticamente, si el lector quiere investigarlo. La estada en la India, indudablemente, hizo cambiar mucha de la teoría poética de Paz, pues su izquierdismo dejó lugar a su teoría del ser y el Cosmos. Para estudiarlo cómodamente habría que desglosar la faz superrealista, estética, de sus primeros libros; luego, la faz ideológica que podría extenderse a su producción desde la guerra de España al fin de la gran guerra; y finalmente esta etapa que condensa y supera a las anteriores, con el hinduísmo y la filosofía orientalista, luego de un período de acentuación del nacionalismo (que iría del 51 al 57), que estudiaremos a continuación, comenzada, o mostrada más claramente, a partir de 1958, en "La estación violenta" y culminada con la revisión de su obra anterior en la antología ya mencionada.

* * *

Intenciones filosóficas

Dijimos que la poesía se independiza de la filosofía, que sigue tomando ejemplos de ella, y trata de dar a conocer los móviles de la conducta, la relación entre los hombres, la intimidad del ser, con su propio lenguaje y esencia, sin recurrir a fuentes extrañas; la poesía se basta a sí misma para ayudar al autoconocimiento del hombre cuando deja de lado su faz puramente estética y se convierte en orientadora.

Veamos lo que dice Paz: "Sólo al recobrar lo divino, que no es lo mismo que entronizar deidades a las que hay que reducir, apiadar o aplacar, podrá el hombre restablecer el diálogo con la divinidad y por primera vez hablar con ella sin intermediarios. Ese diálogo se llama poesía". Para conseguir una vuelta a la religiosidad sin caer en la adoración que aprisiona y ciega, es preciso que la poesía se integre con la historia, se encarne en la historia, lo cual se conseguirá mediante dos condiciones: la desaparición del actual sistema histórico y la recuperación de la dimensión divina. Como vemos. Paz se acerca más a un anarquismo romántico que a las izquierdas o derechas sectarias. La desaparición del actual sistema histórico le hace decir: "La abolición de las clases y del Estado, la liquidación del poder de los unos sobre los otros y la sustitución de la moral de la autoridad y el castigo por la libertad y responsabilidad personal son los fundamentos de una sociedad verdaderamente religiosa..." La segunda condición, la recuperación de la dimensión divina, no es menos determinante: "El ateísmo racionalista que cercena al hombre debe ceder el paso a la concepción de un hombre de verdad religioso, en el sentido más arriba apuntado".

Marxismo, cristianismo, hinduísmo

Luego de criticar al marxismo, una esclavitud laica, y al cristianismo, esclavitud a un Dios creador, se define más claramente: "Casi todas las religiones orientales ignoran la noción de un Dios creador y muchas son francamente ateas: las tendencias Samkhya y Yogui clásicas, dentro del hinduísmo; el budismo Hinayana y ciertas corrientes del Mahayana; el jainismo". "Se puede imaginar lo divino como un orden cósmico, una armonía, una razón o proporción que comprende todas las medidas que es la medida misma, ritmo del cual somos nosotros uno de los acordes. Lo divino no se agota en la idea de un Dios personal, ni tampoco en la de muchos: todas las deidades emergen de lo divino; los dioses nacen y mueren, pero lo divino permanece. Este Dios sin rostro —pero que posee todos los rostros—; que no ha creado al mundo porque él mismo es el mundo;

que no es nuestro padre —pero que de alguna manera se identifica con nosotros—; que no es responsable de nuestros actos ni del mundo —más bien nosotros somos responsables del orden de su mundo, pues en nuestra libertad descansa su perfección: sin ella su orden no sería perfecto y ni siquiera sería orden—; este Dios que es el tiempo desplegándose en todas las formas, transparente y vacío, para que podamos ver a través la multiplicidad de la unidad... es el Ser de los griegos, el Atman de los Upanishad, el Nirvana de Buda, el silencio henchido de signos que responde a Cristo en la cruz cuando se siente abandonado por su padre". Adviértase cómo, al igual que Molinari, Octavio Paz habla de un Dios testigo, que no interviene en un mundo hecho por el hombre, sino que es simplemente testimonio de una religiosidad coordinadora, sin la cual ni Dios, ni el hombre, ni el mundo, pueden existir. Pero mientras que Molinari no encuentra sino la aceptación de la incomunicación, Paz avanza más lejos: Dios es prescindible; siempre que el hombre pueda recuperar su religiosidad equilibradora de su participación en el Cosmos como un elemento más, la posibilidad de salvación está abierta.

Religión sin Dios creador

Al borrar al Dios creador pareciera suprimir la noción de "salvación". Aquí se afloja la lógica de Paz, en la parte más débil de su ensayo: "Debe haber otras formas de vida y acaso la muerte —como el nacimiento— no sea sino un tránsito. Es dudoso que ese tránsito pueda ser sinónimo de salvación personal, al menos en el sentido corriente de esta idea". El tránsito, la fugacidad, el tiempo, las orillas, los ríos, las mismas preocupaciones y los mismos símbolos ontológicos de Molinari están presentes en Paz —son las preocupaciones de nuestro tiempo—, pero al sostener que la vida y la muerte son solamente un cambio (no se sabe cuál) en el que la salvación quizás no consista en lo que nosotros —por ancestro cristiano— creemos que es, introduce ideas orientales sobre el "valle de la muerte" y una esperanza: tal vez nuestra conducta no sea errada, si el resultado de ella es incognoscible. Por la poesía, que al llevar al hombre a la religiosidad coordinadora, al amor que une —contrariamente a Molinari— y da un conocimiento mejor que el que da Dios (que no es nuestro creador sino un elemento, como nosotros mismos, de la religiosidad), el cosmos volverá a ser perfecto: bastará con destruír la historia tal como se viene desarrollando. Esto es una Utopía, y toda la teoría de Paz, que podría complacer a Krupotkin, es una utopía; pero al mismo tiempo una teoría optimista, de fe en el hombre y en su posibilidad de redimirse a sí mismo. "La encarnación histórica de la poesía no es algo que pueda realizarse en nuestro tiempo". Lo cual implica que, en el futuro, sí puede realizarse. "Puesto que la sociedad está lejos de convertirse en una comunidad poética, en un poema vivo y sin cesar recreándose, la única manera de ser fiel a la poesía es regresar a la obra. La poesía se realiza en el poema y no en la vida. Y la única posibilidad de poetizar la vida es a través del poema, que no es nada sino es comunión".

Rotura de la armonía

Y aquí ataca duro contra los elementos que rompieron la comunión religiosa entre los hombres, sometiéndolos a un Dios único y amo, o a una arreligiosidad estatal. "El capitalismo transformó al hombre en mercancía; los nuevos regímenes en útiles de producción". "No es la técnica, sino el nihilismo implícito en ella, lo que constituye la maldición de nuestro tiempo". ¿Y cuál es el poeta de hoy y el poeta del futuro? O lo que es lo mismo, según deducimos: ¿Cómo es el hombre de hoy y cómo será el del futuro, unido al Cosmos, a Dios, a las cosas y a los demás hombres, vivos y muertos?

"Hay que separar la nota de Soledad o aislamiento que caracteriza a la poesía de este último siglo y medio". El poeta —el hombre— está solo frente a sus contemporáneos, y también al futuro. "Hemos cesado de reconocernos en el futuro que nos preparan". Y esta es la causa de la incomunicación. También nos han mutilado el pasado; y ésta es la causa de la soledad. No tenemos a dónde ir, y no sabemos para qué hemos venido. Pero está la salvación del futuro, la religiosidad que cambiará la estructura de la sociedad sin crear nuevos amos. Aquí, Paz coincide con Holderlin, el gran poeta alemán, en la teoría de "Hyperión": al quedar aislado, solo, incomunicado, sin ataduras con el pasado —cuya sistematización creó el absurdo presente— y con el futuro —en el que no desea vivir—, el poeta convertido descubre la necesidad de la comunidad, los lazos que lo ligan a la comunidad y que él puede restablecer. ¿Cómo? Convirtiéndose en héroe. "El héroe es aquel que, en algún instante, es todos los hombres". "El heroísmo es asumir el destino de todos". "El nuevo poema nombrará a los héroes. Frente al nihilismo sin rostro de la técnica, el poema ha de consignar a los héroes que asumen la libertad de todos frente al poder. El héroe: nuestro semejante. Ni superior ni inferior, ni señor ni esclavo: hombre entre los hombres". Otra vez, como un regreso, la idea de la revolución salvadora hecha por hombres iguales que, al darse cuenta de la soledad, la rom-

El héroe

pan mediante el amor al Cosmos, amor que comprende a todo lo creado, a Dios, al hombre, a las cosas. "Pues el hombre es el apetito de ser otro", ha dicho Paz. Pero con diferente sentido al "ser otro" de Borges o Molinari. En el mexicano, "ser otro" significa identificarse con el vecino sin la mutilación de condenarse a sí mismo.

* * *

Paz, con vueltas un poco anarquistas, pero mezcladas con bien asimiladas nociones de filosofía oriental llega al "semejante, mi hermano" de los románticos: religiosidad vaga pero no atea, compromiso de amar a los otros a través de la libertad —deificada, y que obliga a un postulado activo, de acción—, con consecuencias futuras de tipo idealista y no práctico o de ventaja material.

Ramón Xirau, en "Tres poetas de la soledad", dice: "Con la rebelión del hombre adviene la del poeta. Y siempre con la rebelión va unido el sentimiento de cierta esperanza: el superhombre de Nietzsche o el estado socialista y democrático después de la dictadura del proletariado. A un realismo en la crítica viene a fundirse la utopía cuando los poetas y los pensadores piensan en nuevas estructuras para la realidad, la vida moral y la práctica del hombre". La crítica es dura y algo escéptica respecto al idealismo de Paz. Pero Xirau está mirando el presente y no el futuro.

* * *

"Himno entre las ruinas"

Según Xirau, en "Himno entre ruinas" (1948) el poeta ha sintetizado los momentos fundamentales de su obra. Desde los aspectos más superficiales del poema —cambio de letra en las diversas estrofas— hasta "el contenido mismo de cada verso, la dialéctica se hace visible". Tal vez sí, porque entonces, como lo señalamos, Paz estaba en otra etapa ideológica. "Himno entre las ruinas" está dividido en una serie de siete estrofas. La segunda, la cuarta y la sexta aparecen en cursiva para mostrar ya en la apariencia misma del poema, la distribución y la relación entre estas tres estrofas y las cuatro restantes. El análisis de cada estrofa en su consecuencia dentro del poema acaba por desentrañar la lucha entre la soledad y comunión, vida y muerte, silencio y palabra, típicos de Octavio Paz", dice Xirau al comenzar su análisis del poema.

De su teoría expuesta en "El arco y la lira" (1956), hay ejemplos muy claros —si el lector se adviene a desentrañar pacientemente el verso— en la antología de "Libertad bajo palabra": en el poema "Piedra de sol" (publicado en 1957). Allí dice versos como éstos: "El mundo ya es visible por tu cuerpo" (el amor une); "un reflejo me borra, nazco en otro" (comunidad, cosmos); "vestida del color de mis deseos/ como mi pensamiento vas desnuda", (integración por el amor). Luego, perdido el amor, "piso días, instantes caminados", "años fantasmas, días circulares/ que dan al mismo patio, al mismo muro,". En ese momento "todos los nombres son un solo nombre", "todos los rostros son un solo rostro" (la comunidad, lograda por el amor y amenazada de contínuo por el mundo adverso, no se pierde). "No hay nada frente a mí, sólo un instante" (pero ese instante desmorona todo lo que es adverso, en la enumeración que da en la estrofa siguiente). Luego de desesperar contra el tiempo que destruye y trae la muerte del olvido, reacciona "¡caer, volver, soñarme y que me sueñen/ otros ojos futuros, otra vida, otras nubes, morirme de otra muerte!/ esta noche me basta, y este instante/ que no

Piedra de sol

acaba de abrirse y revelarse/ dónde estuve, quién fuí, cómo te llamas,/ cómo me llamo yo:" Y el mundo, al unirse todos con todos, cosas y seres, luego que el poeta describe en visión apocalíptica, la guerra, la vejez, cuartos vacíos, se salva: "todo se transfigura y es sagrado,/ es el centro del mundo cada cuarto,/ es la primera noche, el primer día,/ el mundo nace cuando dos se besan". Y la fe en el amor: "amar es combatir, si dos se besan/ el mundo cambia, encarnan los deseos/ el pensamiento encarna, brotan alas/ en las espaldas del esclavo". El poema termina cíclicamente, como ha comenzado.

No espere el lector encontrar un poema que dé un ejemplo claro y total de la filosofía de Paz sobre la poesía; pero sus creencias aparecen una y otra vez. Y con ellas, las influencias que recibió —de Neruda, Luis Cernuda, Holderlin, Eluard y el hinduísmo—, sus gustos y preferencias: de pronto romántico, lírico a veces, siempre rico en imágenes superrealistas desentrañables sin mayor dificultad.

Octavio Paz es un gran poeta. Tomando en él, aisladamente, temas por separado, el tiempo, el superrealismo, el amor, la actitud idealista, las variantes de su posición ideológica, el estudiante tendrá material y placer sobrado para su investigación.

* * *

Aquí nos detenemos, frente a una actitud nueva de la poesía en América hispana: a una actitud de compromiso político por una parte, de compromiso existencial por el otro. ¿A dónde llegaremos? Tal vez la respuesta la tengan los poetas desconocidos que rodean a estos grandes nombres que hemos citado.

"Y NO SABER A DONDE VAMOS..."

Sabemos de dónde venimos pero no a dónde vamos.

Desde Píndaro a Vallejo siempre fué igual. Siempre se alternaron los términos sin que ninguno prevaliera: poesía culta, poesía popular; poesía pura, poesía comprometida. El resultado final de tantas búsquedas y experiencias era uno mismo: Y ahora ¿qué? ¿Qué viene después?

Neruda, Molinari, Paz, desarrollaron nuevas faces de sus obras en la postguerra e introdujeron planteos que no se habían visto antes en nuestra historia poética: una subordinación de la poesía al compromiso social; cambiar la poesía de ciencia estética en disciplina para descifrar de una vez por todas el misterio de la naturaleza del hombre. Pellicer y Bernárdez plantean de nuevo el problema de Dios. Pero el primero prescinde de la Iglesia. El poeta católico abandona casi la oración sumisa y mira a la divinidad de frente, la interroga. Y adopta una actitud militante.

Estos grandes poetas habían enunciado su obra antes de la guerra de 1939 y podía adivinarse entonces lo que aportarían luego. Pero entre los nombres que brotaron después ¿dónde está la voz irrepetible, distinta? Entre 1945 y 1964 no aparece en América ningún poeta de proyección continental.

Tal vez no sepamos reconocerlo.

"Sin duda la nueva poesía no volverá a repetir las experiencias de los últimos cincuenta años. Son irrepetibles. Y todavía están sumergidos los mundos poéticos que esperan ser descubiertos por un adolescente cuyo rostro acaso nunca veremos", dice Octavio Paz.

Ese rostro todavía no configurado, o cuyo lenguaje ya no es el nuestro, ¿se llama en Argentina, Rodolfo Alonso (1934); Manuel J. Castilla (1934); Juan Carlos Martelli (1934); Luis Edgardo Massa (1933); Alejandra Pizarnik (1936); Graciela Solá (1930); Roberto Juarroz (1932)? Chile ¿será el de Efraín Barquero (1931); María Elvira Piwonka (1930); Enrique Lihn (1929)? ¿En Cuba lleva el nombre de Isel Rivero (1941), de Mercedes Cortazar (1942)? En Santo Domingo ¿es Máximo Avilés Blanda (1931); Marcio Veloz Maggiolo (1934); Luis Alfredo Torres (1932)? En México ¿será Thelma Nava (1930); Marco Antonio Montes de Oca (1932); Hugo Padilla (1935); José Emilio Pacheco (1939); Jaime del Palacio (1943); Juan Bañuelos (1932)? En Perú el poeta oculto se llama Javier Heraud (1942); Livio Gómez (1932); Manuel Velázquez Rojas (1931); Pablo Guevara (1930); Carlos Germán Belli (1930); Juan Gonzalo Rose (1930)? En Costa Rica, en Guatemala... ¿cuál es el rostro del nuevo poeta? ¿cómo se llama? No tiene importancia su nombre si ha nacido ya. Lo escucharán los oídos a los que su voz va dirigida.

Tal vez los poetas del futuro no tengan que volver a tomar posiciones. Quizás logren suprimir la diferencia entre "culto" y "comprometido". Ojalá no sea necesario "comprometerse".

Pero si tal cosa ocurre, si el hombre vuelve a ser el lobo del hombre, que los poetas de rostro desconocido y aquellos a los que el tiempo va borrando el rostro, los que están presentes en los oídos y los que todavía no cantaron, junten sus manos para defender al espíritu sin pensar que sus mundos son antagónicos. y que junto a ellos los críticos y estudiosos de la poesía digan, parafraseando un verso de Leopoldo Lugones:

Y decidí ponerme de parte del poeta.

Hellén Ferro

New York, 25 de mayo de 1964

BIBLIOGRAFIA

Aconsejable para un estudio sobre la poesía en Hispanoamérica

OBRAS GENERALES

"Historia de la literatura hispanoamericana". Enrique Anderson Imbert. Fondo de Cultura Económica. México. 1962.

"Spanish-America Literature. A history". Enrique Anderson Imbert. Wayne State University Press. Detroit. 1964.

"Historia de la literatura española" (tomo IV: Literatura hispanoamericana). Angel Valbuena Briones. Gustavo Gil. Barcelona. 1962.

"Nueva historia de la gran literatura iberoamericana". Arturo Torres-Ríoseco. Emecé. Buenos Aires. 1961.

"Historia General de la literatura española e hispanoamericana". Emiliano Diez Echarri-José María Roca Franquesa. Aguilar. Madrid. 1960.

"Tres conceptos de la literatura hispanoamericana". Guillermo de Torre. Losada. Buenos Aires. 1961.

"Claves de la literatura hispanoamericana". Guillermo de Torre. Taurus. Madrid. 1959.

"Las corrientes literarias en América hispanica". Pedro Henríquez Ureña. Fondo de Cultura Económica. México. 1949.

"Indice crítico de la literatura hispanoamericana". Alberto Zum Felde. Guarania. México. 1954.

"Historia de la literatura española e hispanoamericana". Ramón D. Perés. Sopena. Barcelona. 1960.

"Escritores representativos de América". Luis Alberto Sánchez. Gredos. Madrid. 1963.
"Historia de la literatura hispanoamericana". Carlos Hamilton. Las Américas Publishing Company. New York. 1960.
"The literary history of Spanish America". Alfred Coester. The Macmillan Company. New York. 1950.
"España en América". Federico de Onís. Universidad de Puerto Rico. 1955.
"La poesía hispanoamericana". Agustín de Saz. Seix Barral. Barcelona. 1948.
"Esquema generacional de las letras hispanoamericanas". José Juan Arrom. Instituto Caro y Cuervo. Bogotá. 1963.

ANTOLOGIAS

"Antología de poetas hispano-americanos". Marcelino Menéndez y Pelayo. Madrid. 1895.
"Antología poética hispano-americana". Calixto Oyuela. Buenos Aires. 1920.
"Antología de la poesía española e hispanoamericana". Federico de Onís. Las Américas Publishing Company. New York. 1961.
"Poesía hispanoamericana". Félix Franco Oppenheimer. Orion. México. 1957.
"Antología de la poesía hispanoamericana". Julio Caillet-Bois. Madrid. 1958.
"Poesía de España y América". Carlos García Prada. Ediciones Cultura Hispánica. Madrid. 1958.
"Literatura hispanoamericana". Antología e introducción histórica. Enrique Anderson Imbert y Eugenio Florit. Holt, Rinehart and Winston. New York. 1960.
"Poesía Universal". María Romero. Zig-Zag. Santiago de Chile. 1962.
"Antología comentada de la poesía hispanoamericana (Tendencias - temas - evolución)". Hellén Ferro. Las Américas Publishing Co. New York. 1965.

OBRAS ESPECIALIZADAS

"Diccionario de la literatura latinoamericana. Argentina". Unión Panamericana. Washington. 1960.
"Diccionario de la literatura latinoamericana. Colombia". Unión Panamericana. Washington. 1959.
"Poetas novohispanos (1621-1721)". Alfonso Méndez Plancarte. Universidad Autónoma de México. 1944.

"Vida mental en hispanoamérica: siglos XVI, XVII y XVIII". Francisco A. de Icaza. Aguilar. Madrid. 1951.

"The heroic Poem of the Spanish Golden Age". Frank Pierce. The Dolphin Book Co., Ltd. Oxford. 1947.

"El humorismo y la sátira en México". Teodoro Torres. Editora Mexicana. México. 1943.

"Poetas modernistas hispanoamericanos". Carlos García Prada. Madrid. 1956.

"Breve historia del Modernismo". Max Henríquez Ureña. Fondo de Cultura Económica. México. 1954.

"Antología crítica del modernismo hispanoamericano". Raúl Silva Castro. Las Américas Publishing Company. New York. 1963.

"Precursores del Modernismo". Arturo Torres Ríoseco. Las Américas Publishing Company. New York. 1963.

"Julián del Casal y el modernismo hispanoamericano". José María Monner Sanz. El Colegio de México. México. 1952.

"El postmodernismo". Octavio Corvalán. Las Américas Publishing Company. New York. 1961.

"Modern Women Poets of Spanish America". Sidonia Carmen Rosembaum. Hispanic Institute. New York. 1945.

"Historia de la literatura argentina". Rafael Alberto Arrieta. Peuser Buenos Aires. 1959.

"La literatura argentina; ensayo filosófico sobre la evolución de la cultura en el Plata". Ricardo Rojas. Kraft. Buenos Aires. 1957.

"Cien poesías rioplatenses. 1800-1950". Roy Bartholomew. Raigal. Buenos Aires. 1954.

"La literatura gauchesca y la poesía gaucha". Carlos Alberto Lehumann. Raigal. Buenos Aires. 1953.

"Poetas gauchescos". Eleuterio Tiscornia. Losada. Buenos Aires. 1940.

"Poesía gauchesca". Jorge Luis Borges-Adolfo Bioy Casares. Fondo de Cultura Económica. México. 1955.

"Vida y obras de Bartolomé Hidalgo". Nicolás Fusco Sansone. Edición del autor. Buenos Aires. 1952.

"Diccionario del Martín Fierro". Pedro Inchauspe. Dupont Farré editor. Buenos Aires. 1955.

"Exposición de la actual poesía argentina". Pedro Juan Vignale-César Tiempo. Minerva. Buenos Aires. 1927.

"Antología poética argentina". J. L. Borges-S. Ocampo-A. Bioy Casares. Sudamericana. Buenos Aires. 1941.

"Poesía argentina (1940-1949)". David Martínez. El ciervo en el Arroyo. Buenos Aires. 1949.

"Poesía argentina del siglo XX". Juan Carlos Ghiano. Fondo de Cultura Económica. México. 1957.

"Historia de la literatura mexicana". Carlos González Peña. México. 1960.

"Las cien mejores poesías mexicanas líricas". Antonio Castro Leal. Purrúa. México. 1945.

"Las cien mejores poesías mexicanas modernas". Antonio Castro Leal. Purrúa. México. 1945.

"Poesía mexicana". Max Aub. Aguilar. México. 1960.

"Antología de la poesía mexicana". Eduardo de Ory. Aguilar. Madrid. 1936.

"Poesía mexicana". Octavio Paz. Prólogo de Paul Claudel (1952) y de Samuel Beckett (1958).

"Historia de la literatura mexicana". Carlos González Peña. Purrúa. México. 1963.

"Historia de la literatura española e historia de la literatura mexicana". Guillermo Díaz-Plaja y Francisco Monterde. Purrúa. México. 1961.

"Poetas chilenos contemporáneos". Alfredo Lefebre. Zig-Zag. Santiago de Chile. 1945.

"Nuestros poetas. Antología chilena moderna". Armando Donoso. Nascimiento. Santiago. 1924.

"La poesía chilena". Fernando Alegría. Fondo de Cultura Económica. México. 1954.

"Breve historia de la literatura chilena". Arturo Torres-Ríoseco. Andréa. México. 1956.

"Historia de la literatura chilena". Hugo Montes y Julio Orlandi. Santiago. 1955.

"La literatura peruana". Luis Alberto Sánchez. Buenos Aires. 1951.

"La poesía postmodernista peruana". Luis Monguió. University of California Press. 1954.

"Las cien mejores poesías peruanas contemporáneas". Francisco Carrillo. La Rama Florida. Lima. 1964.

"Antología venezolana". José Ramón Medina. Gredos. Madrid. 1964.

"Formación y proceso de la literatura venezolana". Mariano Picón Salas. Editorial Cecilio Acosta. Caracas. 1940.

"Raza y color en la literatura antillana". G. R. Goulthard. Escuela de Estudios Hispano-Americanos. Sevilla. 1952.

"Breve historia de la literatura antillana". Otto Olivera. Studium. México. 1957.

"Poesía" (de Palés Matos). Federico de Onís. Universidad de Puerto Rico. San Juan. 1957.

"Poesía puertorriqueña". Luis Hernández Aquino. Universidad de Puerto Rico. 1954.

"Diccionario de la literatura puertorriqueña". Josefina Rivera de Alvarez. Universidad de Puerto Rico. 1955.

"Cien de las mejores poesías cubanas". Rafael Stenger. Ediciones Mirador. La Habana. 1950.

"La poesía contemporánea en Cuba". Roberto Fernández Retamar. La Habana. 1954.

"Panorama histórico de la literatura cubana(1492-1952)". Max Henríquez Ureña. Las Américas Publishing Company. New York. 1963.

"Diez poetas cubanos". Cintio Vitier. Ediciones Orígenes. La Habana. 1948.

"Cincuenta años de poesía cubana: 1902-1952". Cintio Vitier. Ministerio de Educación. La Habana. 1952.

"Antología poética de La Paz". Luis Felipe Vilela. Editorial Universo. La Paz. 1950.

"Literatura boliviana". Fernando Diez de Medina. Aguilar. Madrid. 1954.

"Historia de la literatura boliviana". Enrique Finot. Purrúa. México. 1943.

"Indice de la poesía uruguaya contemporánea". Alberto Zum Felde. Ercilla. Santiago de Chile. 1934.

"Antología de la moderna poesía uruguaya (1900-1927)". Ildefonso Pereda Valdéz. El Ateneo. Buenos Aires. 1927.

"Antología de líricos colombianos". Carlos García Prada. Bogotá. 1936.

"Indice de la poesía ecuatoriana contemporánea". Benjamín Carrión. Santiago de Chile. 1937.

"Ensayo de un diccionario de la literatura (tomo II: Escritores españoles e hispanoamericanos)". Federico Carlos Sainz de Robles. Aguilar. Madrid. 1953.

El lector encontrará, en los capítulos correspondientes, indicaciones bibliográficas sobre los autores más destacados.

INDICE DE PERSONAS Y PUBLICACIONES CITADAS EN ESTA OBRA

INDICE GENERAL